독서 강화

과학 · 기술

이룸이앤비
Education&Books

SUMMA CUM LAUDE 독서 강화[과학 · 기술]

COPYRIGHT

숨마큼라우데® 독서 강화[과학 · 기술]

이 책을 집필한 선생님들

이주희 / 진산과학고
최혜민 / 미림여고
이효선 / 정신여고
송소라 / 현대고

1판 4쇄 발행일 : 2022년 10월 17일
펴낸이 : 이동준, 정재현
기획 및 편집 : 김성준, 정혜진
디자인 : 굿윌디자인

펴낸곳 : (주)이룸이앤비
출판신고번호 : 제2009 – 000168호
주소 : 서울시 강남구 논현로 16길 4-3 이룸빌딩 (우 06312)
대표전화 : 02 – 424 – 2410
팩스 : 02 – 424 – 5006
홈페이지 : www.erumenb.com
ISBN : 978 – 89 – 5990 – 387 – 0

[이 책을 펴내면서]

희망은 마치 독수리의 눈빛과도 같다.
항상 닿을 수 없을 정도로 아득히 먼 곳만 바라보고 있기 때문이다.

진정한 희망이란 바로 나를 신뢰하는 것이다.
행운은 거울 속의 나를 바라볼 수 있을 만큼 용기가 있는 사람을 따른다.

자신감을 잃어버리지 마라.
자신을 존중할 줄 아는 사람만이 다른 사람을 존중할 수 있다.

— 쇼펜하우어의 『희망에 대하여』 中

희망과 자신감은 언뜻 무관한 것 같지요.
그러나 위대한 철학자의 말처럼, 진정한 희망이란 자신감이라고 할 수 있습니다.
스스로를 사랑하고 나를 포기하지 않는 것,
그것이 희망을 현실로 만들 수 있는, 그리고 타인을 진심으로 사랑할 줄 아는 사람이 되는 길입니다.

지혜롭고 용기 있는 젊음이 되십시오.

— 지은이들

[구성 및 특징]

1 과학·기술 제재 개관 – 출제 경향 및 학습 방법

과학·기술의 각 제재별 수능 출제 경향을 분석하고, 제재의 성격에 따라 효과적으로 학습할 수 있도록 학습 방법을 수록하였습니다.

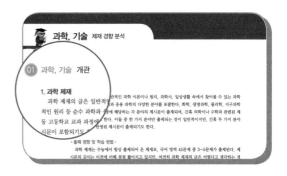

2 출제 유형 분석과 기출 미리보기

• '출제 유형 분석'에서는 실제 수능 국어 영역에서 출제되는 문제를 분석하여 유형에 따라 글을 읽는 방법과 공부 방향을 파악할 수 있도록 하였습니다. 또 수능에 출제된 문제의 발문을 수록하여 수능에 대한 감각을 익힐 수 있도록 하였습니다.

• '기출 미리보기'에서는 실제 수능에 출제되었던 문제를 수록해 제재에 대한 지식과 문제 풀이 능력을 키우고, 각 문항별 출제 의도를 분석하여 실전에 대비할 수 있도록 하였습니다.

3 오답률 BEST 빈출 유형

과학·기술 제재에서의 고난도 문제 유형을 실제 시험에서 오답률이 높았던 문제를 통해 확인할 수 있도록 하였습니다. 지문 분석 노트를 활용하여 제시문의 각 내용을 설명하였고, 오답률 BEST 문항 분석을 통해 학생들이 오답을 선택하게 된 이유를 분석하였습니다. 또 해당 유형의 문제 풀이 방법을 단계별로 제시하였습니다.

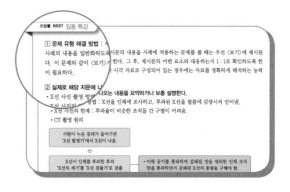

4 실전 TEST

- 제재별로 앞부분에는 수능, 평가원 기출문제를 실어 실제 시험에 적응력을 높일 수 있도록 하였습니다. 또한 각 문단의 요지를 직접 쓰게 하여 근본적인 독해 능력을 향상시킬 수 있도록 구성하였습니다.
- 제재별로 실제 수능 시험과 유사한 주제의 제시문, 그리고 유사한 형태의 문항과 새로운 형태의 문항을 골고루 수록하여 실전에서도 자신 있게 임할 수 있도록 하였습니다.

5 독서 PLUS

국어 독서 영역에서는 다양한 배경지식이 중요합니다. 과학·기술 분야의 각 제재별로 공부할 때 도움이 될 만한 글들과 흥미로운 자료들을 엄선하여 수록하였습니다. 또한 단락 요지와 Quiz를 통해 읽은 내용을 다시 정리해 보도록 하였습니다.

6 책 속의 책, 秘 Sub Note

본책에 실린 제시문을 그대로 싣고 글의 주제 및 각 문단의 중심 내용, 행간주 등을 수록하여 정답 및 해설을 통해서도 스스로 학습이 가능하도록 하였습니다. 또 정답에 대한 풀이는 물론 오답에 대한 풀이도 실었으며, 각 유형에 대한 분석을 통해 실제 시험에 대비할 수 있게 하였습니다.

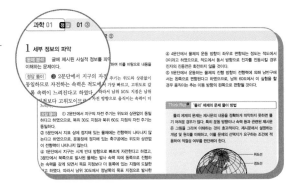

SUMMA CUM LAUDE 독서 강화[과학 · 기술]

CONTENTS

[차 례]

THINK MORE ABOUT YOUR FUTURE

CONTENTS

제 **II** 부　**기술 실전 TEST**

[책 속의 책] 秘 서브노트 정답 및 해설

['30일' 완성 학습 PLANNER] 어떤 유형의 문제가 출제되는지 파악하며 헷갈렸거나 틀린 문제를 기록하여 복습해 보세요.

대단원	차시		학습 날짜	쪽수	복습할 내용
제Ⅰ부 과학	1일차	01 _ 물리	월 일	42~43	
	2일차	02 _ 화학	월 일	44~46	
	3일차	03 _ 생명과학	월 일	47~48	
	4일차	04 _ 지구과학	월 일	49~51	
	5일차	복습	월 일	헷갈리는 문항이나 틀린 문항 위주로 복습하길 권장합니다.	
	6일차	05 _ 지구과학	월 일	58~60	
	7일차	06 _ 생명과학	월 일	61~63	
	8일차	07 _ 화학	월 일	64~66	
	9일차	08 _ 물리	월 일	67~69	
	10일차	복습	월 일	헷갈리는 문항이나 틀린 문항 위주로 복습하길 권장합니다.	
	11일차	09 _ 수학	월 일	76~78	
	12일차	10 _ 화학	월 일	79~81	
	13일차	11 _ 생명과학	월 일	82~84	
	14일차	12 _ 물리	월 일	85~87	
	15일차	복습	월 일	헷갈리는 문항이나 틀린 문항 위주로 복습하길 권장합니다.	
제Ⅱ부 기술	16일차	01 _ 생활 기술	월 일	94~96	
	17일차	02 _ 생활 기술	월 일	97~99	
	18일차	03 _ 산업 기술	월 일	100~102	
	19일차	04 _ 기계	월 일	103~105	
	20일차	복습	월 일	헷갈리는 문항이나 틀린 문항 위주로 복습하길 권장합니다.	
	21일차	05 _ 산업 기술	월 일	112~114	
	22일차	06 _ 컴퓨터 기술	월 일	115~117	
	23일차	07 _ 산업 기술	월 일	118~120	
	24일차	08 _ 산업 기술	월 일	121~123	
	25일차	복습	월 일	헷갈리는 문항이나 틀린 문항 위주로 복습하길 권장합니다.	
	26일차	09 _ 산업 기술	월 일	130~132	
	27일차	10 _ 컴퓨터 기술	월 일	133~135	
	28일차	11 _ 산업 기술	월 일	136~138	
	29일차	12 _ 컴퓨터 기술	월 일	139~141	
	30일차	복습	월 일	헷갈리는 문항이나 틀린 문항 위주로 복습하길 권장합니다.	

Intro 과학 · 기술

01 과학, 기술 개관

1. 과학 제재

과학 제재의 글은 일반적인 과학 이론이나 원리, 과학사, 일상생활 속에서 찾아볼 수 있는 과학적인 원리 등 순수 과학과 응용 과학의 다양한 분야를 포괄한다. 화학, 생명과학, 물리학, 지구과학 등 고등학교 교과 과정에 해당하는 각 분야의 제시문이 출제되며, 간혹 의학이나 수학과 관련된 제시문이 포함되기도 한다. 이들 중 한 가지 분야만 출제되는 것이 일반적이지만, 간혹 두 가지 분야가 복합적으로 반영된 제시문이 출제되기도 한다.

• 출제 경향 및 학습 방법 •

과학 제재는 수능에서 항상 출제되어 온 제재로, 국어 영역 45문제 중 3~5문제가 출제된다. 제시문의 길이는 이전에 비해 점점 짧아지고 있지만, 여전히 과학 제재의 글은 어렵다고 생각하는 경우가 많다. 하지만 과학 제재의 글을 출제하는 목적이 '얼마나 많은 과학적 지식을 가지고 있는가'를 평가하는 것이 아니라, '과학적 지식이 담긴 글을 읽고 얼마나 깊이 이해했는가'에 있으므로 학생이 이해할 수 있는 수준의 제시문이 출제된다. 따라서 다소 낯설고 복잡하더라도 제시문을 차분히 읽으면서 글의 내용을 파악하도록 한다. 고등학교 교과 과정에서 다루는 내용이 일부 제시되는 경우도 있으므로, 수업 시간에 과학적인 개념을 명확하게 이해해 두면 도움이 된다. 세부 정보를 파악하는 문제와 시각 자료를 이해하고 사례 등을 적용하는 문제가 빈번하게 출제되므로 제시문의 내용을 세밀하게 읽는 연습을 하도록 한다.

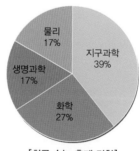

물리 17%
지구과학 39%
생명과학 17%
화학 27%

[최근 수능 출제 경향]

2. 기술 제재

기술 제재의 글은 기술 일반, 산업 기술, 영상, CD, 이어폰, 컴퓨터 등 일상 생활에서 접하는 대상과 관련된 기술과 앞으로 주목할 만한 신기술 등 다양한 분야를 포괄한다. 과학 제재의 글과 비슷해 보이기도 하지만, 주로 특정 기술의 원리나 특성에 대해 설명하고 있다는 특징이 있다.

·출제 경향 및 학습 방법·

기술 제재는 2013년도까지 꾸준히 출제가 되었는데, A형과 B형으로 나뉜 후로는 A형에서만 국어 영역 45문제 중 3~5문제가 출제된다. 익숙한 대상과 관련된 기술이라도 기술 제재의 글은 전문적인 내용이 대부분이며, 수험생이 이러한 내용에 대해 사전 지식이 없는 경우가 많기 때문에 체감 난도는 높은 편이다. 낯선 용어들이 체감 난도에 영향을 미치고 다양한 기술이 빠른 속도로 등장하고 있는 현실을 고려해 볼 때, 평소 기술과 관련된 글들을 읽어두는 것이 기술 제재의 글을 이해하는 데 도움이 될 것이다. 기술 제재에서는 내용 이해에 대한 문제와 구체적인 사례에 기술을 적용할 수 있는지를 묻는 문제가 빈번하게 출제되는 편이다. 따라서 선택지에 제시된 사례를 일반화시키는 과정을 통해 제시문의 내용과 1 : 1 대응을 시키는 능력을 길러야 한다.

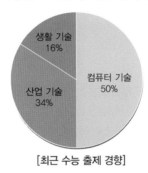

[최근 수능 출제 경향]

02 과학, 기술 제재 출제 유형 분석

문제의 유형에 따라 글을 읽는 방법과 문제를 푸는 방법은 조금씩 달라진다. 따라서 국어 영역에서 어떤 유형의 문제가 출제되는지 파악하고 있으면 공부의 방향을 명확히 할 수 있다. 과학 제재와 기술 제재에서는 정보를 전달하는 글이 많기 때문에 출제되는 문제는 세부 정보의 파악, 추론의 적절성 파악, 구체적 사례에 적용 등으로 빈출 유형이 다양하지는 않다. 그래프나 도표 등의 시각 자료와 〈보기〉가 제시되는 경우가 많으므로 이를 해석하는 능력이 수반되어야 한다. 과학 제재와 기술 제재에서 많이 출제되는 유형을 살펴보면 다음과 같다.

1. 세부 정보의 파악

글의 내용을 정확히 파악하고 이해했는지를 평가하는 문제 유형이다. 이 유형에서는 제시문의 내용과 선택지의 내용이 일치하는지, 일치하지 않는지를 확인해야 한다. 모든 제재에서 가장 많이 출제되는 유형으로, 제시문을 꼼꼼하게 읽는 것이 중요하며 문제에서 요구하는 정보가 들어있는 부분을 제시문 속에서 찾아내는 연습을 해야 한다. 과학 제재와 기술 제재에서는 글의 내용을 바르게 도식화 했는지 물어봄으로써 정보의 파악 여부를 확인하는 경우도 있으므로, 시각 자료를 해석하는 능력을 기르는 연습도 해야 한다.

> **발문 유형**
>
> • 윗글의 내용과 일치하지 않는 것은?
> • 윗글을 이해한 것으로 가장 적절한 것은?
> • 윗글을 통해 알 수 있는 내용으로 적절하지 않은 것은?
>
> 도식화로 표현된 경우
> • ㉠을 표현한 그래프로 가장 적절한 것은?
> • 일출부터 일몰까지의 '잎'의 수분 퍼텐셜을 나타낸 그래프로 윗글의 내용에 부합하는 것은?

2. 추론의 적절성 파악

글에 직접 드러나지 않은 정보를 논리적으로 추론하는 능력을 평가하는 문제 유형이다. 전제나 논리의 근거 등을 추론하거나 전후 관계를 추론하는 문제, 글쓴이의 견해·주장·의도를 추론하는 문제 등도 이 유형에 포함된다. 이러한 유형의 문제를 풀 때는 자의적으로 추론을 해서는 안 되며, 반드시 제시문의 내용을 근거로 추론해야 한다.

> **발문 유형**
>
> • ㉡의 결과로 볼 수 있는 것은?
> • 윗글로 미루어 알 수 있는 내용으로 적절한 것은?
> • (윗글을 읽고 / ㉠과 ㉡에 대하여) 추론한 내용으로 가장 적절한 것은?
> • 윗글을 바탕으로 〈보기〉에 대해 추론한 내용으로 적절하지 않은 것은?

3. 구체적 사례에 적용

글의 개념과 원리를 새로운 맥락에 적용하거나 활용하는 능력을 평가하는 문제 유형이다. 새로운 맥락은 구체적인 사례나 〈보기〉를 통해 제시된다. 즉, 제시문의 내용을 구체적인 사례나 〈보기〉에서 제시하는 내용과 관련지어 적용해야 하므로, 먼저 제시문에 대해 정확히 이해해야 한다. 또한 〈보기〉는 도표, 그림, 텍스트 등으로 제시되거나 서술형으로 제시되는데, 이에 대한 해석이 제대로 이루어지지 않을 경우에는 문제를 푸는 것이 어렵게 느껴질 수 있다. 따라서 수업 시간에 다루는 다양한 자료 등을 통해 자료를 해석하는 연습을 해 두는 것이 좋다.

> **발문 유형**
>
> 〈보기〉가 서술형인 경우
> • 윗글을 바탕으로 〈보기〉에 대해 이해한 내용으로 적절한 것은?
> • 윗글을 바탕으로 할 때, 〈보기〉의 실험에 대한 이해로 적절하지 않은 것은?
> • 윗글을 바탕으로 〈보기〉의 ⓐ, ⓑ를 설명한 것으로 적절하지 않은 것은?
> • 〈보기〉에서 ⓐ~ⓔ에 적용된 원리를 분석한 내용으로 옳지 않은 것은?
>
> 〈보기〉가 시각 자료인 경우
> • 윗글을 바탕으로 〈보기〉에 대해 (설명한 / 이해한) 내용으로 적절한 것은?
> • 윗글을 바탕으로 〈보기〉와 같은 실험을 했을 때, B에 해당하는 그래프로 알맞은 것은?
> • 〈보기〉는 윗글에 제시된 작동 원리를 도식화한 것이다. ⓐ~ⓔ에 해당하는 것으로 옳지 않은 것은?

4. 어휘의 의미 파악

어휘의 사전적 의미나 문맥적 의미를 이해하는 능력을 평가하는 문제 유형이다. 어휘의 의미를 파악하는 문제는 선택지44에 제시된 어휘 또는 뜻풀이를 제시문 속에 각각 대입해 보면 어렵지 않게 풀 수 있다. 최근 독서 영역에서 어휘 문제가 많이 출제되는 경향을 보이고 있으므로, 평소 글을 읽을 때 모르는 어휘가 나오면 반드시 그 의미를 찾아 정리해 두도록 한다. 이때, 단어와 그 의미만을 단순히 암기하기보다는 예시 문장과 함께 읽고 기억해 두면 더 높은 학습 효과를 얻을 수 있다.

> **발문 유형**
>
> • 문맥상 ㉠과 ㉡의 관계와 같은 것은?
> • 문맥상 ㉠~㉤을 바꿔 쓰기에 (적절하지 않은 것은 / 가장 적절한 것은)?
> • ⓐ~ⓔ를 한자어로 바꾼 것으로 적절하지 않은 것은?

이 글은 우리 몸에서 일어나는 단백질의 합성과 분해에 대해 설명하고 있다. 단백질이 분해됨에도 불구하고 체내 단백질의 총량이 줄어들지 않는 이유는 단백질 합성이 끊임없이 일어나기 때문이다. 단백질 합성에 필요한 아미노산 중 체내에서 합성할 수 없어 필요량을 스스로 충족할 수 없는 것을 필수아미노산이라고 하고, 단백질 합성에 필요한 각 필수 아미노산의 양에 비해 공급된 어떤 식품에 포함된 해당 필수아미노산의 양의 비율이 가장 낮은 필수아미노산을 제한아미노산이라고 한다. 필수아미노산이 균형을 이룰수록 필수아미노산의 이용 효율이 높고, 제한아미노산이 있으면 필수아미노산의 이용 효율은 떨어지게 된다고 하였다.

[1~4] 다음 글을 읽고 물음에 답하시오.

우리 몸은 단백질의 합성과 분해를 끊임없이 반복한다. 단백질 합성은 아미노산을 연결하여 긴 사슬을 만드는 과정인데, 20여 가지의 아미노산이 체내 단백질 합성에 이용된다. 단백질 합성에서 아미노산들은 DNA 염기 서열에 담긴 정보에 따라 정해진 순서대로 결합된다. 단백질 분해는 아미노산 간의 결합을 끊어 개별 아미노산으로 분리하는 과정이다. 체내 단백질 분해를 통해 오래되거나 손상된 단백질이 축적되는 것을 막고, 우리 몸에 부족한 에너지 및 포도당을 보충할 수 있다.

단백질 분해 과정의 하나인, 프로테아솜이라는 효소 복합체에 의한 단백질 분해는 세포 내에서 이루어진다. 프로테아솜은 유비퀴틴이라는 물질이 일정량 이상 결합되어 있는 단백질을 아미노산으로 분해한다. 단백질 분해를 통해 생성된 아미노산의 약 75%는 다른 단백질을 합성하는 데 이용되며, 나머지 아미노산은 분해된다. 아미노산이 분해될 때는 아미노기가 아미노산으로부터 분리되어 암모니아로 바뀐 다음, 요소(尿素)로 합성되어 체외로 배출된다. 그리고 아미노기가 떨어지고 남은 부분은 에너지나 포도당이 부족할 때는 이들을 생성하는 데 이용되고, 그렇지 않으면 지방산으로 합성되거나 체외로 배출된다.

단백질이 지속적으로 분해됨에도 불구하고 체내 단백질의 총량이 유지되거나 증가할 수 있는 것은 세포 내에서 단백질 합성이 끊임없이 일어나기 때문이다. 단백질 합성에 필요한 아미노산은 세포 내에서 합성되거나, 음식으로 섭취한 단백질로부터 얻거나, 체내 단백질을 분해하는 과정에서 생성된다. 단백질 합성에 필요한 아미노산 중 체내에서 합성할 수 없어 필요량을 스스로 충족할 수 없는 것을 필수아미노산이라고 한다. 어떤 단백질 합성에 필요한 각 필수아미노산의 비율은 정해져 있다. 체내 단백질 분해를 통해 생성되는 필수아미노산도 다시 단백질 합성에 이용되기도 하지만, 부족한 양이 외부로부터 공급되지 않으면 전체의 체내 단백질 합성량이 줄어들게 된다. 그러므로 필수아미노산은 반드시 음식물을 통해 섭취되어야 한다. 다만 성인과 달리 성장기 어린이의 경우, 체내에서 합성할 수는 있으나 그 양이 너무 적어서 음식물로 보충해야 하는 아미노산도 필수아미노산에 포함된다.

각 식품마다 포함된 필수아미노산의 양은 다르며, 필수아미노산이 균형을 이룰수록 공급된 필수아미노산의 총량 중 단백질 합성에 이용되는 양의 비율, 즉 필수아미노산의 이용 효율이 ⊙높다. 일반적으로 육류, 계란 등 동물성 단백질은 필수아미노산을 균형 있게 함유하고 있어 필수아미노산의 이용 효율이 높은 반면, 쌀이나 콩류 등에 포함된 식물성 단백질은 제한아미노산을 가지며 필수아미노산의 이용 효율이 상대적으로 낮다.

제한아미노산은 단백질 합성에 필요한 각각의 필수아미노산의 양에 비해 공급된 어떤 식품에 포함된 해당 필수아미노산의 양의 비율이 가장 낮은 필수아미노산을 말한다. 가령, 가상의 P 단백질 1몰*을 합성하기 위해서는 필수아미노산 A와 B가 각각 2몰과 1몰이 필요하다고 하자. P를 2몰 합성하려고 할 때, A와 B가 각각 2몰씩 공급되었다면 A는 필요량에 비해 2몰이 부족하게 되어 P는 결국 1몰만 합성된다. 이때 A가 부족하여 합성할 수 있는 단백질의 양이 제한되기 때문에 A가 제한아미노산이 된다.

* 몰 : 물질의 양을 나타내는 단위

---

1   윗글의 내용과 일치하지 않는 것은?

① 체내 단백질의 분해를 통해 오래되거나 손상된 단백질의 축적을 막는다.

② 유비퀴틴이 결합된 단백질을 아미노산으로 분해하는 것은 프로테아솜이다.

✓③ 아미노산에서 분리되어 요소로 합성되는 것은 아미노산에서 아미노기를 제외한 부분이다.

④ 세포 내에서 합성되는 단백질의 아미노산 결합 순서는 DNA 염기 서열에 담긴 정보에 따른다.

⑤ 성장기의 어린이에게 필요한 필수아미노산 중에는 체내에서 합성할 수 있는 것도 포함되어 있다.

왜 출제했을까?

[세부 정보의 파악] 글을 읽을 때 기본적인 사실 관계를 파악할 수 있는지에 대해 평가하고자 출제한 문제이다. 선택지에 제시된 내용을 제시문에서 찾아 밑줄을 그어가며 1:1 대응을 시켜보면 문제를 정확하게 풀 수 있다.

2   윗글을 읽고 이해한 내용으로 적절하지 않은 것은?

✓① 필수아미노산을 제외한 다른 아미노산도 제한아미노산이 될 수 있겠군.

② 체내 단백질을 분해하여 얻어진 필수아미노산의 일부는 단백질 합성에 다시 이용되겠군.

③ 체내 단백질 합성에 필요한 필수아미노산은 음식물의 섭취나 체내 단백질 분해로부터 공급되겠군.

④ 제한아미노산이 없는 식품은 단백질 합성에 필요한 필수아미노산이 균형 있게 골고루 함유되어 있겠군.

⑤ 체내 단백질 합성과 분해의 반복 과정에서, 외부로부터 필수아미노산의 공급이 줄어들면 체내 단백질 총량은 감소하겠군.

왜 출제했을까?

[추론의 적절성 파악] 제시문의 내용에 대한 이해를 바탕으로 부가적인 내용을 추론할 수 있는지 평가하기 위해 출제한 문제이다. 적절한 추론을 하기 위해서는 우선 제시문을 정확히 이해해야 한다. 그 후 제시문에 직접적으로 나타나 있지 않은 내용들에 대해서는 앞뒤 내용을 통해 적절성을 판단한다.

왜 출제했을까?

[구체적 사례에 적용] 제시문에서 다룬 내용들을 구체적 사례에 적용할 수 있는지 평가하기 위해 출제한 문제이다. 추론의 적절성을 파악하는 문제와 마찬가지로 제시문을 정확히 이해하도록 한다. 그 후 이를 바탕으로 제시문의 내용과 〈보기〉에 제시된 내용 간의 연관 관계를 찾도록 한다.

3 윗글을 바탕으로 할 때, 〈보기〉의 실험에 대한 이해로 적절하지 <u>않은</u> 것은? [3점]

┤ 보기 ├

　　가상의 단백질 Q를 1몰 합성하는 데 필수아미노산 A, B, C가 각각 2몰, 3몰, 1몰이 필요하다고 가정하자. 단백질 Q를 2몰 합성하려고 할 때 (가), (나), (다)에서와 같이 A, B, C의 공급량을 달리하고, 다른 조건은 모두 동일한 상황에서 최대한 단백질을 합성하는 실험을 하였다.

　　(가) : A 4몰, B 6몰, C 2몰

　　(나) : A 6몰, B 3몰, C 3몰

　　(다) : A 4몰, B 3몰, C 3몰

　　(단, 단백질과 아미노산의 분해는 없다고 가정한다.)

① (가)에서는 단백질 합성을 제한하는 필수아미노산이 없겠군.

② (가)에서는 (다)에 비해 단백질 합성에 이용된 필수아미노산의 총량이 많겠군.

✔③ (나)에서는 (다)에 비해 합성된 단백질의 양이 많겠군.

④ (나)와 (다) 모두에서는 단백질 합성을 제한하는 필수아미노산이 B가 되겠군.

⑤ (나)에서는 (다)에 비해 단백질 합성에 이용되지 않고 남은 필수아미노산의 총량이 많겠군.

왜 출제했을까?

[어휘의 의미 파악] 어휘의 문맥적 의미를 파악할 수 있는지 평가하기 위해 출제한 문제이다. 제시문에서 해당 단어의 앞뒤에 어떤 어휘들이 사용되었는지, 형태는 어떤지 등을 살펴본다.

4 ㉠의 문맥적 의미와 가장 가까운 것은?

① 가을이 되면 그 어느 때보다 하늘이 높다.

✔② 우리나라는 원자재의 수입 의존도가 높다.

③ 이번에 새로 지은 건물은 높이가 매우 높다.

④ 잘못을 시정하라는 주민들의 목소리가 높다.

⑤ 친구는 이 분야의 전문가로서 이름이 높다.

[1~3] 다음 글을 읽고 물음에 답하시오.

우리는 컴퓨터에서 음악을 들으면서 문서를 작성할 때 두 가지 프로그램이 동시에 실행되고 있다고 생각한다. 그러나 실제로는 아주 짧은 시간 간격으로 그 프로그램들이 번갈아 실행되고 있다. 이는 컴퓨터 운영 체제의 일부인 CPU(중앙 처리 장치) 스케줄링 때문이다. 어떤 프로그램이 실행될 때 컴퓨터 운영 체제는 실행할 프로그램을 주기억 장치에 저장하고 실행 대기 프로그램의 목록인 '작업큐'에 등록한다. 운영 체제는 실행할 하나의 프로그램을 작업큐에서 선택하여 CPU에서 실행하고 실행이 종료되면 작업큐에서 지운다.

한 개의 CPU는 한 번에 하나의 프로그램만을 실행할 수 있다. 그러면 A와 B 두 개의 프로그램이 동시에 실행되는 것처럼 보이게 하려면 어떻게 해야 할까? 프로그램은 실행을 요청한 순서대로 작업큐에 등록되고 이 순서에 따라 A와 B는 차례로 실행된다. 이때 A의 실행 시간이 길어지면 B가 기다려야 하는 '대기 시간'이 길어지므로 동시에 두 프로그램이 실행되고 있는 것처럼 보이지 않는다. 그러나 A와 B를 일정한 시간 간격을 두고 번갈아 실행하면 두 프로그램이 동시에 실행되는 것처럼 보인다.

이를 위해서 CPU의 실행 시간을 여러 개의 짧은 구간으로 나누어 놓고 각각의 구간마다 하나의 프로그램이 실행되도록 한다. 여기서 한 구간에서 프로그램이 실행되는 것을 '구간 실행'이라 하며, 각각의 구간에서 프로그램이 실행되는 시간을 '구간 시간'이라고 하는데 구간 시간의 길이는 일정하게 정한다. A와 B의 구간 실행은 원칙적으로 두 프로그램이 종료될 때까지 번갈아 반복되지만 하나의 프로그램이 먼저 종료되면 나머지 프로그램이 계속 실행된다.

한편, 어떤 프로그램의 구간 실행이 진행되는 동안, 다른 프로그램은 작업큐에서 대기한다. A의 구간 실행이 끝나면 A의 실행이 정지되고 다음번 구간 시간 동안 실행할 프로그램을 선택한다. 이때 A가 정지한 후 B의 실행을 준비하는 데 필요한 시간을 '교체 시간'이라고 하는데 교체 시간은 구간 시간에 비해 매우 짧다. 교체 시간에는 그때까지 실행된 A의 상태를 저장하고 B를 실행하기 위해 B의 이전 상태를 가져온다. 그뿐만 아니라 같은 프로그램이 이어서 실행되더라도 운영 체제가 다음에 실행되어야 할 프로그램을 판단해야 하므로 구간 실행 사이에는 반드시 교체 시간이 필요하다.

하나의 프로그램이 작업큐에 등록될 때부터 종료될 때까지 걸리는 시간을 '총처리 시간'이라고 하는데 이 시간은 순수하게 프로그램의 실행에만 소요된 시간인 '총실행 시간'에 '교체 시간'과 작업큐에서 실행을 기다리는 '대기 시간'을 모두 합한 것이다. ㉠총실행 시간이 구간 시간보다 긴 프로그램이 실행될 때는 구간 실행 횟수가 많아져서 교체 시간의 총합은 늘어난다. 그러나 총실행 시간이 구간 시간보다 짧거나 같은 프로그램은 한 번의 구간 시간 내에 종료되고 곧바로 다음 프로그램이 실행된다.

지문 해제

이 글은 컴퓨터 운영 체제의 일부인 CPU(중앙 처리 장치) 스케줄링에 의해 두 가지 이상의 프로그램이 실행되는 원리와 방법에 대해 소개하고 있다. 한 개의 CPU는 한 번에 하나의 프로그램만을 실행할 수 있지만 우리는 두 가지 프로그램이 동시에 실행되고 있다고 생각할 때가 있다. 이렇게 두 개의 프로그램이 동시에 실행되고 있는 것처럼 보이게 하려면, 일정한 시간 간격을 두고 두 개의 프로그램을 번갈아 실행하면 된다. 이를 위해서 CPU는 실행 시간을 여러 개의 짧은 구간으로 나누어 놓고 각각의 구간마다 하나의 프로그램이 실행되도록 한다. 그러나 프로그램의 수가 많아지면 각 프로그램의 대기 시간이 늘어나므로, 그 수를 제한할 필요가 있다고 하였다.

이제 프로그램 A, B, C가 실행되는 경우를 생각해 보자. A가 실행되고 있고 B가 작업큐에서 대기 중인 상태에서 새로운 프로그램 C를 실행할 경우, C는 B 다음에 등록되므로 A와 B의 구간 실행이 끝난 후 C가 실행된다. A와 B가 종료되지 않아 추가적인 구간 실행이 필요하면 작업큐에서 C의 뒤로 다시 등록되므로 C, A, B의 상태가 되고 결과적으로 세 프로그램은 등록되는 순서대로 반복해서 실행된다.

이처럼 작업큐에 등록된 프로그램의 수가 많아지면 각 프로그램의 대기 시간은 그에 비례하여 늘어난다. 따라서 작업큐에 등록할 수 있는 프로그램의 수를 제한해 대기 시간이 일정 수준 이상으로 길어지는 것을 막을 필요가 있다.

☉ 왜 출제했을까?

[세부 정보의 파악] 글을 읽으면서 기본적인 사실 관계를 파악할 수 있는지 평가하기 위해 출제한 문제이다. 선택지마다 핵심이 되는 부분에 표시를 한 뒤, 제시문을 읽으면서 표시된 부분이 언급된 문단을 찾는다. 선택지의 내용을 해당 문단과 비교하며 정답을 찾도록 한다.

1 윗글의 내용과 일치하지 <u>않는</u> 것은?

① CPU 스케줄링은 컴퓨터 운영 체제의 일부이다.
✔② 프로그램 실행이 종료되면 실행 결과는 작업큐에 등록된다.
③ 구간 실행의 교체에 소요되는 시간은 구간 시간보다 짧다.
④ CPU 한 개는 한 번에 하나의 프로그램만 실행이 가능하다.
⑤ 컴퓨터 운영 체제는 실행할 프로그램을 주기억 장치에 저장한다.

☉ 왜 출제했을까?

[핵심 정보의 파악] 글의 핵심 정보를 이해하고 있는지 확인하기 위해 출제한 문제이다. 제시문 전체를 살펴보아야 하는 세부 정보 파악 문제와는 달리, 제시된 부분과 관련된 정보만 집중적으로 이해하면 된다. 선택지에서 사용된 용어를 지문에서 찾아 표시하면 좀 더 빠른 시간 내에 풀 수 있다.

2 ㉠의 실행 과정에 대한 이해로 적절하지 <u>않은</u> 것은?

① 교체 시간이 줄어들면 총처리 시간이 줄어든다.
② 대기 시간이 늘어나면 총처리 시간이 늘어난다.
③ 총실행 시간이 줄어들면 총처리 시간이 줄어든다.
✔④ 구간 시간이 늘어나면 구간 실행 횟수는 늘어난다.
⑤ 작업큐의 프로그램 개수가 늘어나면 총처리 시간은 늘어난다.

3 윗글을 바탕으로 할 때, 〈보기〉의 [가]에 들어갈 내용으로 적절한 것은? [3점]

┤ 보기 ├

　운영 체제가 작업큐에 등록된 프로그램에 대해 우선순위를 부여하고 순위가 가장 높은 것을 다음에 실행할 프로그램으로 선택하면 작업큐의 크기를 제한하지 않고도 각 프로그램의 '대기 시간'을 조절할 수 있다.

　프로그램 P, Q, R이 실행되고 있는 예를 생각해 보자. P가 '구간 실행' 상태이고 Q와 R이 작업큐에 대기 중이며 Q의 순위가 R보다 높다. P가 구간 실행을 마치고 작업큐에 재등록될 때, P의 순위를 Q보다는 낮지만 R보다는 높게 한다. P가 작업큐에 재등록된 후 다시 P가 구간 실행을 하기 직전까지 ＿＿＿[가]＿＿＿ 을/를 거쳐야 한다.

① P에서 R로의 교체
② Q의 구간 실행
③ Q의 구간 실행과 R의 구간 실행
✔④ Q의 구간 실행과 Q에서 P로의 교체
⑤ R의 구간 실행과 R에서 P로의 교체

왜 출제했을까?

[구체적 사례에 적용] 제시문에서 다룬 내용들을 구체적인 사례에 적용할 수 있는지 평가하기 위해 출제한 문제이다. 제시문에 대한 정확한 이해를 바탕으로, 〈보기〉의 내용에서 연관 관계를 찾아 선택지와 대응하며 정답을 찾도록 한다.

✔ 지문 분석 노트

① CD 기록면의 구성

② CD 드라이브의 구성과 정보 판독 원리

③ 진동으로 인한 데이터 판독 오류의 방지 원리

④ 레이저 광선의 조사 오류로 인한 출력 편차의 보정 원리

⑤ 레이저 광선의 초점 오류를 조절하는 원리

CD 드라이브는 디스크 표면에 조사된 레이저 광선이 반사되거나 산란되는 효과를 이용해 정보를 판독한다. CD의 기록면 중 광선이 흩어짐 없이 반사되는 부분을 랜드, 광선의 일부가 산란되어 빛이 적게 반사되는 부분을 피트라고 한다. CD에는 나선 모양으로 돌아 나가는 단 하나의 트랙이 있는데 트랙을 따라 일렬로 랜드와 피트가 번갈아 배치되어 있다. 피트를 제외한 부분, 즉 이웃하는 트랙과 트랙 사이도 랜드에 해당한다.

CD 드라이브는 디스크 모터, 광 픽업 장치, 광학계 구동 모터로 구성된다. 디스크 모터는 CD를 회전시킨다. CD 아래에 있는 광 픽업 장치는 레이저 광선을 발생시켜 CD 기록면에 조사하고, CD에서 반사된 광선은 광 픽업 장치 안의 광 검출기가 받아들인다. 광선의 경로 상에 있는 포커싱 렌즈는 광선을 트랙의 한 지점에 모으고, 광 검출기는 반사된 광선의

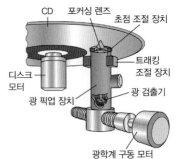

양을 측정하여 랜드와 피트의 정보를 읽어 낸다. 이때 CD의 회전 속도에 맞춰 트랙에 광선이 조사될 수 있도록 광학계 구동 모터가 광 픽업 장치를 CD의 중심부에서 바깥쪽으로 서서히 직선으로 이동시킨다.

CD의 고속 회전 등으로 진동이 생기면 광선의 위치가 트랙을 벗어나거나 초점이 맞지 않아 데이터를 잘못 읽을 수 있다. 이를 막으려면 트래킹 조절 장치와 초점 조절 장치를 제어해 실시간으로 편차를 보정해야 한다. 편차 보정에는 광 검출기가 사용된다. 광 검출기는 가운데를 기준으로 전후좌우의 네 영역으로 분할되어 있는데, 트랙의 방향과 같은 방향으로 전후 영역이, 직각 방향으로 좌우 영역이 배치되어 있다. 이때 각 영역에 조사되는 빛의 양이 많아지면 그 영역의 출력값도 커지며 네 영역의 출력값의 합을 통해 피트와 랜드를 구별한다.

레이저 광선이 트랙의 중앙에 초점이 맞은 상태로 정확히 조사되면 광 검출기 네 영역의 출력값은 모두 동일하다. 그런데 광선이 피트에 해당하는 지점에 조사될 때 트랙의 중앙을 벗어나 좌측으로 치우치면, 피트 왼편에 있는 랜드에서 반사되는 빛이 많아져 광 검출기의 좌 영역의 출력값이 우 영역보다 커진다. 이 경우 두 출력값의 차이에 대응하는 만큼 트래킹 조절 장치를 작동하여 광 픽업 장치를 오른쪽으로 움직여서 편차를 보정한다. 우측으로 치우쳐 조사된 경우에도 비슷한 과정을 거쳐 편차를 보정한다.

한편 광 검출기에 조사되는 광선의 모양은 초점의 상태에 따라 전후나 좌우 방향으로 길어진다. CD 기록면과 포커싱 렌즈 간의 거리가 가까워져 광선의 초점이 맞지 않

으면, 조사된 모양이 전후 영역으로 길어지고 출력값도 상대적으로 커진다. 반면 둘 사이의 거리가 멀어지면, 좌우 영역으로 길어지고 출력값도 상대적으로 커진다. 이때 광 검출기의 전후 영역 출력값의 합과 좌우 영역 출력값의 합을 구한 후, 그 둘의 차이에 해당하는 만큼 초점 조절 장치를 이용해 포커싱 렌즈의 위치를 CD 기록면과 가깝게 또는 멀게 이동시켜 초점이 맞도록 한다.

■ 주제 : CD 드라이브의 구동 원리 및 정보 판독 오류의 해결 방법

問 윗글을 이해한 내용으로 적절하지 <u>않은</u> 것은?

① CD에 기록된 정보는 중심에서부터 바깥쪽으로 읽어야 하겠군.
② 레이저 광선은 CD 기록면을 향해 아래에서 위쪽으로 조사되겠군.
③ 광 검출기에서 네 영역의 출력값의 합은 피트를 읽을 때보다 랜드를 읽을 때 더 크게 나타나겠군.
✓④ 렌즈의 초점이 맞지 않으면 광 검출기의 전 영역과 후 영역의 출력값의 차이를 이용하여 보정하겠군.
⑤ CD의 고속 회전에 의한 진동으로 인해 광 검출기에 조사된 레이저 광선의 모양이 길쭉해질 수 있겠군.

오답률 BEST 문항 분석

이 문제는 전체 오답률이 69.9%이며, ③번을 가장 많은 오답으로 선택(23.5%)하였다. 제시문의 세부 정보를 확인하는 문제이지만, 기술 제재 자체가 어렵고 선택지의 내용이 제시문의 내용을 그대로 옮긴 것이 아니기 때문에 정답률이 매우 낮았던 것으로 추정된다. 이 문제에서는 제시문에서 설명한 CD 드라이브의 구동 원리를 바탕으로, CD에 담긴 정보를 판독하는 과정을 추리해야 한다. ③번을 선택한 학생들은 피트와 랜드를 혼동하여 광 검출기의 네 영역 출력값을 잘못 생각했거나, 피트·랜드와 광 검출기의 출력값 간의 연관성을 제대로 인지하지 못했을 수 있다. 따라서 기술을 구현하는 장치를 중심으로 관련된 기능들을 꼼꼼히 파악하고, 이를 종합적으로 이해할 수 있도록 해야 한다.

오답률 BEST 집중 특강

[1] **문제 유형 해결 방법** : 세부 정보를 파악하는 문제의 경우, 선택지의 핵심어가 글의 어떤 부분에 제시되어 있는지를 찾아 대응시키면 보다 쉽게 정답을 찾을 수 있다. 그리고 선택지에 제시된 용어가 낯설거나 문장 구조가 복잡한 경우에는 의미 단위로 끊어서 표시해 두면(예 ③ 광 검출기에서/ 네 영역의 출력값의 합은/피트를 읽을 때보다 랜드를 읽을 때 더 크게 나타나겠군.) 선택지의 내용을 빠르게 파악할 수 있을 뿐만 아니라, 제시문과 연관된 부분을 찾기도 쉽다.

② 실제로 해당 지문에 나오는 내용을 요약하거나 보충 설명한다.
- 정보 판독 원리 : 디스크 표면에 조사된 레이저 광선이 반사되거나 산란되는 효과를 이용함.
- 장치의 구성 및 기능

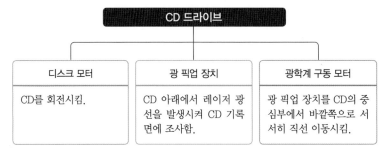

- 작동 시 발생할 수 있는 문제
① 레이저 광선의 위치가 트랙의 중앙을 벗어나는 경우

증상	'좌 영역의 출력값 < 우 영역의 출력값' 또는 '좌 영역의 출력값 > 우 영역의 출력값'
해결 방법	'좌 영역의 출력값=우 영역의 출력값'이 되도록 '트래킹 조절 장치'를 작동하여 '광 픽업 장치'를 좌우로 움직여서 편차를 보정함.

② 레이저 광선의 초점이 맞지 않는 경우

증상	레이저 광선의 조사된 모양이 전후 영역 또는 좌우 영역으로 길어짐.
해결 방법	'전후 영역 출력값의 합=좌우 영역 출력값의 합'이 되도록 '초점 조절 장치'를 이용하여 포커싱 렌즈의 위치를 조절해서 편차를 보정함.

오답률 BEST 문제 풀이

〈1단계〉 출제 이유 및 해결 방안 분석
글에 제시된 세부 정보들을 파악하는 것은 글을 읽는 데 가장 기본이 되는 능력이므로 이를 확인하기 위해 출제된 문제이다. 세부 정보를 파악하는 문제를 풀 때는 선택지의 내용을 제시문에서 찾아 밑줄을 그어가며 1 : 1 대응을 시켜보면 문제를 정확하게 풀 수 있다.

〈2단계〉 정답 풀이
④ 5문단에서 CD 기록면과 포커싱 렌즈 간의 거리가 가까워져 광선의 초점이 맞지 않으면 광 검출기의 전후 영역 출력값의 합과 좌우 영역 출력값의 합을 구한 후, 그 둘의 차이에 해당하는 만큼 초점 조절 장치를 이용해 포커싱 렌즈의 위치를 이동시켜 초점이 맞도록 한다고 하였다. 즉 렌즈의 초점이 맞지 않으면 광 검출기의 '전후 영역 출력값의 합'과 '좌우 영역 출력값의 합'의 차이를 이용하여 보정한다는 의미이다. 그러나 선택지에서는 광 검출기의 '전 영역'과 '후 영역'의 출력값의 차이를 이용한다고 하였으므로 적절하지 않다.

〈3단계〉 오답 풀이
① 2문단에서 CD의 회전 속도에 맞춰 트랙에 광선이 조사될 수 있도록 광학계 구동 모터가 광 픽업 장치를 CD의 중심부에서 바깥쪽으로 서서히 직선 이동시킨다고 하였다. 따라서 CD에 기록된 정보는 중심에서부터 바깥쪽으로 읽어야 한다고 할 수 있다.

② 2문단에서 CD 아래에 있는 광 픽업 장치는 레이저 광선을 발생시켜 CD 기록면에 조사한다고 하였다. 따라서 레이저 광선은 CD 기록면을 향해 아래에서 위쪽으로 조사된다고 할 수 있다.

③ 1문단에서 CD의 기록면 중 광선이 흩어짐 없이 반사되는 부분을 랜드, 광선의 일부가 산란되어 빛이 적게 반사되는 부분을 피트라고 하였다. 그리고 4문단에서 레이저 광선이 트랙의 중앙에 초점이 맞은 상태로 정확히 조사되면 광 검출기 네 영역의 출력값은 모두 동일하다고 하였다. 따라서 광 검출기에서 네 영역의 출력값의 합은 피트를 읽을 때보다 랜드를 읽을 때 더 크게 나타난다고 할 수 있다.

⑤ 3문단에서 CD의 고속 회전 등으로 진동이 생기면 광선의 위치가 트랙을 벗어나거나 초점이 맞지 않아 데이터를 잘못 읽을 수 있다고 하였다. 그리고 5문단에서 광 검출기에 조사되는 광선의 모양은 초점의 상태에 따라 전후나 좌우 방향으로 길어진다고 하였다. 따라서 CD의 고속 회전에 의한 진동으로 인해 광 검출기에 조사된 레이저 광선의 모양이 길쭉해질 수 있다.

's Advice

'세부 정보의 파악'은 인문·사회·예술뿐만 아니라, 과학·기술에서도 빠지지 않고 출제되는 문제 유형이다. 글을 파악하는 데 있어서 내용에 대한 이해는 가장 필수적이고 중요한 능력이기 때문이다. 과학·기술 영역에서 세부 정보를 파악하는 문제도 인문·사회·예술 영역에서처럼 선택지의 내용을 제시문에서 확인하면 된다. 그런데 과학·기술 영역은 전문적인 대상을 다루는 경우가 많아 제재 자체가 어렵게 느껴지고, 사용되는 용어 역시 어려워 체감 난도가 높은 편이다. 그러나 과학·기술 영역에서 선택지를 만드는 원리는 인문·사회·예술 영역과 다르지 않으므로, 선택지를 만드는 원리를 파악하면 세부 정보를 파악하는 문제에 보다 쉽게 접근할 수 있다.

■ '세부 정보의 파악' 유형 출제 방식
① 복사하기 : 지문에서 진술한 내용을 그대로 옮기는 방법
② 요약하기 : 지문에서 길게 설명한 내용을 간단하게 요약하는 방법
③ 재진술하기 : 지문에서 진술한 내용을 유사한 의미의 다른 말로 표현하는 방법

> 과학·기술 영역에서 사용되는 용어는 주로 전문 용어가 많기 때문에 다른 말로 표현할 수 있는 어휘가 인문·사회·예술 영역에 비해 한정적인 편이다. 그래서 주로 두 문장 이상의 내용을 합쳐서 하나의 선택지로 만들거나, 문장 성분의 순서를 바꾸는 등의 방법을 통해 학생들의 혼란을 유발한다.

■ '세부 정보의 파악' 유형 풀이 방법
① 선택지를 먼저 읽으면서 핵심어에 표시해 둔다.
 (핵심어는 제시문에서 어느 부분을 살펴볼 것인지 범위를 결정할 때 활용하게 되는데, 하나의 선택지에 여러 개의 핵심어가 존재할 수도 있다.)
② 관련된 부분을 제시문에서 찾아 1 : 1로 대응시켜 일치하는지 확인한다.

■ '세부 정보의 파악' 유형 공부 방법
• 신문 기사에는 육하원칙에 따른 사실적 정보가 담겨 있으므로, 신문 기사를 읽으면서 내용을 정리하며 세부 정보를 파악해 보는 연습으로 활용할 수 있다.
• 지문의 내용을 요약하거나 재진술한 선택지에 사용된 어휘가 어려우면 문제가 어려워진다. 따라서 평소 모르는 단어가 나올 때마다 사전을 찾아보는 등 어휘 실력을 쌓아두는 것이 좋다.

음성 인식 기술은 컴퓨터가 사람이 말하는 소리를 인식하여 해당 문자열로 바꾸는 기술이다. 사람의 말은 음소들의 시간적 배열로 볼 수 있다. 컴퓨터는 각 단어의 음소들의 배열을 '기준 패턴'으로 미리 저장해 두고, 이를 입력된 음성에서 추출한 '입력 패턴'과 비교하여 단어를 인식한다.

음성을 인식하기 위해서 먼저 입력된 신호에서 잡음을 제거한 후 음성 신호만 추출한다. 그런 다음 음성 신호를 하나의 음소로 판단되는 구간인 '음소 추정 구간'들의 배열로 바꾸어 준다. 그런데 음성 신호를 음소 단위로 정확히 나누는 것은 쉽지 않다. 이를 해결하기 위해 먼저 음성 신호를 일정한 시간 간격의 '단위 구간'으로 나누고, 이 단위 구간 하나만으로 또는 연속된 단위 구간을 이어 붙여 음소 추정 구간들을 만든다.

음성의 비교는 음소 단위로 이루어지는데 음소 추정 구간에 해당하는 음소를 알아내기 위해서 각 구간에서 '특징 벡터'를 추출한다. 각 음소 추정 구간에서 추출하는 특징 벡터는 1개이다. 특징 벡터는 음소를 구별하는 데 필요한 정보를 수치로 나타낸 것으로, 음소 추정 구간의 길이에 상관없이 1개로만 추출된다. 특징 벡터는 음소의 특성을 잘 나타내는 정보들을 이용하지만 사람마다 다른 특성을 보이는 정보는 사용하지 않는다. 사용하는 정보의 가짓수가 많을수록 음소를 더 정확하게 인식할 수 있지만 그만큼 필요한 연산량이 많아져 처리 시간은 길어진다.

음성을 인식하려면 입력 패턴의 특징 벡터와 기준 패턴의 특징 벡터를 비교해야 한다. 이를 위해서 음소 추정 구간이 비교하려는 기준 패턴의 음소 개수와 동일한 개수가 되도록 단위 구간을 조합한다. 그리고 각 음소 추정 구간에서 추출된 특징 벡터를 구간 순서대로 배열하여 입력 패턴을 생성한다.

예를 들어 입력된 음성 신호를 S_1, S_2, S_3 3개의 단위 구간으로 나눈 경우를 생각해 보자. 만일 비교하려는 기준 패턴의 음소가 3개라면 3개의 음소 추정 구간으로부터 입력 패턴이 구성되어야 하므로 $[S_1, S_2, S_3]$의 음소 추정 구간 배열을 설정하고, 이로부터 입력 패턴을 생성한다. 그런 다음 이것을 순서대로 기준 패턴의 음소와 일대일 대응시키고 각각의 특징 벡터의 차이를 구한 뒤 이것들을 모두 합하여 '패턴 거리'를 구한다. 만일 기준 패턴의 음소가 2개라면 3개의 단위 구간을 조합하여 $[S_1, S_2 \sim S_3]$, $[S_1 \sim S_2, S_3]$로 2개의 음소 추정 구간 배열을 설정하고, 이로부터 입력 패턴을 생성한다. 이와 같이 1개의 기준 패턴에 대해 여러 개의 입력 패턴이 만들어질 수 있는 경우에는 ⓐ생성 가능한 입력 패턴과 기준 패턴 사이의 패턴 거리를 모두 구하고, 그중의 최솟값을 그 기준 패턴에 대한 패턴 거리로 정한다. 만일 기준 패턴의 음소가 3개보다 크면 두 패턴을 일대일로 대응시킬 수 없으므로 비교가 불가능하다.

단위 구간의 시간 간격을 짧게 하여 그 개수를 늘리면 음소 추정 구간을 잘못 설정하여 발생하는 오류를 줄일 수 있다. 하지만 연산량이 많아져 처리 시간은 길어진다.

이와 같은 방법으로 컴퓨터에 저장된 모든 기준 패턴에 대해 패턴 거리를 구하고 그중 최솟값이 되는 기준 패턴을 선정한다. 최종적으로, 이 기준 패턴에 해당하는 문자열을 입력된 음성 신호에 대해 인식된 단어로 출력한다.

問 ⓐ의 처리 시간을 증가시키는 요인으로 옳은 것은?

① 특징 벡터를 구성하는 정보의 가짓수의 감소
② 기준 패턴을 구성하는 음소 개수의 감소
③ 저장된 기준 패턴 가짓수의 감소
✓④ 단위 구간의 시간 간격의 감소
⑤ 음소 추정 구간 개수의 감소

오답률 BEST 문항 분석

이 문제에서는 ②번을 가장 많은 오답으로 선택(37.4%)하였다. 문제 자체는 간단해 보이지만 이 문제를 풀기 위해서는 ⓐ에 제시된 용어(입력 패턴, 기준 패턴, 패턴 거리)와 처리 과정 등을 정확히 이해해야 한다. 그리고 제시문의 내용이 평소에는 접하기 어려운 낯선 것이어서 체감 난도가 높았던 것으로 보인다. ②번을 선택한 학생들은 입력 패턴의 음소 개수는 그대로인데 기준 패턴의 음소 개수만 감소되었다고 생각했을 가능성이 있다. 그러나 기준 패턴의 음소 개수가 감소하면 입력 패턴의 음소 개수도 감소하므로 패턴 거리를 구하는 시간은 줄어들 것이다. 추론하는 문제에서도 무엇보다 중요한 것은 제시문에 대한 정확한 이해임을 잊지 않도록 한다.

오답률 BEST 집중 특강

① **문제 유형 해결 방법** : 제시문에 직접 제시되어 있지 않은 내용을 추론하는 문제 유형이지만, '근거 없는 추리는 없다.'는 원칙을 염두에 두어야 한다. 이러한 근거는 제시문에서 찾아야 하므로, 추론하는 문제도 결국 세부 정보를 파악하는 문제와 마찬가지로, 제시문에서 찾아 대조해 가면서 풀면 된다.

② **실제로 해당 지문에 나오는 내용을 요약하거나 보충 설명한다.**
• 음성 인식 기술 : 컴퓨터가 사람이 말하는 소리를 인식하여 해당 문자열로 바꾸는 기술
• 음성 인식 기술의 원리 : 단어의 음소들의 배열을 '기준 패턴'으로 저장해 두고, 이를 입력된 음성에서 추출한 '입력 패턴'과 비교하여 단어를 인식함.

• 음성 인식의 과정

입력된 신호에서 잡음을 제거한 후 음성 신호만 추출하여 음소 추정 구간들의 배열로 바꾸어 줌.

• 음성 신호를 음소 단위로 정확히 나누는 것이 쉽지 않으므로 '음소 추정 구간'을 만듦.
• 음소 추정 구간 만드는 방법 :
  음성 신호를 일정한 시간 간격의 '단위 구간'으로 나눔.
  → 단위 구간 하나 또는 연속된 단위 구간을 이어 붙임.

음소 추정 구간에 해당하는 음소를 알아내기 위해 각 음소 추정 구간에서 '특징 벡터'를 추출함.

• 특징 벡터 :
  – 음소를 구별하는 데 필요한 정보를 수치로 나타낸 것
  – 각 음소 추정 구간에서 1개만 추출

입력 패턴의 특징 벡터와 기준 패턴의 특징 벡터를 비교함.

• 입력 패턴을 생성할 때, 입력 패턴의 음소 개수와 기준 패턴의 음소 개수가 같도록 조합해야 함.

오답률 BEST 문제 풀이

〈1단계〉 출제 이유 및 해결 방안 분석

글을 추론하며 읽는 것은 제시된 내용을 바탕으로 명확히 드러나지 않은 내용에 대해서도 생각해 볼 수 있기 때문에 글을 보다 깊이 이해할 수 있도록 한다. 제시문의 내용을 정확하게 파악한 후, 앞뒤 문맥을 통하여 선택지에 제시된 추론 내용이 적절한지 확인하도록 한다.

〈2단계〉 정답 풀이

④ 6문단에서 '단위 구간의 시간 간격을 짧게 하여 그 개수를 늘리면 음소 추정 구간을 잘못 설정하여 발생하는 오류를 줄일 수 있다. 하지만 연산량이 많아져 처리 시간은 길어진다.'고 하였다. 따라서 생성 가능한 입력 패턴과 기준 패턴 사이의 패턴 거리를 모두 구하는 시간이 증가하는 것은 단위 구간의 시간 간격의 감소 때문이라고 볼 수 있다.

〈3단계〉 오답 풀이

① 3문단에서 특징 벡터가 사용하는 정보의 가짓수가 많을수록 음소를 더 정확하게 인식할 수 있지만 그만큼 필요한 연산량이 많아져 처리 시간은 길어진다고 하였다. 따라서 특징 벡터를 구성하는 정보의 가짓수가 감소하면 처리 시간은 줄어들 것이다.

② 4문단에 의하면 입력 패턴과 기준 패턴을 비교하기 위해서는 각각의 음소 개수가 같아야 하므로, 기준 패턴을 구성하는 음소 개수가 감소하면 입력 패턴의 수도 그와 동일하게 감소할 것이다. 이에 따라 ⓐ의 처리 시간은 줄어들 것이다.

③ 저장된 기준 패턴의 가짓수가 감소하면, 패턴 거리를 구하고 최솟값을 구하는 과정이 줄어들게 되므로 처리 시간도 줄어들 것이다.

⑤ 음소 추정 구간의 개수가 감소하면 이를 통해 생성된 입력 패턴의 수도 감소하게 되므로, 패턴 거리를 구하는 시간 역시 줄어들 것이다.

'추론의 적절성 파악'은 글에 직접 드러나지 않은 정보를 논리적으로 추론하는 능력을 확인하는 문제 유형이다. 추론의 근거는 제시문에서 찾아야 하므로, 글에 대한 정확한 이해가 필요하다. 또한 추론하는 문제라 할지라도 모든 선택지가 추론을 요구하는 것이 아니라, 어떤 선택지는 지문의 내용을 재진술하는 경우(세부 정보의 파악)도 있으므로 글을 정확하게 이해하는 것이 가장 중요하다.

■ '추론의 적절성 파악' 유형 출제 방식
① 글에서 명시되지 않은 정보를 논리적으로 추론하기
② 전제나 논리의 근거 등을 추론하기
③ 전후 관계 추론하기

■ '추론의 적절성 파악' 유형 풀이 방법
① 선택지를 먼저 읽으면서 핵심어에 표시해 둔다.
  (핵심어는 제시문에서 어느 부분을 살펴볼 것인지 범위를 결정할 때 활용하게 되는데, 하나의 선택지에 여러 개의 핵심어가 존재할 수도 있다.)
② 제시문에서 핵심어와 관련된 부분의 앞뒤를 읽으며 추론이 적절한지 확인한다.
  • 유의 사항 : 자의적으로 추론을 해서는 안 되며, 반드시 제시문의 내용을 근거로 하여 추론해야 한다. 그리고 선택지에서 '모든', '반드시', '절대로'와 같은 극단적인 느낌을 주는 표현에 주의해야 한다. 이런 말들은 범위를 매우 좁게 한정시키므로 제시문의 내용과 일치하지 않을 확률이 높기 때문이다.

■ '추론의 적절성 파악' 유형 공부 방법
  • 제시문에 있는 내용을 재진술하여 선택지를 구성하는 경우, 평소에는 잘 쓰이지 않는 어려운 단어가 사용되기도 한다. 따라서 평소 어휘 공부를 해 두는 것이 좋다.

✔ 지문 분석 노트

① 입체 지각이 이루어지게 하는 양안 단서와 단안 단서

사람의 눈이 원래 하나였다면 세계를 입체적으로 지각할 수 있었을까? 입체 지각은 대상까지의 거리를 인식하여 세계를 3차원으로 파악하는 과정을 말한다. 입체 지각은 눈으로 들어오는 시각 정보로부터 다양한 단서를 얻어 이루어지는데 이를 양안 단서와 단안 단서로 구분할 수 있다. 양안 단서는 양쪽 눈이 함께 작용하여 얻어지는 것으로, 양쪽 눈에서 보내오는, 시차(視差)*가 있는 유사한 상이 대표적이다. 단안 단서는 한쪽 눈으로 얻을 수 있는 것인데, 사람은 단안 단서만으로도 이전의 경험으로부터 추론에 의하여 세계를 3차원으로 인식할 수 있다. 망막에 맺히는 상은 2차원이지만 그 상들 사이의 깊이의 차이를 인식하게 해 주는 다양한 실마리들을 통해 입체 지각이 이루어진다.

② 단안 단서의 세 가지 사례-물체의 상대적 크기, 직선 원근, 결 기울기

동일한 물체가 크기가 다르게 시야에 들어오면 우리는 더 큰 시각(視角)*을 가진 쪽이 더 가까이 있다고 인식한다. 이렇게 물체의 상대적 크기는 대표적인 단안 단서이다. 또 다른 단안 단서로는 '직선 원근'이 있다. 우리는 앞으로 뻗은 길이나 레일이 만들어 내는 평행선의 폭이 좁은 쪽이 넓은 쪽보다 멀리 있다고 인식한다. 또 하나의 단안 단서인 '결 기울기'는 같은 대상이 집단적으로 어떤 면에 분포할 때, 시야에 동시에 나타나는 대상들의 연속적인 크기 변화로 얻어진다. 예를 들면 들판에 만발한 꽃을 보면 앞쪽은 꽃이 크고 뒤로 가면서 서서히 꽃이 작아지는 것으로 보이는데 이러한 시각적 단서가 쉽게 원근감을 일으킨다.

③ 운동 시차로 얻는 단안 단서

어떤 경우에는 운동으로부터 단안 단서를 얻을 수 있다. '운동 시차'는 관찰자가 운동할 때 정지한 물체들이 얼마나 빠르게 움직이는 것처럼 보이는지가 물체들까지의 상대적 거리에 대한 실마리를 제공하는 것이다. 예를 들어 기차를 타고 가다 창밖을 보면 가까이에 있는 나무는 빨리 지나가고 멀리 있는 산은 거의 정지해 있는 것처럼 보인다.

④ 단안 단서를 이용해 입체 지각을 하는 동물들

동물들도 단안 단서를 활용하여 입체 지각을 할 수 있다. 특히 머리의 좌우 측면에 눈이 있는 동물들은 양쪽 눈의 시야가 겹치는 부분이 거의 없어 양안 단서를 활용하지 못한다. 이런 경우에 단안 단서는 입체 지각에서 결정적인 역할을 하게 된다. 가령 어떤 새들은 머리를 좌우로 움직였을 때 정지된 물체가 움직여 보이는 정도에 따라 물체까지의 거리를 파악한다.

■ 주제 : 단서를 활용한 입체 지각의 방법

* 시차 : 하나의 물체를 서로 다른 두 지점에서 보았을 때 방향의 차이
* 시각 : 물체의 양쪽 끝으로부터 눈에 이르는 두 직선이 이루는 각

問 윗글을 바탕으로 〈보기〉에 대해 이해한 내용으로 적절한 것은?

┤ 보기 ├

(가) 다람쥐가 잠자는 여우를 발견하자 여우를 보면서 자신과 여우를 연결하는 선에 대하여 직각 방향으로 움직였다.

(나) 축구공이 빠르게 작아지는 동영상을 보여 줄 때는 가만히 있던 강아지가 축구공 이 빠르게 커지는 동영상을 보여 주자 놀라서 도망갔다.

✓① (가)에서 다람쥐가 한 행동이 입체 지각을 얻기 위한 것이라면 다람쥐는 운동 시차 를 이용한 것이라 할 수 있겠군.

② (가)에서 다람쥐가 머리의 좌우 측면에 눈이 있는 동물이라면 양안 단서를 얻기 위 해 행동한 것이라고 볼 수 있겠군.

③ (가)에서 다람쥐로부터 여우가 멀리 있을수록 다람쥐에게는 여우가 빠르게 이동하 는 것처럼 보이겠군.

④ (나)는 결 기울기가 강아지에게 입체 지각을 일으킬 수 있음을 보여 주는 사례이군.

⑤ (나)에서 강아지의 한쪽 눈을 가렸다면 강아지는 놀라는 행동을 보이지 않았겠군.

오답률 BEST 문항 분석

이 문제에서는 ④번을 가장 많은 오답으로 선택(37.1%)하였다. 2~4문단에서 제시한 단안 단서 활 용 방법을 〈보기〉의 사례에 적용하면서 선택지의 적절성 여부를 판단해야 한다. ④번을 선택한 학 생들은 물체의 크기, 즉 물체가 커지거나 작아진다는 점에 집중하여 결 기울기는 같은 대상이 집단 적으로 분포할 때 활용된다는 것을 간과했을 수 있다. 즉 제시문에서 '결 기울기'는 '들판에 만발한 꽃'처럼 많은 물체 중에서 앞쪽에 있는 꽃은 크고 뒤로 가면서 서서히 꽃이 작아 보이는 사례를 제 시하고 있는데, (나)에서는 '축구공'이라는 하나의 물체가 커졌다 작아졌다 하는 경우를 예시로 제 시하고 있다. 이처럼 대상의 활용 방법을 사례를 통해 설명하는 글에서는 제시된 사례를 꼼꼼히 분 석하며 그 활용 방법의 특성을 이해해야 한다.

오답률 BEST 집중 특강

Ⅰ **문제 유형 해결 방법** : 제시문의 내용을 사례에 적용하는 문제를 풀 때는 우선 〈보기〉에 제시된 사례의 내용을 일반화한다. 그 후, 제시문의 어떤 요소와 대응하는지 1 : 1로 확인하도록 한다.

2 실제로 해당 지문에 나오는 내용을 요약하거나 보충 설명한다.

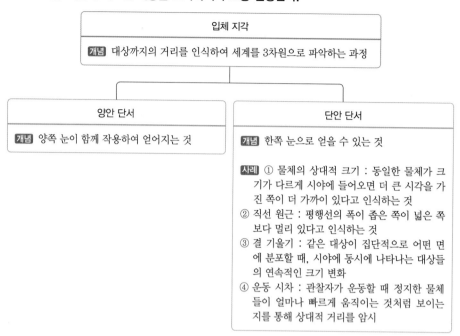

입체 지각
개념 대상까지의 거리를 인식하여 세계를 3차원으로 파악하는 과정

양안 단서	단안 단서
개념 양쪽 눈이 함께 작용하여 얻어지는 것	**개념** 한쪽 눈으로 얻을 수 있는 것
	사례 ① 물체의 상대적 크기 : 동일한 물체가 크기가 다르게 시야에 들어오면 더 큰 시각을 가진 쪽이 더 가까이 있다고 인식하는 것 ② 직선 원근 : 평행선의 폭이 좁은 쪽이 넓은 쪽보다 멀리 있다고 인식하는 것 ③ 결 기울기 : 같은 대상이 집단적으로 어떤 면에 분포할 때, 시야에 동시에 나타나는 대상들의 연속적인 크기 변화 ④ 운동 시차 : 관찰자가 운동할 때 정지한 물체들이 얼마나 빠르게 움직이는 것처럼 보이는지를 통해 상대적 거리를 암시

오답률 BEST 문제 풀이

〈1단계〉 출제 이유 및 해결 방안 분석

글의 내용을 다양한 사례에 적용하면서 읽게 되면 독해력을 신장시킬 수 있고, 배경지식도 확장시킬 수 있다. 그래서 제시문의 내용을 구체적 사례에 적용하는 문제가 자주 출제된다. 어떤 유형의 문제든 제시문의 내용을 정확하게 파악하는 것이 핵심이다. 제시문의 내용 중 핵심적인 내용을 파악한 후, 〈보기〉 또는 선택지에 제시된 내용을 일반화하여 1 : 1로 대응시켜 보도록 한다.

〈2단계〉 정답 풀이

① (가)의 다람쥐가 직각 방향으로 움직인 것은 관찰자인 다람쥐가 움직이면서(운동하면서) 잠자는 (정지해 있는) 여우와의 거리를 확인하기 위한 행동이다. 따라서 다람쥐는 운동 시차를 이용한 행동을 한 것이라고 볼 수 있다.

〈3단계〉 오답 풀이

② 4문단에서 머리의 좌우 측면에 눈이 있는 동물들은 양쪽 눈의 시야가 겹치는 부분이 거의 없어 양안 단서를 활용하지 못한다고 하였다.

③ 3문단에서 기차를 타고 가다 창밖을 보면 가까이에 있는 나무는 빨리 지나가고 멀리 있는 산은 거의 정지해 있는 것처럼 보이는 것을 운동 시차의 사례로 들고 있다. 따라서 다람쥐에게는 여우가 멀리 있을수록 거의 정지해 있는 것처럼 보일 것이다.

④ 2문단을 보면, 결 기울기는 같은 대상이 집단적으로 어떤 면에 분포할 때 활용할 수 있는 단안 단서이다. 그런데 축구공은 집단적으로 분포하는 것이 아니므로 결 기울기의 사례로 볼 수 없다.

⑤ 4문단에서 동물들도 단안 단서를 활용하여 입체 지각을 할 수 있다고 하였다. 따라서 강아지의 한쪽 눈을 가려도 강아지는 축구공이 빠르게 커지는 것을 보고 놀라서 도망갈 것이다.

'구체적 사례에 적용'은 수능에서 빠지지 않고 출제되는 유형으로, 수험생 입장에서는 어려워하는 경우가 많아 주로 3점짜리 문제로 출제된다. 제시문에서 언급되지 않은 내용이 〈보기〉나 선택지에 나오기 때문에 당황할 수도 있지만, 원리를 파악하면 정답을 어렵지 않게 찾아낼 수 있다.

■ '구체적 사례에 적용' 출제 유형
① 시각 자료에 적용하는 유형
② 글에 제시된 원리나 추상적 개념을 사례에 적용하는 유형
③ 글에 제시된 사례를 다른 범주에 속하는 새로운 사례에 적용하는 유형

■ '구체적 사례에 적용' 유형 풀이 방법
① 제시문을 읽으면서 핵심적인 요소를 찾는다.
② 선택지에 제시된 사례를 제시문의 요소와 1 : 1로 대응시킨다.

■ '구체적 사례에 적용' 유형의 문제 풀이 시 유의 사항
제시문의 사례와 선택지의 사례가 서로 다른 범주에 속하기 때문에, 각 사례의 핵심을 잘못 이해하면 문제를 푸는 과정에서 혼란이 있을 수도 있다. 그러나 이러한 문제 유형은 두 사례가 서로 다른 범주에 속하더라도 한 가지 이상의 기본 요소에서 유사성을 지니고 있다는 데 착안한 것이므로, 제시문에 대한 정확한 이해를 통해 유사성을 파악하면 된다.

☑ 지문 분석 노트

① X선 사진 기술의 발전

② X선 사진 기술의 원리와 한계

③ X선을 활용하여 인체를 촬영하는 CT의 원리 ①

④ X선을 활용하여 인체를 촬영하는 CT의 원리 ②

⑤ 역투사를 이용하여 CT에서 영상을 재구성하는 방법 ①

⑥ 역투사를 이용하여 CT에서 영상을 재구성하는 방법 ②

■ 주제 : CT 촬영 기술의 원리

　　1895년에 발견된 X선은 진단의학의 혁명을 일으켰다. 이후 X선 사진 기술은 단면 촬영을 통해 입체 영상 구성이 가능한 CT(컴퓨터 단층촬영장치)로 진화하면서 해부를 하지 않고 인체 내부를 정확하게 진단하는 기술로 발전하였다.

　　X선 사진은 X선을 인체에 조사하고, 투과된 X선을 필름에 감광시켜 얻어낸 것이다. 조사된 X선의 일부는 조직에서 흡수·산란되고 나머지는 조직을 투과하여 반대편으로 나오게 된다. X선이 투과되는 정도를 나타내는 투과율은 공기가 가장 높으며 지방, 물, 뼈의 순서로 낮아진다. 또한 투과된 X선의 세기는 통과한 조직의 투과율이 낮을수록, 두께가 두꺼울수록 약해진다. 이런 X선의 세기에 따라 X선 필름의 감광 정도가 달라져 조직의 흑백 영상을 얻을 수 있다. 그렇지만 X선 사진에서는 투과율이 비슷한 조직들 간의 구별이 어려워서, X선 사진은 다른 조직과의 투과율 차이가 큰 뼈나 이상 조직의 검사에 주로 사용된다. 이러한 X선 사진의 한계를 극복한 것이 CT이다.

　　CT는 인체에 투과된 X선의 분포를 통해 인체의 횡단면을 영상으로 재구성한다. CT 촬영기 한쪽 편에는 X선 발생기가 있고 반대편에는 여러 개의 X선 검출기가 배치되어 있다. CT 촬영기 중심에, 사람이 누운 침대가 들어가면 X선 발생기에서 나온 X선이 인체를 투과한 후 맞은편 X선 검출기에서 검출된다.

　　X선 검출기로 인체를 투과한 X선의 세기를 검출하는데, 이때 공기를 통과하며 감쇄된 양을 빼고, 인체 조직만을 통과하면서 감쇄된 X선의 총량을 구해야 한다. 이것은 공기만을 통과한 X선 세기와 조직을 투과한 X선 세기의 차이를 계산하면 얻을 수 있고, 이를 환산값이라고 한다. 즉, 환산값은 특정 방향에서 X선이 인체 조직을 통과하면서 산란되거나 흡수되어 감쇄된 총량을 의미한다. 이 값을 여러 방향에서 구하기 위해 CT 촬영기를 회전시킨다. 그러면 동일 단면에 대한 각 방향에서의 환산값을 구할 수 있고, 이를 활용하여 컴퓨터가 단면 영상을 재구성한다.

　　CT에서 영상을 재구성하는 데에는 역투사(back projection) 방법이 이용된다. 역투사는 어떤 방향에서 X선이 진행했던 경로를 거슬러 진행하면서 경로상에 환산값을 고르게 분배하는 방법이다. CT 촬영기를 회전시키며 얻은 여러 방향의 환산값을 경로별로 역투사하여 더해 나가는데, 이처럼 여러 방향의 환산값들이 더해진 결과가 역투사 결괏값이다. 역투사를 하게 되면 뼈와 같이 감쇄를 많이 시키는 조직에서는 여러 방향의 값들이 더해지게 되고, 그 결과 다른 조직에서보다 더 큰 결괏값이 나오게 된다.

　　역투사 결괏값들을 합성하면 투과율의 차이에 따른 조직의 분포를 영상으로 재구성할 수 있다. CT 촬영기가 조금씩 움직이면서 인체의 여러 단면에 대하여 촬영을 반복하면 연속적인 단면 영상을 얻을 수 있고, 필요에 따라 이 단면 영상들을 조합하여 입체 영상도 얻을 수 있다.

問 윗글을 바탕으로 〈보기〉와 같은 실험을 했을 때, B에 해당하는 그래프로 알맞은 것은?

┤ 보기 ├

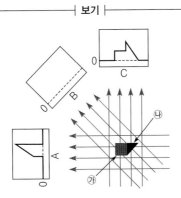

　위의 그림처럼 단면이 정사각형인 물체 ㉮와 직각이등변삼각형인 물체 ㉯가 연결된 ◼◤를 CT 촬영기 안에 넣고 촬영하여 A, B, C 방향에서 구한 환산값의 크기를 그래프로 나타냈다. 이때 ㉮의 투과율은 ㉯의 2배이다.

* X선은 화살표와 같이 평행하게 진행함.
* 물체 ◼◤의 밑면을 기준으로 A는 0° 방향, B는 45° 방향, C는 90° 방향의 위치에 있음.

✓①	②	③	④	⑤

　이 문제는 전체 오답률이 74.7%나 되며, ②번을 가장 많은 오답으로 선택(19.1%)하였다. 이 문제에서는 2~5문단에서 설명한 X선의 투과율과 환산값을 바탕으로 〈보기〉의 상황에 맞는 그래프를 찾아야 한다. ②번을 선택한 학생들은 ㉮의 투과율이 ㉯의 2배라는 〈보기〉의 정보와, 정사각형과 직각이등변삼각형 물체를 투과하는 X선의 환산값을 제대로 연계시키지 못하여 착각했을 수 있다. 그러므로 공간 도형이나 그래프를 다룬 유사한 문제들을 많이 풀어봄으로써 이런 유형에 대비할 수 있도록 해야 한다.

　이 문제는 정답률이 낮다는 것뿐만 아니라, 각 선택지를 선택한 비율이 고르다는 특징을 보인다. 이는 많은 학생들이 문제를 풀지 못하고 찍은 결과라고 볼 수 있다. 문제가 이렇게 어려웠던 이유는 확인해야 할 개념이 많았고, 놓쳐서는 안 되는 조건도 있었으며, 공간 지각력을 요구하는 그림까지 있었기 때문이다. 이렇듯 모두를 고려해야 해결할 수 있었기 때문에 오답률이 무척 높았던 것이다.

오답률 BEST 집중 특강

1 **문제 유형 해결 방법** : 제시문의 내용을 사례에 적용하는 문제를 풀 때는 우선 〈보기〉에 제시된 사례의 내용을 일반화하도록 한다. 그 후, 제시문의 어떤 요소와 대응하는지 1 : 1로 확인하도록 한다. 이 문제와 같이 〈보기〉가 시각 자료로 구성되어 있는 경우에는 자료를 정확하게 해석하는 능력이 필요하다.

2 **실제로 해당 지문에 나오는 내용을 요약하거나 보충 설명한다.**

- X선 사진 촬영 방법 : X선을 인체에 조사하고, 투과된 X선을 필름에 감광시켜 얻어냄.
- X선 사진의 한계 : 투과율이 비슷한 조직들 간 구별이 어려움.
- CT 촬영 원리

사람이 누운 침대가 들어가면 'X선 발생기'에서 X선이 나옴.

↓

X선이 인체를 투과한 후의 'X선의 세기'를 'X선 검출기'로 검출

- 이때 공기를 통과하며 감쇄된 양을 제외한 인체 조직만을 통과하면서 감쇄된 X선의 총량을 구해야 함.

↓

CT 촬영기를 회전시켜 동일 단면에 대한 각 방향에서의 환산값을 구함.

↓

컴퓨터가 단면 영상을 재구성함.

- 영상 재구성 원리 : 역투사(어떤 방향에서 X선이 진행했던 경로를 거슬러 진행하면서 경로상에 환산값을 고르게 분배하는 방법)
- 여러 방향의 환산값을 경로별로 역투사하여 더한 값(역투사 결괏값)을 합성하면 투과율 차이에 따른 조직 분포를 영상으로 재구성 가능

오답률 BEST 문제 풀이

〈1단계〉 출제 이유 및 해결 방안 분석

글의 내용을 다양한 사례에 적용하면서 읽게 되면 독해력을 신장시킬 수 있고, 배경지식을 확장시킬 수 있다. 그래서 제시문의 내용을 구체적 사례에 적용하는 문제가 자주 출제된다. 어떤 유형의 문제이든 제시문의 내용을 정확하게 파악하는 것이 중요하므로, 제시문의 내용 중 핵심적인 내용을 파악한다. 그리고 〈보기〉에 제시된 내용을 일반화하여 1 : 1로 대응시켜 보도록 한다. 이때, 〈보기〉에 제시된 그래프를 정확하게 해석할 수 있어야 문제를 풀 수 있으므로, 〈보기〉에 제시된 설명을 통해 A, C 그래프를 해석해 보고, 이를 바탕으로 B 그래프도 해석하도록 한다.

〈2단계〉 정답 풀이

① 글의 내용을 바탕으로 〈보기〉를 분석하면 다음과 같다.

- 환산값의 크기 = 그래프
- 투과율과 환산값은 반비례 관계
  → ㉮의 투과율 = ㉯의 투과율의 2배
  → ㉯의 환산값 = ㉮의 환산값의 2배
- 물체의 두께와 환산값은 비례 관계(물체의 두께가 두꺼우면 투과율은 낮아지므로)

㉠ A 방향에서 그래프를 분석해 보자.

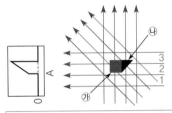

- 1구간 : 공기 부분을 지나가므로 환산값은 0이다.
- 2구간 : ㉮+㉯의 두께만큼 환산값이 비스듬히 상승한다.
- 3구간 : ㉮+㉯가 끝나면서 공기 부분을 지나가므로 환산값이 0으로 떨어진다.

㉡ C 방향에서 그래프를 분석해 보자.

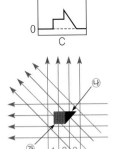

- 1구간 : 공기 부분을 지날 때는 환산값이 0이다. 그러다 ㉮를 통과할 때는 ㉮의 두께가 일정하므로 일정한 값의 환산값이 나타난다.
- 2구간 : ㉮와 ㉯가 맞닿은 부분에서는 환산값이 2배로 높아진다.(투과율과 환산값은 반비례하는데, ㉮의 투과율이 ㉯의 2배이므로 ㉯의 환산값이 ㉮의 환산값의 2배이기 때문이다.) 그러다가 ㉯를 통과하면서 ㉯의 두께만큼 점점 줄어든다.
- 3구간 : ㉯의 두께만큼 점점 줄어들다가, 공기 부분을 지나갈 때 환산값이 0으로 떨어진다.

㉢ B 방향에서 그래프를 분석해 보자.

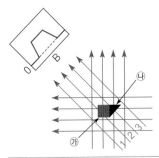

- 1구간 : 공기 부분을 지날 때는 환산값이 0이었다가 ㉮를 통과할 때는 ㉮의 두께가 점점 두꺼워짐에 따라 환산값이 증가하기 시작한다.
- 2구간 : ㉮의 대각선 부분에서 환산값은 최고점이 된다. ㉮의 두께가 줄어드는 만큼 ㉯가 점점 늘어 ㉮+㉯의 그래프는 ㉮의 최고점과 같은 환산값을 유지하게 된다. 2구간과 3구간의 경계는 ㉯의 두께가 가장 두꺼운 부분으로, 이 지점에서는 ㉮가 없어지지만, ㉯의 최고 두께는 ㉮의 1/2이므로 환산값은 ㉮와 동일하게 되며 그래프는 ㉮의 최고점과 같은 위치에 있게 된다.
- 3구간 : ㉯의 최고점을 지나면서 ㉯의 두께가 비스듬히 줄어들어 환산값도 비스듬히 줄어들게 되는데, ㉯의 환산값이 ㉮의 환산값의 2배이므로 1구간의 기울기와 동일하게 된다. 그러다가 공기를 만나면 다시 환산값이 0이 된다.

〈3단계〉 오답 풀이

② 한 지점에서만 가장 높은 수치를 보인다. 이와 같은 그래프가 나오기 위해서는 ■과 같은 물체
여야 할 것이다.

③ 점점 증가하다가 환산값이 0이 되기 직전에 최고점에 도달한 형태의 그래프이다. 이와 같은 그
래프가 나오기 위해서는 ◤과 같은 물체여야 할 것이다.

④ 환산값이 점점 증가하는 형태여야 하는데, 갑자기 최고점에 도달한 형태이므로 적절하지 않다.

⑤ C 방향에서 구한 그래프이다.

　　과학·기술 제재의 '구체적 사례에 적용'은 구체적인 사례가 〈보기〉에 서술형으로 제시되는 경우도 있지만, 표, 그래프, 그림, 사진 등의 시각 자료로 제시되는 경우가 많다. 이러한 시각 자료를 어려워하는 수험생이 많은데, 아무리 복잡하고 어려운 시각 자료라 하더라도 모두 제시문의 내용을 토대로 하여 만들어진 것이므로 제시문과 연결하면 해석할 수 있다. 수능에서 제시하는 대표적인 시각 자료들은 다음과 같다.

■ 시각 자료의 종류

① 표

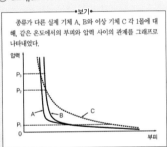

➡ 우선 표의 가로 항목과 세로 항목을 확인한다. 동일한 항목에 대해 제시된 대상을 비교하면서 보도록 한다. 이때, 서술형으로 된 조건도 함께 살펴야 한다.

② 그래프

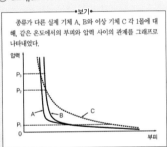

➡ 표를 해석하는 방법과 유사하다. 그래프의 가로 항목과 세로 항목을 확인하고, 왼쪽에서 오른쪽으로 갈수록 그래프의 모양이 어떻게 변화되는지 확인한다. 제시된 각 그래프를 비교해야 하며, 서술형으로 된 조건도 함께 살펴야 한다.

③ 그림

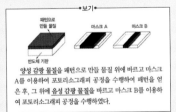

➡ 그림은 제시문의 내용을 바탕으로 제시된다. 따라서 제시문을 정확하게 이해함으로써 그림이 무엇을 표현하는지 파악하도록 한다. 〈보기〉의 그림은 제시문의 내용 이해에 도움을 주기도 한다.

태양은 지구의 생명체가 살아가는 데 필요한 빛과 열을 공급해 준다. 이런 막대한 에너지를 태양은 어떻게 계속 내놓을 수 있을까?

16세기 이전까지는 태양을 포함한 별들이 지구상의 물질을 이루는 네 가지 원소와 다른, 불변의 '제5 원소'로 이루어졌다고 생각했다. 하지만 밝기가 변하는 신성(新星)*이 별 가운데 하나라는 사실이 알려지면서 별이 불변이라는 통념은 무너지게 되었다. 또한 태양의 흑점 활동이 관측되면서 태양 역시 불덩어리일지도 모른다고 생각하기 시작했다. 그 후 섭씨 5,500도로 가열된 물체에서 노랗게 보이는 빛이 나오는 것을 알게 되면서 유사한 빛을 내는 태양의 온도도 비슷할 것이라고 추측하게 되었다.

19세기에는 에너지 보존 법칙이 확립되면서 새로운 에너지 공급이 없다면 태양의 온도가 점차 낮아져야 한다는 결론을 내렸다. 그렇다면 과거에는 태양의 온도가 훨씬 높았어야 했고, 지구의 바다가 펄펄 끓어야 했을 것이다. 하지만 실제로는 그렇지 않았다. 그래서 태양의 온도를 일정하게 유지해 주는 에너지원이 무엇인지에 대해 생각하게 되었다.

20세기 초에 방사능이 발견되면서 방사능 물질의 붕괴에서 나오는 핵분열 에너지가 태양의 에너지원으로 생각되었다. 그러나 태양빛의 스펙트럼을 분석한 결과 태양에는 우라늄 등의 방사능 물질 대신 수소와 헬륨이 있다는 것을 알게 되었다. 방사능 물질의 붕괴에서 나오는 핵분열 에너지가 태양의 에너지원은 아니었던 것이다.

현재 태양의 에너지원은 수소 원자핵 네 개가 헬륨 원자핵 하나로 융합하는 과정의 질량 결손으로 인해 생기는 핵융합 에너지로 알려져 있다. 태양은 엄청난 양의 수소 기체가 중력에 의해 뭉쳐진 것으로, 그 중심으로 갈수록 밀도와 압력, 온도가 증가한다. 태양에서의 핵융합은 천만 도 이상의 온도를 ⓐ유지하는 중심부에서만 일어난다. 높은 온도에서만 원자핵들이 높은 운동 에너지를 가지게 되며, 그 결과로 원자핵들 사이의 반발력을 극복하고 융합되기에 충분히 가까운 거리로 근접할 수 있기 때문이다. 태양빛이 핵융합을 통해 나온다는 사실은 태양으로부터 온 중성미자가 관측됨으로써 더 확실해졌다.

중심부의 온도가 올라가 핵융합 에너지가 늘어나면 그 에너지로 인한 압력으로 수소를 밖으로 밀어내어 중심부의 밀도와 온도를 낮추게 된다. 이렇게 온도가 낮아지면 방출되는 핵융합 에너지가 줄어들며, 그 결과 압력이 낮아져서 수소가 중심부로 들어오게 되어 중심부의 밀도와 온도를 다시 높인다. 이렇듯 태양 내부에서 중력과 핵융합 반응의 평형 상태가 ⓑ유지되기 때문에 태양이 오랫동안 안정적으로 빛을 낼 수 있게 된다. 태양은 이미 50억 년간 빛을 냈고, 앞으로도 50억 년 이상 더 빛날 것이다.

* 신성 : 갑자기 환히 빛났다가 얼마 후 다시 희미해지는 별

問 ⓐ, ⓑ와 관련하여 〈보기〉의 사례가 될 수 <u>없는</u> 것은?

┤ 보기 ├

국어의 어휘 중에는 '유지하다-유지되다'처럼 명사인 '유지'가 '하다'와 결합하면 타동사, '되다'와 결합하면 자동사가 되어 구별되는 용법으로 쓰이는 예가 많다.

① 관통(貫通)　　　② 보존(保存)　　　③ 완공(完工)

✔④ 발열(發熱)　　　⑤ 개편(改編)

오답률 BEST 집중 특강

① **문제 유형 해결 방법** : 어휘와 문법이 함께 출제된 유형으로, 제시문의 내용과 상관없이 〈보기〉의 내용만으로도 풀 수 있는 문제이다. 〈보기〉에 제시된 내용을 선택지에 각각 적용해 답을 찾도록 한다.

② **실제로 해당 지문에 나오는 내용을 요약하거나 보충 설명한다.**

• 태양에 대한 연구

16세기 이전	16세기~19세기 이전	19세기	20세기 초	현재
제5 원소설	불덩어리설	에너지 보존 법칙 확립	핵분열 에너지설	핵융합 에너지설

오답률 BEST 문제 풀이

〈1단계〉 **출제 이유 및 해결 방안 분석**

어휘와 문법 영역이 복합되어 있는 유형으로, 단순히 어휘의 의미를 파악하는 문제에 비해 조금 더 복잡한 사고 과정을 거쳐야 하는 문제이다. 〈보기〉에서 제시된 내용대로 선택지에 제시된 단어에 '하다'와 '되다'를 결합해 보고, 타동사와 자동사로 구별되어 사용되는지 확인한다. 즉, 목적어를 필요 여부에 따라 구분하면 되는데, 간단한 예문을 떠올려 보면 도움이 된다. 타동사와 자동사의 개념을 알고 있으면 쉽게 풀 수 있는 문제이므로, 문법의 핵심 개념을 잘 정리해 두는 것도 필요하다.

〈2단계〉 **정답 풀이**

④ '발열하다'와 '발열되다'는 모두 '열이 나다'라는 뜻으로 목적어가 필요 없는 자동사이다. 따라서 자동사와 타동사로 구별되는 용법으로 쓰이는 〈보기〉의 사례가 될 수 없다.

〈3단계〉 오답 풀이
① '관통하다'는 '꿰뚫어서 통하다.'라는 뜻으로, '총알이 복부를 관통하다.'와 같이 쓰여 목적어가 필요한 타동사이다. 그러나 '관통되다'는 '꿰뚫려 통하게 되다.'라는 뜻으로, '토끼가 사냥꾼이 쏜 화살에 관통되다.'와 같이 쓰여 목적어가 필요 없는 자동사이다. 따라서 〈보기〉의 사례가 될 수 있다.

② '보존하다'는 '잘 보호하고 간수하여 남기다.'라는 뜻으로, '환경을 보존하다.'와 같이 목적어가 필요한 타동사이다. 그러나 '보존되다'는 '잘 보호되고 간수되어 남겨지다.'라는 뜻으로, '건물이 원형 그대로 보존되다.'와 같이 쓰여 목적어가 필요 없는 자동사이다. 따라서 〈보기〉의 사례가 될 수 있다.

③ '완공하다'는 '공사를 완성하다.'는 뜻으로, '우리 회사가 도로를 완공하였다.'와 같이 목적어가 필요한 타동사이다. 그러나 '완공되다'는 '공사가 완성되다.'는 뜻으로, '댐이 완공되다.'와 같이 쓰여 목적어가 필요 없는 자동사이다. 따라서 〈보기〉의 사례가 될 수 있다.

⑤ '개편하다'는 '조직 따위를 고쳐 편성하다.'라는 뜻으로, '조직을 개편하다'와 같이 쓰여 목적어가 필요한 타동사이다. 그러나 '개편되다'는 '조직 따위가 고쳐져 다시 편성되다.'라는 뜻으로, '행정 구역이 개편됐다.'와 같이 쓰여 목적어가 필요 없는 자동사이다. 따라서 〈보기〉의 사례가 될 수 있다.

's Advice

어휘는 독서의 제시문에 나오는 문제들 중에서 핵심적인 문제라고 보기는 어렵다. 하지만 어휘 문제가 쉬운 것만은 아니며, 특히 최근에는 어휘 문제가 증가하는 추세에 있다. 따라서 어휘 문제에 대비하는 공부가 반드시 필요하다.

■ '어휘의 의미 파악' 유형 출제 방식 및 풀이 방법
① 사전적 의미를 묻는 문제
• 선택지에 제시된 어휘를 제시문에 직접 대입해본다.
② 문맥적 의미를 묻는 문제
• 어휘의 문장 앞뒤를 읽고 어떤 의미로 사용되었는지를 파악한다.
• 제시된 어휘를 다른 어휘로 대체해 보고, 선택지에도 그것과 동일한 어휘로 대체해 본다.

■ '어휘의 의미 파악' 유형 공부 방법
평소 제시문을 읽을 때, 생소한 어휘가 나오면 반드시 그 의미를 찾아 정리하도록 한다. 이때, 단어와 뜻만 단순히 암기하기보다는 문장과 함께 읽고 기억해 두면 더 높은 효과를 얻을 수 있다.

1등급을 향한 국어 문제집
SUMMA CUM LAUDE

과학

제 I 부

실전 TEST ❶ 과학 / 물리

[대학수학능력시험 기출]

☑ 지문 분석 노트

① _____

② _____

③ _____

④ _____

⑤ _____

■ 주제 : _____

　　우주에서 지구의 북극을 내려다보면 지구는 시계 반대 방향으로 빠르게 자전하고 있지만 우리는 그 사실을 잘 인지하지 못한다. 지구의 자전 때문에 일어나는 현상 중 하나는 지구 상에서 운동하는 물체의 운동 방향이 *편향되는 것이다. 이러한 현상의 원인이 되는 가상적인 힘을 전향력이라 한다.

　　전향력은 지구가 자전하기 때문에 나타난다. 구 모양인 지구의 둘레는 적도가 가장 길고 위도가 높아질수록 짧아진다. 지구의 자전 주기는 위도와 상관없이 동일하므로 자전하는 속력은 적도에서 가장 빠르고, 고위도로 갈수록 속력이 느려져서 남극과 북극에서는 0이 된다.

　　적도 상의 특정 지점에서 동일한 경도 상에 있는 북위 30도 지점을 목표로 어떤 물체를 발사한다고 하자. 이때 물체에 영향을 주는 마찰력이나 다른 힘은 없다고 가정한다. 적도 상의 발사 지점은 약 1,600km/h의 속력으로 자전하고 있다. 북쪽으로 발사된 물체는 발사 속력 외에 약 1,600km/h로 동쪽으로 진행하는 속력을 동시에 갖게 된다. 한편 북위 30도 지점은 약 1,400km/h의 속력으로 자전하고 있다. 목표 지점은 발사 지점보다 약 200km/h가 더 느리게 동쪽으로 움직이고 있는 것이다. 따라서 발사된 물체는 겨냥했던 목표 지점보다 더 동쪽에 있는 지점에 도달하게 된다. 이때 지구 표면의 발사 지점에서 보면, 발사된 물체의 이동 경로는 처음에 목표로 했던 북쪽 방향의 오른쪽으로 휘어져 나타나게 된다.

　　이번에는 북위 30도에서 자전 속력이 약 800km/h인 북위 60도의 동일 경도 상에 있는 지점을 목표로 설정하고 같은 실험을 실행한다고 하자. 두 지점의 자전하는 속력의 차이는 약 600km/h이므로 이 물체는 적도에서 북위 30도를 향해 발사했을 때보다 더 오른쪽으로 떨어지게 된다. 이렇게 운동 방향이 좌우로 편향되는 정도는 저위도에서 고위도로 갈수록 더 커진다. 결국 위도에 따른 자전 속력의 차이가 고위도로 갈수록 더 커지기 때문에 좌우로 편향되는 정도는 북극과 남극에서 최대가 되고 적도에서는 0이 된다. 이러한 편향 현상은 북쪽뿐 아니라 다른 방향으로 운동하는 모든 물체에 마찬가지로 나타난다.

　　전향력의 크기는 위도뿐만 아니라 물체의 이동하는 속력과도 관련이 있다. 지표를 기준으로 한 이동 속력이 빠를수록 전향력이 커지며, 지표 상에 정지해 있는 물체에는 전향력이 나타나지 않는다. 한편, 전향력은 운동하는 물체의 진행 방향이 북반구에서는 오른쪽으로, 남반구에서는 왼쪽으로 편향되게 한다.

Words
• 편향(偏向) : ① 한쪽으로 치우침. ② 대전(帶電, 어떤 물체가 전기를 띰.) 입자의 비행 방향을 전기장이나 자기장을 가하여 변화시킴.

1 윗글을 통해 알 수 있는 내용으로 적절하지 않은 것은?

① 북위 30도 지점과 북위 60도 지점의 자전 주기는 동일하다.

② 운동장에 정지해 있는 축구공에는 위도에 상관없이 전향력이 나타나지 않는다.

③ 남위 50도 지점은 남위 40도 지점보다 자전 방향으로 움직이는 속력이 더 빠르다.

④ 남위 30도에서 정남쪽의 목표 지점으로 발사한 물체는 목표 지점보다 동쪽에 떨어진다.

⑤ 우리나라의 야구장에서 타자가 쳐서 날아가는 공의 이동 방향은 전향력에 의해 영향을 받는다.

2 윗글을 바탕으로 〈보기〉를 이해한 내용으로 적절하지 않은 것은?

┤ 보기 ├

　전향력은 1851년 프랑스의 과학자 푸코가 파리의 팡테옹 사원에서 실시한 진자 실험을 통해서도 확인할 수 있다. 푸코는 길이가 67m인 줄의 한쪽 끝을 천장에 고정하고 다른 쪽 끝에 28kg의 추를 매달아 진동시켰는데, 시간이 지남에 따라 진자의 진동면이 시계 방향으로 회전한다는 사실을 발견하였다. 이는 추가 A에서 B로 이동할 때, 전향력에 의해 C쪽으로 미세하게 휘어져 이동하고, 되돌아올 때는 D쪽으로 미세하게 휘어져 이동한다는 사실과 관련이 있다.

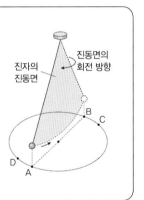

① 남반구에서 이 실험을 할 경우 진자의 진동면은 시계 반대 방향으로 회전하겠군.

② 파리보다 고위도에서 동일한 실험을 할 경우 진자의 진동면은 더 느리게 회전하겠군.

③ 북극과 남극에서 이 진자 실험을 할 경우 진자의 진동면의 회전 주기는 동일하겠군.

④ 적도 상에서 동서 방향으로 진자를 진동시킬 경우 진자의 진동면은 회전하지 않겠군.

⑤ 남위 60도에서 이 진자 실험을 할 경우 움직이는 추는 이동 방향의 왼쪽으로 편향되겠군.

실전 TEST 02 과학 / 화학

☑ 지문 분석 노트

① _____

② _____

③ _____

④ _____

■ 주제: _____

기체의 온도를 일정하게 하고 부피를 줄이면 압력은 높아진다. 한편 압력을 일정하게 유지할 때 온도를 높이면 부피는 증가한다. 이와 같이 기체의 상태에 영향을 미치는 압력(P), 온도(T), 부피(V)의 상관관계를 1몰*의 기체에 대해 표현하면 $P = \dfrac{RT}{V}$(R : 기체 상수)가 되는데, 이를 ㉠이상 기체 상태 방정식이라 한다. 여기서 이상 기체란 분자 자체의 부피와 분자 간 상호 작용이 없다고 가정한 기체이다. 이 식은 기체에서 세 변수 사이에 발생하는 상관관계를 ˚간명하게 설명할 수 있다.

하지만 실제 기체에 이상 기체 상태 방정식을 적용하면 잘 맞지 않는다. 실제 기체에는 분자 자체의 부피와 분자 간의 상호 작용이 존재하기 때문이다. 분자 간의 상호 작용은 ˚인력과 ˚반발력에 의해 발생하는데, 일반적인 기체 상태에서 분자 간 상호 작용은 대부분 분자 간 인력에 의해 일어난다. 온도를 높이면 기체 분자의 운동 에너지가 증가하여 인력의 영향은 줄어든다. 또한 인력은 분자 사이의 거리가 멀어지면 감소하는데, 어느 정도 이상 멀어지면 그 힘은 무시할 수 있을 정도로 약해진다. 하지만 분자들이 거의 맞닿을 정도가 되면 반발력이 급격하게 증가하여 반발력이 인력을 압도하게 된다. 이러한 반발력 때문에 실제 기체의 부피는 압력을 아무리 높이더라도 이상 기체에서 기대했던 것 만큼 줄지 않는다.

이제 부피가 V인 용기 안에 들어 있는 1몰의 실제 기체를 생각해 보자. 이때 분자의 자체 부피를 b라 하면 기체 분자가 운동할 수 있는 자유 이동 부피는 이상 기체에 비해 b만큼 줄어든 V−b가 된다. 한편 실제 기체는 분자 사이의 인력에 의한 상호 작용으로 분자들이 서로 끌어당기므로 이상 기체보다 압력이 낮아진다. 이때 줄어드는 압력은 기체 부피의 제곱에 반비례하는데, 이것을 비례 상수 a가 포함된 $\dfrac{a}{V^2}$로 나타낼 수 있다. 왜냐하면 기체의 부피가 줄면 분자 간 거리도 줄어 인력이 커지기 때문이다. 즉 실제 기체의 압력은 이상 기체에 비해 $\dfrac{a}{V^2}$만큼 줄게 된다.

이와 같이 실제 기체의 분자 자체 부피와 분자 사이의 인력에 의한 압력 변화를 고려하여 이상 기체 상태 방정식을 ˚보정하면 $P = \dfrac{RT}{V-b} - \dfrac{a}{V^2}$가 된다. 이를 ㉡반데르발스 상태 방정식이라 하는데, 여기서 매개 변수 a와 b는 기체의 종류마다 다른 값을 가진다. 이 방정식은 실제 기체의 압력, 온도, 부피의 상관관계를 이상 기체 상태 방정식보다 잘 표현할 수 있게 해 주었으며, 반데르발스가 1910년 노벨상을 수상하는 계기가 되었다. 이처럼 자연현상을 정확하게 표현하기 위해 단순한 모형을 정교한 모형으로 수정해 나가는 것은 과학 연구에서 매우 중요한 절차 중의 하나이다.

* 1몰 : 기체 분자 6.02×10^{23}개

Words

• 간명(簡明) : 간단명료. 간단하고 분명함. • 인력(引力) : 공간적으로 떨어져 있는 물체끼리 서로 끌어당기는 힘 • 반발력(反撥力) : 되받아 퉁기는 힘 • 보정 (補正) : ① 부족한 부분을 보태어 바르게 함. '바로잡음'으로 순화 ② 물리에서 실험, 관측 또는 근삿값 계산 따위에서 결과에 포함된 외부적 원인에 의한 오차 를 없애고 참값에 가까운 값을 구하는 것

1 윗글의 내용과 일치하지 않는 것은?

① 이상 기체는 압력이 일정할 때 온도를 높이면 부피가 증가한다.
② 이상 기체는 분자 자체의 부피와 분자 간 상호 작용이 없는 가상의 기체이다.
③ 실제 기체에서 분자 간 상호 작용은 기체 압력에 영향을 준다.
④ 실제 기체 분자의 운동 에너지가 증가하면 인력의 영향은 줄어든다.
⑤ 실제 기체의 분자 간 상호 작용은 거리에 상관없이 일정하다.

2 ㉠과 ㉡에 대한 설명으로 옳지 않은 것은?

① ㉠, ㉡ 모두 기체의 압력, 온도, 부피의 상관관계를 나타낸다.
② ㉠과 달리 ㉡에서는 기체 분자 사이에 작용하는 인력이 기체의 부피에 따라 달라짐 을 반영한다.
③ ㉠으로부터 ㉡이 유도된 것은 단순한 모형을 실제 상황에 맞추기 위해 수정한 예이 다.
④ 매개 변수 b는 ㉠을 ㉡으로 보정할 때 실제 기체의 자체 부피를 고려하여 추가된 것 이다.
⑤ 용기의 부피가 같다면 ㉠에서 기체 분자가 운동할 수 있는 자유 이동 부피는 ㉡에서 보다 작다.

3 윗글을 바탕으로 〈보기〉에 대해 탐구할 때, 적절한 것은?

┤ 보기 ├

  종류가 다른 실제 기체 A, B와 이상 기체 C 각 1몰에 대해, 같은 온도에서의 부피와 압력 사이의 관계를 그래프로 나타내었다.

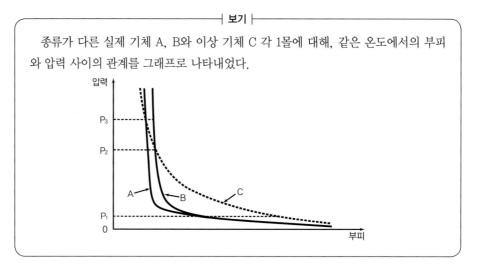

① 압력이 P_1에서 0에 가까워질수록 A와 B 모두 분자 간 상호 작용이 증가되고 있음을 알 수 있군.

② 압력이 P_1과 P_2 사이일 때, A가 B에 비해 반발력보다 인력의 영향을 더 크게 받는다고 볼 수 있군.

③ 압력이 P_2와 P_3 사이일 때, A와 B 모두 반발력보다 인력의 영향을 더 크게 받는다고 볼 수 있군.

④ 압력이 P_3보다 높을 때, A가 B에 비해 인력보다 반발력의 영향을 더 크게 받는다고 볼 수 있군.

⑤ 압력을 P_3 이상에서 계속 높이면 A, B, C 모두 부피가 0이 되겠군.

과학 / 생명과학 **03** 실전 TEST

[평가원 기출]

음식이 상한 것과 가스가 새는 것을 쉽게 알아차릴 수 있는 것은 우리에게 냄새를 맡을 수 있는 후각이 있기 때문이다. 이처럼 후각은 우리 몸에 해로운 물질을 *탐지하는 문지기 역할을 하는 중요한 감각이다. 어떤 냄새를 일으키는 물질을 '취기재(臭氣材)'라 부르는데, 우리가 어떤 냄새가 난다고 탐지할 수 있는 것은 취기재의 분자가 코의 내벽에 있는 후각 *수용기를 자극하기 때문이다.

일반적으로 인간은 동물만큼 후각이 예민하지 않다. 물론 인간도 다른 동물과 마찬가지로 취기재의 분자 하나에도 민감하게 반응하는 후각 수용기를 갖고 있다. 하지만 개[犬]가 10억 개에 이르는 후각 수용기를 갖고 있는 것에 비해 인간의 후각 수용기는 1천만 개에 불과하여 인간의 후각이 개의 후각보다 둔한 것이다.

우리가 냄새를 맡으려면 공기 중에 취기재의 분자가 충분히 많아야 한다. 다시 말해, 취기재의 농도가 어느 정도에 이르러야 냄새를 탐지할 수 있다. 이처럼 냄새를 탐지할 수 있는 최저 농도를 '탐지 *역치'라 한다. 탐지 역치는 취기재에 따라 차이가 있다. 우리가 메탄올보다 박하 냄새를 더 쉽게 알아챌 수 있는 까닭은 메탄올의 탐지 역치가 박하향에 비해 약 3,500배 가량 높기 때문이다.

취기재의 농도가 탐지 역치 정도의 수준에서는 냄새가 나는지 안 나는지 정도를 탐지할 수는 있지만 그 냄새가 무슨 냄새인지 인식하지 못한다. 즉 ㉠냄새의 존재 유무를 탐지할 수는 있어도 냄새를 풍기는 취기재의 정체를 인식하지는 못하는 상태가 된다. 취기재의 정체를 인식하려면 취기재의 농도가 탐지 역치보다 3배 가량은 높아야 한다. 즉 취기재의 농도가 탐지 역치 수준으로 낮은 상태에서는 그 냄새가 꽃향기인지 비린내인지 알 수 없는 것이다. 한편 같은 취기재들 사이에서는 농도가 평균 11% 정도 차이가 나야 냄새의 세기 차이를 구별할 수 있다고 알려져 있다.

연구에 따르면 인간이 구별할 수 있는 냄새의 가짓수는 10만 개가 넘는다. 하지만 그 취기재가 무엇인지 다 인식해 내지는 못한다. 그 이유는 무엇일까? 한 실험에서 실험 참여자에게 실험에 쓰일 모든 취기재의 이름을 미리 알려 준 다음, 임의로 선택한 취기재의 냄새를 맡게 하고 그 종류를 맞히게 했다. 이때 실험 참여자가 틀린 답을 하면 그때마다 정정해 주었다. 그 결과 취기재의 이름을 알아맞히는 능력이 거의 두 배로 향상되었다.

위의 실험은 특정한 냄새의 정체를 파악하기 어려운 이유가 냄새를 느끼는 능력이 부족하기 때문이 아님을 보여 준다. 그것은 우리가 모든 냄새에 대응되는 *명명 체계를 갖고 있지 못할 뿐만 아니라 특정한 냄새와 그것에 해당하는 이름을 연결하는 능력이 부족하기 때문이다. 즉 인간의 후각은 기억과 밀접한 관련이 있는 것이다. 이에 따르면 어떤 냄새를 맡았을 때 그 냄새와 관련된 과거의 경험이나 감정이 떠오르는 일은 매우

✔ 지문 분석 노트

①

②

③

④

⑤

⑥

■주제 : _____   자연스러운 현상이다.
_____

Words

• **탐지(探知)** : 드러나지 않은 사실이나 물건 따위를 더듬어 찾아 알아냄. • **수용기(受容器)** : 해부학적으로 자극에 대하여 반응하는 구조. 말초 감각 기관이나 말초 신경의 끝부분, 신경 상피 세포, 수용기 세포를 가진 감각 기관의 한 부분, 눈이나 귀와 같은 분화된 감각 기관 따위이다. • **역치(閾値)** : 생물체가 자극에 대한 반응을 일으키는 데 필요한 최소한도의 자극의 세기를 나타내는 수치 • **명명(命名)** : 사람, 사물, 사건 등의 대상에 이름을 지어 붙임.

1 윗글의 내용과 일치하지 <u>않는</u> 것은?

① 후각 수용기는 취기재의 분자에 반응한다.
② 후각은 유해한 물질을 탐지하는 역할도 한다.
③ 박하향의 탐지 역치는 메탄올의 탐지 역치보다 높다.
④ 인간은 개[犬]에 비해 적은 수의 후각 수용기를 갖고 있다.
⑤ 인간의 후각 수용기는 취기재의 분자 하나에도 반응할 수 있다.

2 윗글을 통해 알 수 있는 내용으로 적절하지 <u>않은</u> 것은?

① 과거에 경험한 사건이 그와 관련된 냄새를 통해 환기되는 경우가 있다.
② 특정한 냄새와 그 명칭을 정확히 연결하는 능력은 학습을 통해 향상될 수 있다.
③ 취기재의 이름을 알아맞히는 능력이 향상되면 그 취기재의 탐지 역치를 낮출 수 있다.
④ 인간이 구별할 수 있는 냄새의 가짓수는 인간이 인식하는 취기재의 가짓수보다 많다.
⑤ 같은 취기재들 사이에서 농도 차이가 평균 11% 미만이라면 냄새의 세기를 구별하기 어렵다.

3 ㉠의 경우에 해당하는 것은?

① 탐지 역치가 10인 취기재의 농도가 5인 경우
② 탐지 역치가 10인 취기재의 농도가 15인 경우
③ 탐지 역치가 10인 취기재의 농도가 35인 경우
④ 탐지 역치가 20인 취기재의 농도가 15인 경우
⑤ 탐지 역치가 20인 취기재의 농도가 85인 경우

과학 / 지구과학 **04** 실전 TEST

[평가원 기출]

태양빛은 흰색으로 보이지만 실제로는 다양한 •파장의 •가시광선이 혼합되어 나타난 것이다. 프리즘을 통과시키면 흰색의 가시광선은 파장에 따라 붉은빛부터 보랏빛까지의 무지갯빛으로 분해된다. 가시광선의 파장의 범위는 390~780nm* 정도인데 보랏빛이 가장 짧고 붉은빛이 가장 길다. 빛의 진동수는 파장과 반비례하므로 진동수는 보랏빛이 가장 크고 붉은빛이 가장 작다. 태양빛이 대기층에 입사하여 산소나 질소 분자와 같은 공기 입자(직경 0.1~1nm 정도), 먼지 미립자, 에어로졸*(직경 1~100,000nm 정도) 등과 부딪치면 여러 방향으로 흩어지는데 이러한 현상을 산란이라 한다. 산란은 입자의 직경과 빛의 파장에 따라 '레일리(Rayleigh) 산란'과 '미(Mie) 산란'으로 구분된다.

레일리 산란은 입자의 직경이 파장의 1/10보다 작을 경우에 일어나는 산란을 말하는데 그 세기는 파장의 네제곱에 반비례한다. 대기의 공기 입자는 직경이 매우 작아 가시광선 중 파장이 짧은 빛을 주로 산란시키며, 파장이 짧을수록 산란의 세기가 강하다. 따라서 맑은 날에는 주로 공기 입자에 의한 레일리 산란이 일어나서 보랏빛이나 파란빛이 강하게 산란되는 반면 붉은빛이나 노란빛은 약하게 산란된다. 산란되는 세기로는 보랏빛이 가장 강하겠지만 우리 눈은 보랏빛보다 파란빛을 더 잘 감지하기 때문에 하늘은 파랗게 보이는 것이다. 만약 태양빛이 공기 입자보다 큰 입자에 의해 레일리 산란이 일어나면 공기 입자만으로는 산란이 잘 되지 않던 긴 파장의 빛까지 산란되어 하늘의 파란빛은 상대적으로 엷어진다.

미 산란은 입자의 직경이 파장의 1/10보다 큰 경우에 일어나는 산란을 말하는데 주로 에어로졸이나 구름 입자 등에 의해 일어난다. 이때 산란의 세기는 파장이나 입자 크기에 따른 차이가 거의 없다. 구름이 흰색으로 보이는 것은 미 산란으로 설명된다. 구름 입자(직경 20,000nm 정도)처럼 입자의 직경이 가시광선의 파장보다 매우 큰 경우에는 모든 파장의 빛이 고루 산란된다. 이 산란된 빛이 동시에 우리 눈에 들어오면 모든 무지갯빛이 혼합되어 구름이 하얗게 보인다. 이처럼 대기가 없는 달과 달리 지구는 산란 효과에 의해 파란 하늘과 흰 구름을 볼 수 있는 것이다.

* 나노미터 : 물리학적 계량 단위. 1nm = 10^{-9}m
* 에어로졸 : 대기에 분산되어 있는 고체 또는 액체 입자

☑ 지문 분석 노트

①

②

③

▪주제 :

Words

• **파장(波長)** : 파동에서, 같은 위상을 가진 서로 이웃한 두 점 사이의 거리　• **가시광선(可視光線)** : 사람의 눈으로 볼 수 있는 빛

1 윗글의 중심 내용으로 가장 적절한 것은?

① 산란의 원리와 유형
② 무지갯빛의 형성 원리
③ 빛의 파장과 진동수의 관계
④ 미 산란의 원리와 구름의 색
⑤ 가시광선의 종류와 산란의 세기

2 윗글을 바탕으로 〈보기〉의 (가), (나)의 산란 현상에 대해 탐구한 내용으로 가장 적절한 것은?

┤ 보기 ├

(가) A 도시에서 많은 비가 내린 후 하늘이 더 파랗게 보였다. 비가 오기 전 대기에서는 직경 10~20nm의 먼지 미립자들이 균질하게 분포하였는데, 비가 온 후에는 그것이 관측되지 않았다.

(나) B 도시 지표 근처의 낮은 하늘은 뿌연 안개처럼 흰색으로 보이고 흰 구름이 낮게 떠 있었다. 그곳에 있는 초고층 건물에 올라 높은 하늘을 보니 하늘이 파랗게 보였다. 지표 근처의 대기에서는 직경이 10,000nm 정도의 에어로졸이 균질하게 분포하는 것이 관측되었다.

① A 도시에서 하늘이 더 파랗게 보인 것은 미 산란이 더 많이 일어났기 때문이겠군.
② A 도시에서 비가 오기 전에는 미 산란이, 비가 온 후에는 레일리 산란이 일어났겠군.
③ B 도시에서 낮은 하늘이 뿌연 안개처럼 흰색으로 보인 것은 미 산란 때문이겠군.
④ B 도시의 높은 하늘이 파랗게 보이고 구름이 희게 보인 것은 레일리 산란 때문이겠군.
⑤ A 도시의 비가 온 후의 하늘과 B 도시의 낮은 하늘에서는 모두 미 산란이 일어났겠군.

3   윗글을 읽고 추론한 내용으로 적절하지 <u>않은</u> 것은?

① 가시광선의 파란빛은 보랏빛보다 진동수가 작다.
② 프리즘으로 분해한 태양빛을 다시 모으면 흰색이 된다.
③ 파란빛은 가시광선 중에서 레일리 산란의 세기가 가장 크다.
④ 빛의 진동수가 2배가 되면 레일리 산란의 세기는 16배가 된다.
⑤ 달의 하늘에서는 공기 입자에 의한 태양빛의 산란이 일어나지 않는다.

우리의 뇌는 과거를 어떻게 기억할까

기억이란 어떤 자극을 느끼고 이를 머리에 새겨 두었다가, 자극이 없어지고 나면 그 정보를 다시 상기할 수 있는 정신 기능을 말한다. 그렇다면 기억 정보는 어떤 방식으로 뇌에 자취를 남길까? 많은 학설 중 기억에 의해 뉴런(신경 세포) 간 연결 구조인 시냅스에 변화가 생긴다는 학설이 최근 가장 설득력을 얻고 있다.

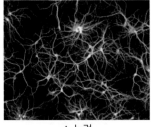
▲ 뉴런

인간의 뇌에는 약 1천억 개의 뉴런이 존재하는데, 뉴런 1개당 수천 개의 시냅스를 형성한다. 뇌에 있는 시냅스의 수는 총 10^{14}~10^{15} 개나 되며, 이러한 수많은 시냅스로 이루어진 다양한 신경 회로망이 뇌 속에 복잡한 그물처럼 형성되어 있다. 학습을 하면 신경망을 구성하는 시냅스에 일정한 물질적, 구조적 변화가 일어나게 된다. 정보가 처리되는 바로 그 신경망이 기억이 저장되는 장소가 되는 것이다.

시냅스는 신호를 발생시키는 시냅스 전 뉴런과 신호를 받아들이는 시냅스 후 뉴런, 그리고 두 뉴런 사이의 좁은 간격, 곧 20~50nm* 정도 벌어진 시냅스 틈으로 구성된다. 시냅스 전 뉴런에서 전기가 발생하면 시냅스 말단에서 시냅스 틈으로 신경 전달 물질이 분비되고, 이는 시냅스 후 뉴런의 수용체를 자극해 전기를 발생시킨다. 결국 시냅스 전 뉴런에서 시냅스 후 뉴런으로 전기 신호가 전달되는 것이다. 뇌가 작동하는 이유는 시냅스로 이루어진 신경망을 통해 전기 신호가 전달되어 정보 처리가 이루어지기 때문이다. 따라서 시냅스는 수많은 정보를 끊임없이 주고받는 뇌 속의 초고속 반도체라고 할 수 있다.

이렇게 학습에 의해 시냅스에 일정한 변화가 생기는 것을 '시냅스 가소성'이라고 한다. 이런 변화 가운데 시냅스 촉진과 시냅스 강화가 가장 많이 연구된 시냅스 가소성 모델이다. 시냅스 촉진은 바다달팽이 군소(sea hare) 연구를 통해 밝혀졌다. 군소의 피부를 자극하면 아가미가 수축한다. 이러한 반응은 피부에 연결된 감각 뉴런의 정보가 아가미 수축을 담당하는 운동 뉴런으로 전달되어 일어나는 것이다. 군소의 피부에 좀 더 강한 자극을 가하면 아가미가 더 많이 수축하는데, 이는 강한 자극을 주면 감각뉴런에 영향을 주는 새로운 촉진 뉴런이 활성화되기 때문이다. 촉진 뉴런은 세로토닌이라는 물질을 분비해 기존 신경망의 시냅스를 자극한다. 그 결과 감각 뉴런에서 신경 전달 물질이 더 많이 분비되어 운동 뉴런으로의 신경 전달이 효과적으로 일어나 아가미 근육이 더 활발히 수축하는 것이다. 하지만 이렇게 일어난 수축 반응은 길어야 몇 시간을 지속하지 못한다. 즉, 촉진 뉴런에 의한 현상은 단기 기억만 설명할 수 있는 것이다.

학습 내용을 기억하는 기간이 긴지 짧은지는 학습의 강도에 달려 있다. 군소의 피부에 자극을 5회 이상 반복하면 이 정보는 일시적으로 촉진 뉴런을 활성화시키는 단계를 넘어 감각 뉴런의 핵 속까지 전달된다. 이렇게 전달된 신호는 뉴런의 핵 속에 있는 다양한 기억 관련 유전자를 발현시킨다. 그러면 장기 기억에 관여하는 단백질과 신경 전달 물질이 만들어지고, 이들이 감각 뉴런의 시냅스를 강화시켜 자극 정보를 오래 기억하게 한다. 즉 군소에 동일한 자극을 반복적, 습관적으로 가하면 이 자극은 장기 기억화되는 것이다.

기억 연구의 또 다른 모델인 시냅스 강화는 전기 신호가 시냅스에 충분히 전달되어 시냅스의 강도가 향상되는 현상이다. 이때는 글루타메이트 수용체의 일종인 NMDA 수용체가 중요한 구실을 한다. NMDA 수용체에 NMDA가 결합한 뒤 열린 통로로 칼슘이온이 들어와 다양한 효소를 활성화시켜 시냅스를 강화시킨다. 이런 현상은 서술 기억에 중요한 해마나 감정 또는 공포 기억에 관여하는 편도체를 비롯해 다양한 대뇌피질의 신경망에서 관찰된다. 칼슘 통과 능력이 우수한 NMDA 수용체의 유전자를 이식받은 쥐는 다른 쥐에 비해 똑똑해진다는 연구 결과가 보고된 바 있다. 반대로 시냅스 강화에 관여하는 효소의 유전자를 제거하면 학습 능력이 떨어진 쥐가 탄생하기도 했다.

시냅스 촉진이나 강화 현상이 일어나면 기존에 있던 시냅스에서 신경 전달 물질이 더 많이 분비되거나, 신경 전달 물질과 결합하는 수용체 수가 많아진다. 그러면 정보를 더 오래 기억할 수 있게 된다. 또한 오랫동안 반복적인 학습을 하면 시냅스 수가 많아진다는 사실도 알려져 있다. 시냅스가 많아지면 전체 뉴런의 부피는 증가하게 되는데, 이 때문에 일부분이 확장되는 것 같이 뇌 구조가 변한다. 새로운 사실을 배울 때마다 뇌의 미세한 구조가 조금씩 변하고, 이런 과정이 오랜 시간에 걸쳐 축적되면서 뇌의 구조는 크게 변하게 된다. 즉, 인간은 일생 동안 신장과 체중 같은 외형적 변화 뿐

만 아니라, 경험과 학습을 통한 뇌의 변화도 겪게 되는 것이다.

* 나노미터, 1nm=10억 분의 1m

– 강봉균, 『교양으로 읽는 과학의 모든 것 2』

● 단락 요지 ●

1문단 : 기억의 개념 및 기억 정보가 뇌에 자취를 남기는 방법

2문단 : 학습에 따른 뇌의 시냅스 변화

3문단 : 시냅스의 구조 및 신호 전달 과정

4문단 : 단기 기억을 형성하는 시냅스 촉진 모델

5문단 : 장기 기억을 형성하는 시냅스 촉진 모델

6문단 : NMDA 수용체와 관련된 시냅스 강화 모델

7문단 : 경험과 학습을 통한 뇌 구조의 변화

계산법의 혁명 : 로그, 자연의 비밀을 푸는 열쇠

로그 계산법의 발명 자체는 과학사에서 그다지 중요한 사건이 아니라고 여겨질지도 모른다. 혁명적인 사상적 변화를 이끌어낸 것도 아니었고 단지 편리한 계산법에 지나지 않는다는 시각으로 볼 수도 있기 때문이다. 그러나 이 편리한 계산법이 갖고 있는 파급력이란 엄청난 것이었다.

로그는 간단하게 말하면 곱셈을 덧셈으로 치환하는 것이다. $10^2=100$이라는 간단한 거듭제곱 관계를 로그로 표현하면 $\log 100=\log 10^2=2\log 10=2$이다. 즉, 로그는 거듭제곱의 관계를 치환한다는 단순한 아이디어에 기초를 두고 있는 것이다. 그러나 이 단순한 아이디어는 엄청난 크기의 수들 사이의 곱셈을 비교적 간단한 수의 덧셈으로 바꿀 수 있기 때문에 계산을 아주 편리하게 해주었다.

일단 이 계산법이 갖고 있는 유용함부터 살펴보자. 로그는 엄청난 크기의 수를 다루어야 하는 사람들에게 열렬한 환영을 받았다. 두께 1mm의 종이를 64번 접으면 그 두께는 얼마나 될까? 물론 간단하게 생각하면 이 종이의 두께는 2^{64}mm가 된

다. 그러나 2를 64번 곱하는 것은 그리 쉬운 문제가 아니지만, 로그를 이용하면 이 숫자의 크기를 쉽게 알 수 있다. 로그표에서 $\log 2=0.3010$이기 때문에 $\log 2^{64}=64\log 2 ≒ 64×0.3010=19.264$로 19자리 숫자가 된다는 것을 쉽게 알 수 있다. 실제로 2^{64}는 18446744073709551616인데 이것을 두께로 환산하면 약 18조km가 넘어 이 종이는 태양계를 훨씬 벗어나게 된다. 이런 크기의 수를 실제로 다루어야 하는 천문학자들에게 로그는 엄청난 환영을 받았으며, 라플라스는 '로그의 발명은 천문학자의 수명을 두 배로 늘렸다'고까지 말할 정도였다.

– 김원기, 『꿈꾸는 과학』

● 단락 요지 ●

1문단 : 로그 계산법이 가진 파급력

2문단 : 로그 계산법의 원리

3문단 : 로그 계산법의 유용함

▌ 앙부일구의 구조 ▌

해시계는 기원전 3,500년경 중국과 페르시아 만의 고대 왕국 칼데아에서 처음 사용되었다고 전해진다. 당시 사람들은 땅 위에 세워진 수직 막대에 생기는 태양의 그림자를 이용해 태양의 움직임을 지표에 투영하였다. 그리고 그 움직임을 나누어 눈금으로 표시해 시간을 측정하였다. 그렇다면 우리나라에서는 언제부터 해시계를 사용하였을까? 우리나라는 이미 삼국시대에 해시계를 사용하였다는 기록이 남아 있으며, 조선 세종 때에 이르러 찬란한 빛을 발한다.

▲ 앙부일구

우리는 오목 해시계라고도 불리는 세종 때 제작된 '앙부일구'에 매우 친숙하다. 마치 반구로 된 큰 대야의 모습을 한 앙부일구 안의 시반(시계 바닥)에는 여러 개의 세로줄(시각선)과 가로줄(절기선, 계절선)이 그어져 있으며 한 쪽 가에는 그림자를 만드는 바늘(영침)이 달려 있다.

앙부일구를 통해 어떻게 시간을 알 수 있었을까? 동쪽에서 사선으로 뜬 태양은 우리 머리 위를 통과하여 사선으로 지는데, 이를 이용하려면 바늘이 정북쪽을 향하도록 앙부일구를 설치한다. 태양빛은 수직으로 바늘을 지나며 그림자가 드리워진다. 즉, 동쪽에서 뜬 태양의 그림자가 서쪽에 생기고, 그 그림자는 태양이 지구의 동쪽에서 서쪽으로 움직임에 따라 서서히 서쪽에서 동쪽으로 움직일 것이다. 이것이 바로 우리가 이야기하는 시계 방향이다. 바늘의 그림자가 지나는 곳에 새겨진 세로선, 즉 시각선을 읽으면 그때의 시간을 알 수 있다.

그런데 앙부일구의 시각선의 간격은 어떻게 되어 있을까? 조선 후기, 앙부일구의 시각선은 15분 단위로 새겨져 있었는데, 이것은 그 당시 하루를 96각으로 정했기 때문이다. 96각에서 8각씩 묶은 것이 조상들이 쓰던 시각 개념이다. 즉, 우리 조상들에게 하루는 12개의 시로 이루어져 있으며,

지금의 24시간이 96각으로 이루어져 있었으므로 하나의 각은 지금의 15분이라고 할 수 있다.

각과 태양의 운동을 연결하여 살펴보자. 지구가 자전함에 따라 태양은 마치 하루에 한 바퀴씩 지구를 도는 것처럼 보인다. 한 바퀴는 360도이므로 이를 하루 24시간으로 나누면 1시간에 태양은 약 15도를 움직이고 15분 동안에는 약 4도를 움직인다. 그러므로 태양이 움직이는 4도가 지면에 투영되어 하나의 각을 이루게 된다. 날마다 뜨는 태양의 경로는 매일 달라지게 되므로, 이를 고려하여 우리 조상들은 한 해를 이루는 24절기 중 동지, 춘분, 하지, 추분을 기준점으로 삼았다.

각 절기마다 태양의 경로에는 차이가 있는데, 동지의 경우 태양이 떠 있는 시간도 짧고 태양의 남중고도 또한 낮다. 반대로 하지의 경우에는 태양이 떠 있는 시간이 가장 길고 태양의 남중고도는 최대를 이룬다. 앙부일구는 이러한 절기에 따른 태양의 변화를 놓치지 않았다. 각 절기에 따라 태양 그림자 끝이 오는 곳에 절기선을 그어 두었고, 12개의 절기선에 12절기의 이름을 모두 적어 두었다. 일 년 중 태양의 그림자는 절기선을 넘나들며 길다가 짧아지는 동작을 반복하게 된다. 이렇게 절기선과 시간선이 한 시계에 같이 나타나 하루의 시간과 날짜를 같이 알아볼 수 있는 정밀함은 우리나라 해시계만의 특징이라고 할 수 있다.

― 꿈꾸는 과학, 『뒷간에서 주웠어, 뭘?』

• 단락 요지 •

1문단 : 해시계의 기원

2문단 : '앙부일구'의 구조

3문단 : 앙부일구를 통해 시간을 알아내는 방법

4문단 : 앙부일구의 시각선의 간격

5문단 : 앙부일구에 반영된 각과 태양의 운동 관계

6문단 : 앙부일구를 통해 절기를 알아내는 방법

• Quiz •

1. 우리 조상들은 현재와 달리 하루를 12개의 시로 나누어 생각하였다. (○, ×)

2. 동지에는 태양의 남중고도가 [   ], 하지에는 태양의 남중고도가 [   ].

3. 앙부일구에는 각 절기를 알 수 있는 [   ]이 있다.

정답 : 1. ○   2. 낮고, 높다   3. 절기선

가짜 힘의 정체

자동차를 타고 가다가 굽은 길에서 회전하면 몸이 바깥쪽으로 쏠린다. 이런 현상은 어떤 힘으로 설명할 수 있을까? 회전하는 자동사의 외부에서 작용하는 힘은 중력과 마찰력뿐이다. 자동차가 회전 운동을 하기 위해서는 회전의 중심 방향으로 작용하는 구심력이 필요한데, 이 구심력의 역할을 하는 것이 중력과 마찰력이다. 여기서 구심력이란 '중심을 향하는 힘'이란 뜻으로, 자동차에 탄 사람이 바깥쪽으로 쏠리는 것과는 반대 방향으로 작용한다.

자동차가 굽은 길을 돌 때 사람의 몸은 가속 운동을 하는 자동차 안에 있기 때문에 바깥쪽으로 작용하는 힘이 없어도 몸이 바깥쪽으로 쏠리게 된다. 사람은 관성에 의해 일정한 방향으로 직선 운동을 하고, 자동차는 원 운동을 하기 위해 안쪽으로 방향을 바꾸기 때문에 바깥쪽으로 쏠리는 힘을 받게 되는 것이다. 이와 같이 관성 때문에 원 운동을 하는 물체가 바깥쪽으로 받는 힘을 '원심력'이라고 한다. 그러나 이 힘은 가속 운동을 하는 곳, 곧 가속 좌표계에서 물체의 운동을 설명하는 가짜 힘이다.

가짜 힘은 어떤 힘 때문에 생긴 힘이 아니며 그 힘에 대응하는 반작용을 만들어 내지도 않는다. 따라서 회전하는 자동차에서 사람의 몸이 바깥쪽으로 쏠리는 것이 구심력의 반작용으로 생긴 원심력 때문이라고 설명하는 것은 잘못된 것이다. 원심력은 가속 좌표계에서 움직이는 물체의 운동을 설명하기 위해 등장한 가짜 힘이지 구심력의 반작용이 아니기 때문이다.

인공위성 속에 있는 사람이 왜 무중력 상태에 있는지도 이 원리로 설명할 수 있다. 인공위성은 일정한 속력으로 지구의 주위를 돌고 있다. 이 때 지구와 인공위성 사이에 작용하는 중력은 구심력 역할을 한다. 중력은 실제로 존재하는 힘이지만 가속 운동 때문에 나타나는 원심력은 가짜 힘이다. 즉, 상호작용하는 물체가 없으므로 원심력은 가상적인 힘이 되는 것이다. 따라서 인공위성 속에 있는 사람은 지구 중력과 크기가 같고 방향이 반대인 가짜 힘을 받기 때문에 중력의 효과를 느낄 수 없다.

사실 지구도 가속 운동을 하는 가속 좌표계이므로 지구에 있는 우리도 가짜 힘을 경험한다. 북반구에서 태풍이 시계 방향으로 소용돌이치거나 고기압에서 불어 나가는 바람이 시계 방향으로 휘어지고, 저기압으로 불어 들어가는 바람이 시계 반대 방향으로 휘어지는 것도 모두 가짜 힘의 작용으로 일어난다. 우리가 지구에서 느끼는 이 효과를 '코리올리 힘'이라고 한다.

정지해 있거나 직선상에서 일정한 속력으로 운동을 하는 관성 좌표계에서는 뉴턴의 운동 법칙만으로도 물체의 운동을 잘 설명할 수 있다. 그러나 속력이나 방향이 변하는 가속 좌표계에서 일어나는 현상은 뉴턴의 운동 법칙만으로는 설명할 수 없다. 가속 좌표계에서만 등장하여 가속 운동을 하는 물체의 운동을 설명해 주는 힘이 가짜 힘이다. 가짜 힘은 물리학 용어로 '관성력'이라고 한다. 즉, 관성력은 운동하던 물체가 갑자기 정지하거나 방향을 바꾸면 그 물체가 지금까지 운동하던 방향으로 계속 운동하려고 하는 성질로 정의할 수 있다. 여기서 '계속 운동하려고 하는 성질'을 '가짜 힘을 받는 성질'로 바꿀 수 있다.

– 김태일 외, 「살아 있는 과학 교과서 1」

단락 요지
1문단 : 회전하는 자동차의 외부에서 작용하는 힘 – 중력과 마찰력

2문단 : 가속 운동을 하는 자동차 안의 운동을 설명하는 가짜 힘 – 원심력

3문단 : 가짜 힘의 개념 및 성질

4문단 : 인공위성 속의 무중력 상태를 설명하는 가짜 힘

5문단 : 지구에서 경험하는 가짜 힘 – 코리올리 힘

6문단 : 가속 좌표계에서 일어나는 현상을 설명하는 가짜 힘 – 관성력

Quiz
1. 자동차가 회전 운동을 할 때 외부에서 작용하는 힘은 ☐과 ☐이다.
2. 자동차가 회전 운동을 할 때는 구심력의 반작용으로 인해 차에 탄 사람의 몸이 바깥쪽으로 쏠리게 된다. (○, ×)
3. 가속 좌표계에서 물체의 운동은 뉴턴의 운동 법칙만으로 설명이 가능하다. (○, ×)

정답 : 1. 중력, 마찰력 2. × 3. ×

'4색 문제'와 컴퓨터

단순해 보이는 문제가 오랫동안 사람들의 관심을 끌며 쉽게 해결되지 않는 증명의 대상이 되는 경우가 있다. 그 중 하나인 '4색 문제'는 1852년 영국 유니버시티 대학의 대학원생이었던 구드리(Francis Guthrie)가 영국 지도에 색을 칠해 구분하는 과정에서 네 가지 색만 사용하면 영국의 모든 주를 구분할 수 있다는 것을 발견하면서 제기되었다. 구드리는 자신의 스승인 드 모르간(De Morgan)에게 이것을 수학적으로 증명할 수 있는지를 문의했고, 드 모르간은 아일랜드의 수학자이자 위대한 물리학자였던 해밀턴(W.R. Hamilton)에게 물었다. 그러나 해밀턴도 이것을 수학적으로 증명할 수 없었다.

▲ 4색 문제의 예

그 뒤 이 문제는 빠른 속도로 유럽에 전파되었고, 여러 사람이 노력했지만 내로라하는 수학자들도 이를 증명하지 못했다. 4색 문제가 학문적으로 처음 논의된 것은 1879년 케일리의 「지도 색칠하기에 관하여(On the colourings of maps)」라는 세 쪽짜리 짧은 논문이었다. '4색 정리'라고도 하는 4색 문제는 평면을 유한 개의 부분으로 나누어 각 부분에 색을 칠할 때, 서로 맞닿은 부분을 다른 색으로 칠한다면 네 가지 색으로 충분하다는 것이다. 세 가지 색으로 평면을 칠할 수 없다는 것은 반례를 들어 쉽게 확인할 수 있다. 또 다섯 가지 색으로 칠하는 것이 가능하다는 것도 증명되어 있다. 하지만 네 가지 색으로 가능한지에 대한 문제는 오랫동안 미해결 상태였다.

4색 정리를 증명하기 위한 시도는 여러 번 있었지만, 증명했다고 발표한 논문들은 대부분 오류가 발견되었다. 1879년에 켐프가 4색 정리를 증명했다고 발표했을 때, 많은 사람들은 증명 과정이 옳다고 생각했다. 하지만 11년이 지난 1890년에 히우드가 켐프의 증명에 오류가 있음을 밝히기도 하였다. 수학적인 방법에 한계를 느낀 학자들은 컴퓨터를 이용하는 방법을 제안하기도 하였다.

독일의 수학자 헤슈는 컴퓨터로 4색 문제를 증명하는 방법을 제안했는데, 그가 제안한 아이디어를 이용해 드디어 1976년에 미국 일리노이 대학교의 아펠과 하켄이 헤슈의 알고리즘을 더해 4색 정리를 증명하는 데에 성공했다. 그들이 얻은 결론은 '무한히 많은 모든 지도를 4색으로 칠할 수 있음을 증명하려면 1,482 종류의 지도만 고려하면 된다'는 것이었다. 즉, 1,482가지 지도를 모두 네 가지 색으로 칠할 수 있다면 모든 종류의 지도에 대해서도 성립한다는 것이 그들의 결론이다.

아펠과 하켄은 1976년 6월에 1,200시간 동안 컴퓨터를 돌려 이를 증명했다. 하지만 이 증명 방법은 너무 복잡하고 컴퓨터를 이용했다는 것과 과정이나 알고리즘이 다른 곳에는 활용할 수 없다는 이유로 수학자들의 외면을 받았다. 게다가 수학자들은 이 문제가 단순한 만큼 그 증명도 수학자들이 좋아할 만한 '우아하고 단순한 방법'이 존재하리라고 생각하였다. 그래서 이 문제는 아직도 누군가에 의해 증명되어야 할 문제로 남아 있다.

한편 4색 문제의 증명에 컴퓨터가 사용된 것은 수학의 역사에 한 획을 긋는 사건이었다. 과거의 수학은 인간의 두뇌에만 의존했는데, 오늘날 컴퓨터의 등장으로 수학은 새로운 날개를 달았다. 그래서 학자들은 미래의 수학이 어떻게 발전하며 진행될지는 아무도 예측할 수 없다고 생각한다.

– 이광연, 『멋진 세상을 만든 수학』

• 단락 요지 •

1문단 : 수학적 증명의 대상이 된 4색 문제

2문단 : 오랫동안 미해결 상태였던 4색 문제

3문단 : 4색 문제의 수학적 증명의 어려움

4문단 : 컴퓨터를 이용한 4색 문제의 증명

5문단 : 컴퓨터를 이용한 4색 문제 증명의 한계

6문단 : 컴퓨터를 활용한 수학의 발전 가능성

• Quiz •

1. 평면을 유한 개의 부분으로 나누어 각 부분에 색을 칠할 때, 네 가지 색만으로 서로 맞닿은 부분을 다른 색으로 칠하는 것이 항상 가능하다는 것이 '4색 정리'이다. (○, ×)
2. 4색 문제의 증명에 활용된 알고리즘은 이후에도 컴퓨터를 이용한 수학 문제 증명에 다양하게 활용되었다. (○, ×)
3. 수학자들은 4색 문제를 더 이상 증명하려 하지 않는다. (○, ×)

정답 : 1. ○ 2. × 3. ×

지구 온난화 메커니즘

지구 온난화는 전 지구적인 문제인 만큼 원인도 다양한 복합적인 현상이다. 이 중에는 자연의 영향도 있고, 태양의 영향도 있고, 인간의 영향도 있다. 인간의 영향 중 가장 큰 것은 바로 온실기체의 방출이다. 온실기체는 대기 중에 분포하는 경우, 빛을 반사하는 정도를 높여 지표에서 반사되거나 방사*되는 빛을 다시 지표로 돌려보내는 비율을 높게 만드는 물질을 말한다. 인류 문명의 발전과 함께 온실기체의 양이 늘어났으며, 늘어난 온실기체는 지표를 더욱 더 뜨겁게 데우게 되었다.

주요 온실기체에는 수증기(H_2O), 이산화탄소(CO_2), 메테인(CH_4), 오존(O_3), 질소산화물(NO_3) 등이 있다. 분자 하나가 가지는 영향력은 메테인이 이산화탄소보다 크지만, 메테인의 공기 중 농도가 훨씬 낮기 때문에 이산화탄소의 영향력이 메테인의 영향력보다 4배가 더 크다. 산업 혁명 이래 이산화탄소와 메테인의 밀도는 각각 31%, 149% 증가했으며, 이 수치는 지난 650,000년 간의 그 어떤 기록보다 훨씬 높은 것이다. 인간에 의한 온실기체 증가의 75% 정도는 화석 연료의 소비에 의한 것이고, 나머지는 주로 숲 개간 등의 지표 변화 때문이다. 에너지 절약이 온실기체의 생산량 감소로 이어진다고 하는 이유가 여기에 있다.

하지만 온실기체를 감소시킨다고 지구 온난화 문제가 바로 해결되는 것은 아니다. 지구 온난화에는 피드백(되먹이)이라 불리는 순환 주기가 있다. 지구 온난화의 영향으로 생긴 변화가 다시 지구 온난화를 유발하는 것을 양성 피드백, 지구 온난화의 영향으로 생긴 변화가 지구 온난화를 방지하는 것을 음성 피드백이라고 하는데, 양성 피드백은 지구 온난화를 심각하게 만드는 중요 요인이다.

피드백 중 비중이 높고 현재 가장 문제가 되고 있는 것은 현재 온실 효과의 70%를 차지하는 수증기의 피드백이다. 최근 지구의 기온이 상승하면서 바다에서 증발하는 수증기의 양이 늘어 수증기에 의한 온실 효과가 크게 증가하고 있다. 지구 온난화 대책이 즉각적으로 효과를 보지 못하는 가장 큰 이유가 이 수증기 피드백에 있으며, 이를 막는 것은 거의 불가능한 상태이다.

두 번째로 지구 온난화에 영향을 주는 피드백은 지표의 온도가 올라가면서 극지방의 빙판이나 산의 만년설이 녹는 얼음-알베도 피드백이다. 얼음은 빛을 반사하는 비율인 알베도(albedo)가 매우 높은데, 얼음이 녹으면 비교적 알베도가 낮은 땅이 드러나게 되므로 지구의 전체 알베도가 줄어든다. 알베도가 줄어든다는 것은 지구에 흡수되는 빛이 더 많다는 것을 의미하며, 지표 온도 상승과 직결된다. 이러한 지표의 온도 상승은 다른 피드백 작용을 일으켜 지구 온난화를 심화시킨다.

마지막으로 만년설에 저장되어 있던 질소 계열 화합물이나 바다 밑에 묻혀 있던 수화메테인에서 온실기체가 유출되면서 일어나는 피드백인 보관가스 유출 피드백도 지구 온난화에 영향을 미친다. 메테인의 유출은 온실기체 유출일 뿐만 아니라, 해수면으로 인화성 물질이 대량으로 유입됨을 의미한다. 이것은 대형 해상 사고를 일으킬 수 있는 위험한 상황이므로 다른 피드백에 비하면 효과는 작지만 중요한 영향을 미친다고 볼 수 있다.

지구 온난화는 여러 원인들의 영향을 받는 자연 현상이다. 이 때문에 현재 진행되고 있는 지구 온난화를 당장 막는 것은 어렵지만 장기적인 대책을 빠르게 강구하여 적용하는 것이 중요하다. 지구에 이러한 위험을 가져온 것이 인간이므로, 인간에게 책임이 있다는 사실을 받아들이고 우리의 힘으로 우리의 잘못을 되돌릴 수 있다고 믿으며 힘을 합쳐 국가적인 노력과 개인적인 노력을 기울여야 할 것이다.

* 방사(放射) : 중심에서 사방으로 내뻗침.

– 김정선 외, 『생생 과학이슈 21』

● 단락 요지 ●

1문단 : 인간이 지구 온난화에 미친 영향

2문단 : 온실기체의 종류와 증가 이유

3문단 : 지구 온난화와 관련된 피드백의 두 종류

4문단 : 지구 온난화와 관련된 피드백 ① – 수증기 피드백

5문단 : 지구 온난화와 관련된 피드백 ② – 얼음–알베도 피드백

6문단 : 지구 온난화와 관련된 피드백 ③ – 보관가스 유출 피드백

7문단 : 지구 온난화 해결을 위한 노력 촉구

☑ 지문 분석 노트

①

②

③

④

충돌구란 소행성이나 혜성 또는 그 파편이 행성, 위성, 소행성 같은 고체 상태의 천체 표면에 충돌할 때의 충격으로 만들어진 구덩이를 말한다. 달이나 수성의 표면에서는 수많은 충돌구를 볼 수 있다. 반면 2000년을 기준으로 지구 표면에 존재하는 것으로 확인된 충돌구의 수는 2백 개를 조금 넘는다. 지구보다 더 작은 천체인 달이나 수성보다 지구 표면의 충돌구의 수가 훨씬 더 적은 이유는 무엇일까?

먼저 지구로 외계의 물체가 진입할 때 지구 대기의 역할을 생각해 보자. 크기가 그리 크지 않은 소행성이나 혜성이 지구의 대기 상층부에서 수평에 가깝게 접근한다면 지구 대기에 의해 튕겨 나가 버린다. 또한 조금 더 큰 각도로 지구로 진입한다면 대기로 진입하면서 마찰에 의해 표면이 녹거나 증발한다. 수 센티미터 정도의 아주 작은 암석이나 얼음 조각들은 대기 상층부 70km 부근에서 모두 타버리고, 혜성과 같은 매우 약한 물체라면 지구 대기와 충돌하는 힘을 이기지 못하고 폭발하기도 하며, 약한 암석은 여러 조각으로 부서진다. 하지만 충돌체의 크기가 커질수록 대기가 할 수 있는 일은 점점 줄어든다. 예를 들어 진입하는 물체가 매우 단단하여 대기에서 부서지지 않을 경우, 크기가 10m 이상인 물체에 대해 지구 대기는 고작 10% 정도 감속하는 역할을 할 뿐이다. 지구의 대기는 우주에서 빠르게 날아오는 물질로부터 지구를 보호하는 역할을 하지만, 이는 비교적 크기가 작거나 약한 물체에 *국한된다.

지구에 충돌구가 적은 더 중요한 이유는 지구가 *지질학적으로 살아 있는 행성이므로 시간이 지나면서 여러 지질 활동에 의해 충돌구를 지워 버리기 때문이다. 연구에 의하면 태양계에서 충돌의 빈도수는 시간이 지남에 따라 점차 감소하고 있다. 하지만 지구의 충돌구 중 생성 연대를 정확히 알고 있는 것들을 살펴보면 오래된 것보다 젊은 것이 훨씬 더 많다는 것을 알 수 있다. 태양계에서 지구에서만 유일하게 충돌의 빈도수가 증가할 아무런 이유가 없다. 따라서 이러한 현상은 지구에서는 오래된 충돌구들이 지워져 버렸기 때문인 것으로 해석할 수 있다. 지구에서 충돌구를 지우는 지질 활동으로는 비, 바람 등에 의한 풍화, 화산 활동 등이 있으며 가장 중요하게는 판의 이동을 들 수 있다. 지구 표면은 10여 개의 크고 작은 판으로 나뉘어 있다. 지각과 *맨틀의 상부를 일부 포함하는 지구의 판들은 서로 다른 방향으로 1년에 평균적으로 수 센티미터를 이동하면서 지구 표면에 여러 가지 지질 현상을 일으킨다. 거대한 규모의 지진, 화산 활동, 산맥과 *해구의 형성 등이 대부분 판의 움직임과 관련이 있으며, 오랜 세월이 지나면서 대륙의 모양까지도 변화시킨다. 따라서 지구 표면의 충돌구 역시 예외가 될 수 없다.

지구 표면의 3분의 2를 덮고 있는 바다 역시 충돌구가 적은 원인 중 하나이다. 바다의 역할은 세 가지 측면에서 ⓐ생각해 볼 수 있다. 먼저, 바다는 대기보다도 더 효율적으로 충돌 속도를 감소시켜 충격을 완화할 수 있다. 둘째로 깊은 바다에 형성된 충돌구는 발견하기가 매우 어려울 것이다. 하지만 가장 중요한 원인은 역시 판의 움직임과 관련이 있다. 바다 밑을 형성하는 해양 지각은 *중앙 해령이라고 불리는 해저 산맥에서 생성되어 서서히 이동하다가 대륙을 만나면 맨틀 속으로 사라져 버린다. 해양 지각의 수명은 2억 년을 넘는 일이 거의 없기 때문에 이보다 오래된 해양 지각은 충돌구를 간직한 채 사라지게 되는 것이다.

■ 주제 :

Words
• **국한** : 범위가 일정한 부분에 한정됨. • **지질학** : 지구의 구성 물질, 형성 과정, 과거에 살았던 생물 등을 연구하는 학문 • **맨틀** : 지구 내부의 핵과 지각 사이에 있는 부분 • **해구** : 바다 밑에 솟아 있는 높이 1,000미터 이하의 언덕 • **중앙 해령(海嶺)** : 대양(大洋)의 바닥에 잇닿아 있으면서 지진 활동이 있는 중앙 산맥. 지형에 기복이 많다.

1 윗글의 논지 전개 방식에 대한 설명으로 가장 적절한 것은?

① 현상의 문제점을 밝히고 다양한 관점에서 해결책을 제안하고 있다.
② 현상이 변화해 온 과정을 소개하고 향후 변화 방향을 예측하고 있다.
③ 현상을 바라보는 대립적인 시각을 소개하고 절충안을 모색하고 있다.
④ 현상의 원인에 대해 의문을 제기하고 이에 대한 답을 제시하고 있다.
⑤ 현상에 대한 통념이 지닌 한계를 지적하고 새로운 관점을 소개하고 있다.

2 윗글을 읽은 후의 반응으로 적절하지 <u>않은</u> 것은?

① 지구로 진입하는 충돌체의 크기가 클수록 지구 대기에서 튕겨 나가거나 소멸할 가능성은 줄어들겠군.
② 깊은 바다 밑을 탐사할 수 있는 기술이 발달한다면 아직 찾지 못한 충돌구를 발견할 가능성도 있겠군.
③ 지구는 달과 수성에 비해 생성 연대가 비교적 최근이고 살아 있는 행성이므로 충돌구의 수가 적은 것이겠군.
④ 현재 지구에서 발견할 수 있는 충돌구는 오랜 세월 동안의 지질 활동에도 그 형체를 유지해 온 것이겠군.
⑤ 2억 년 전에 외계의 물체가 지구의 해양 지각과 충돌하여 충돌구가 만들어졌다면 현재는 발견될 가능성이 거의 없겠군.

3 윗글과 〈보기〉를 통해 추론한 내용으로 가장 적절한 것은?

┤ 보기 ├

　달의 표면은 밝은 면과 달의 바다라고 불리는 어두운 면으로 이루어져 있다. 달의 표면을 구성하는 암석의 연대는 밝은 부분이 대부분 약 45억 년 전이고, 어두운 부분은 약 32~38억 년 전이다. 어두운 부분은 주로 현무암 재질로 이루어져 있는데, 약 32~38억 년 전 사이에 달의 표면에 많은 양의 현무암질 용암이 흘러나와 달의 바다라고 불리는 지역을 형성한 것으로 추정되고 있다. 또한 달의 어두운 부분은 밝은 부분보다 충돌구의 수가 매우 적은 것으로 밝혀졌다.

① 달의 어두운 면에 있는 충돌구의 평균 연대는 밝은 면에 있는 충돌구의 평균 연대보다 오래되었겠군.

② 달의 밝은 면에 있는 충돌구는 달이 생성된 후 약 7~13억 년 사이에 형성된 것보다 그 이후 약 32~38억 년 사이에 형성된 것이 훨씬 많겠군.

③ 달의 밝은 면에 지구에서 발생하는 지질 활동과 유사한 현상이 일어났기 때문에 충돌구의 수가 어두운 면보다 많은 것이겠군.

④ 달의 어두운 면에 있는 충돌구는 지구의 충돌구보다 오래된 것이 많고, 밝은 면에 있는 충돌구는 지구의 충돌구보다 최근에 생성된 것이 많겠군.

⑤ 달의 밝은 면보다 어두운 면에 충돌구가 적은 이유는 용암 분출로 인해 그 이전의 충돌구들이 사라졌기 때문이라고 생각할 수 있겠군.

4 〈보기〉는 ⓐ와 관련하여 '생각하다'의 의미 학습을 위해 찾아 본 사전의 일부이다. ⓐ의 문맥적 의미와 가장 가까운 것은?

┤ 보기 ├

생각하다 「동사」
[1]【…을】('…을' 대신에 '…에 대하여'가 쓰이기도 한다.)
　「1」 사람이 머리를 써서 사물을 헤아리고 판단하다. ················· ㉠
　「2」 어떤 사람이나 일 따위에 대하여 기억하다. ················· ㉡
　　　　　　　　　　　　⋮
　「5」 앞으로 일어날 일에 대하여 상상해 보다. ················· ㉢
　「6」 어떤 사람이나 일에 대하여 성의를 보이거나 정성을 기울이다. ·············· ㉣
[2]【…을 …으로, …을 -게, … -고, -고】
　어떤 일에 대한 의견이나 느낌을 가지다. ················· ㉤

① ㉠　　　　② ㉡　　　　③ ㉢　　　　④ ㉣　　　　⑤ ㉤

왜 사람들 사이의 장기 이식이 어려울까? 그 까닭은 한 사람의 면역계가 미묘한 개체의 차이를 인식하여 조금이라도 다른 비자기(非自己, non-self)를 철저하게 거부하기 때문이다. 이러한 •식별이 가능한 이유는 바로 각 사람의 세포 표면에 자기와 비자기를 구분하는 명찰의 역할을 하는 '주요 조직적합 복합체(major histocompatibility complex, MHC)'라는 구조가 있기 때문이다.

이 MHC는 여러 유전자들에 의하여 결정되는 단백질들로 구성된다. 이 MHC 유전자들은 6번 염색체에 모여 있으며 여섯 종류의 단백질을 만들어낸다. 유전자가 같은 ⓐ쌍둥이의 경우를 제외하고 개인 간의 차이로 인하여 이 여섯 종류의 단백질은 개체마다 다르다. 우리 몸의 면역을 담당하는 T-림프구는 자신과 다른 MHC 구조를 가진 세포를 발견하면 다양한 수단으로 공격한다. 직접 달라붙어 ⓑ백병전을 하는 경우도 있고, 인터루킨이라 불리는 화학 물질을 분비하여 다른 세포들에게 침입자를 공격하라는 신호를 보내기도 한다.

결국 면역이란 비자기를 식별하는 것이라고 할 수 있다. 비자기를 식별한다는 것은 결국 '자기'를 인식할 수 있다는 뜻이다. 현대 면역학의 획기적인 발견 중 하나가 바로 T-림프구가 곧바로 비자기를 인식하지 않고 대신 비자기가 자기를 비자기로 변화시킨 '비자기화된 자기'를 인식한다는 것이다. 아메바와 같은 몸놀림으로 T-림프구를 도와주는 백혈구 세포 가운데 하나인 대식세포*가 먼저 •항원을 삼키고 항원의 조각을 자기의 표면에 제시하여 T-림프구에 침입자의 정체를 알리는 식이다.

㉠계란에 있는 알부민이라는 단백질이 체내로 들어온 경우를 예로 들어보자. 비자기에 해당하는 알부민을 T-림프구가 직접 인식하는 것이 아니고, 알부민은 자기에 해당하는 백혈구 세포의 하나인 대식세포에 잡아먹혀 그 안에서 분해가 된다. 그 결과로 발생한 알부민 분해 산물이 대식세포의 표면으로 나와 대식세포의 표면에 원래 존재하고 있던 자기라는 명찰에 해당하는 MHC 구조에 붙게 된다. 이때 MHC의 구조는 비자기로 변하게 되고(비자기화된 자기) 이 미묘한 변화가 T-림프구에 발각된다. T-림프구는 바로 이 비자기화된 대식세포를 인식하여 면역 반응을 시작한다. 이와 같이 비자기의 항원이 대식세포 표면으로 나오는 것을 항원 제시라고 하며, 이것을 통하여 자기를 비자기화한다. 항원 제시 세포 중 가장 중요한 세포가 대식세포이다.

그러면 대체 T-림프구가 어떻게 비자기를 인식한다는 것일까? T-림프구의 표면에는 비자기를 인식하는 안테나 역할을 하는 항원 수용체가 있어 비자기화된 자기를 인식한다. 항원의 종류가 어마어마한 만큼 항원 수용체의 종류도 그에 버금가는 숫자여야 한다. T-림프구는 골수에서 만들어진 다음 심장 부근에 있는 흉선으로 옮겨져 각기 다른 항원 수용체를 표면에 간직하고 있는 수많은 종류로 분화되고 성숙된다. 자기 이외의 항원과 대항할 수 있는 다양한 종류의 T-림프구는 몸의 여러 곳으로 퍼져 침입자를 감시하고 대응하는 역할을 하는 우리 몸의 ⓒ파수꾼이다.

이렇게 T-림프구는 미생물 등의 침입자를 즉석에서 ⓓ사살하는 세포성 면역을 담당하고 있다. 또한 ⓔ친구인 B-림프구에 신호를 보내 항체라는 물질을 만들어 이를 순환계를 통해 온몸으로 이동시켜 방어를 더욱 강화하도록 하는 면역 반응의 중심에 있는 방어 시스템이다.

ⓔ

■주제 :

* 대식세포 : 동물의 체내 거의 모든 조직에 분포하여 침입한 세균이나 노폐 세포 등을 포식하는 기능을 하는 면역 담당 세포

Words

• **식별** : 분별하여 알아봄. • **항원(抗原)** : 생체 속에 침입하여 항체를 형성하게 하는 단백성 물질. 세균이나 독소 따위가 있음.

1 윗글에 대한 설명으로 적절한 것을 〈보기〉에서 고른 것은?

┤ 보기 ├

가. 일정한 기준에 따라 현상의 원인을 분류하여 설명하고 있다.
나. 질문을 던지고 이에 답하는 형식으로 현상을 설명하고 있다.
다. 구체적인 예시를 통해 과정을 상세하게 설명하고 있다.
라. 대비되는 대상과의 비교를 통해 개념의 특징을 설명하고 있다.

① 가, 나   ② 가, 다   ③ 나, 다
④ 나, 라   ⑤ 다, 라

2 윗글의 내용과 일치하지 <u>않는</u> 것은?

① 비자기화된 자기를 인식하는 역할을 하는 항원 수용체는 T-림프구의 표면에 존재한다.
② 골수에서 만들어진 T-림프구는 흉선에 머물면서 우리 몸의 세포성 면역을 담당한다.
③ T-림프구가 분비하는 인터루킨은 다른 세포들이 침입자를 공격하도록 유도한다.
④ MHC를 구성하는 단백질을 만들어내는 유전자들은 6번 염색체에 모여 있다.
⑤ T-림프구는 B-림프구에 신호를 보내 항체를 만들도록 하여 몸의 방어를 강화한다.

3 〈보기〉는 ㉠을 그림으로 나타낸 것이다. 윗글을 바탕으로 〈보기〉를 이해한 내용으로 적절하지 <u>않은</u> 것은?

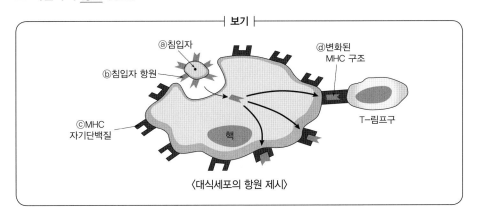

① 체내로 들어온 알부민이 〈보기〉의 ⓐ에 해당하겠군.
② 알부민 조각이 MHC 구조에 붙는 것은 〈보기〉의 ⓑ와 ⓒ의 결합이겠군.
③ T-림프구는 〈보기〉의 ⓒ를 인식하여 면역 반응을 시작하겠군.
④ 알부민 조각이 〈보기〉의 ⓓ와 같은 형태로 나오는 것이 '항원 제시'겠군.
⑤ 대식세포는 알부민을 분해한 후 〈보기〉의 ⓓ를 만들어 '비자기화된 자기'가 되겠군.

4 ⓐ~ⓔ 중, 〈보기〉에서 설명하는 표현법이 사용되지 <u>않은</u> 것은?

┤ 보기 ├

  비유는 어떤 현상이나 사물을 직접 설명하지 않고 다른 비슷한 현상이나 사물에 빗대어서 설명하는 표현 방법이다. 이는 잘 알려지지 않았거나 추상적인 대상을 친숙하거나 구체적인 대상에 빗대어 설명함으로써 글의 이해도를 높이는 데에 활용된다.

① ⓐ   ② ⓑ   ③ ⓒ
④ ⓓ   ⑤ ⓔ

실전 TEST **07** 과학 / 화학

☑ 지문 분석 노트
①

②

③

④

　　18세기 후반, 플로지스톤설(phlogiston說)은 연소 현상을 잘 설명하는 가설로 받아들여졌다. 플로지스톤설에 의하면 *가연성 물질과 금속은 모두 플로지스톤을 가지고 있으며, 연소라는 것은 열에 의해 가연성 물질로부터 플로지스톤이 나가고 재가 남는 현상이다. 나무와 같은 가연성 물질이 타고 나면 재만 남아 마치 무엇인가 빠져나가는 것 같기 때문에 플로지스톤설은 매우 그럴듯해 보인다. 하지만 금속이 연소할 때는 나무가 연소할 때와는 달리 질량이 증가하게 되는데, 플로지스톤설에서는 이러한 현상에 대하여 플로지스톤의 무게가 '음의 무게'를 갖는다고 설명하였다. 당시에는 물질과 무게의 개념이 명확하지 않았고 화학에서 무게를 중요시하지 않았기 때문에 이런 설명이 크게 문제시되지는 않았다.

　　그러나 화학 실험에서도 정밀 측정의 중요성을 잘 인식하고 있었던 라부아지에는 연소에 대한 보다 정확한 연구를 위해 *주석 연소 실험을 하였다. 그는 주석을 용기에 넣고 뚜껑을 닫아 밀폐시킨 상태에서 가열을 하였다. 그 결과 주석의 가열 후 질량은 가열 전 질량보다 증가하나, 용기 전체의 질량은 변화가 없음을 확인했다. 또한, 용기의 뚜껑을 연 뒤 다시 질량을 측정했더니 질량이 증가하는 것을 확인했는데, 증가한 질량은 가열 후 증가한 주석의 질량과 같다는 사실을 발견하게 되었다. 이러한 실험 결과를 통해 그는 주석의 가열 후 질량 증가는 용기 내 공기의 질량 감소와 연관이 있으며, 이에 따라 용기 내에는 부분적인 *진공이 만들어졌을 것으로 짐작하였다. 또한 연소에 의해 주석의 질량이 증가하는 것은 주석이 공기 중 그 무엇과 결합했기 때문이라고 생각했다. 그러나 그는 주석이 공기 중의 어떤 성분과 결합하는지에 대해서는 ㉠찾아내지 못했다.

　　그 때 프리스틀리 는 수은재를 가열하는 실험을 하고 있었다. 그는 *수은을 공기 중에서 오랫동안 가열하여 만든 붉은색 수은재를 작은 유리그릇에 넣고 렌즈를 이용하여 태양열로 가열하였다. 그랬더니 분말 상태의 적색 수은재가 액체 상태의 은색 수은으로 변하면서 기체가 발생되는 것을 발견하였다. 그는 이 기체를 용기 안에 모은 뒤 촛불을 넣었을 때, 불꽃이 더욱 세차게 타오르는 것을 관찰했다. 플로지스톤설의 신봉자였던 프리스틀리는 이러한 현상을 플로지스톤설을 이용하여 설명했다. 수은재가 공기 중에 있던 플로지스톤을 흡수해서 수은이 되었다는 것이다. 그렇다면 새로 얻어진 기체는 바로 공기에서 플로지스톤이 빠져나가고 남은 부분이 될 것이다. 프리스틀리는 이것을 플로지스톤이 없는 공기라는 의미에서 '탈(脫)플로지스톤 공기'라고 불렀다.

　　라부아지에 는 프리스틀리를 만나 이야기를 하면서 프리스틀리가 한 실험이 자신이 수행한 주석 연소 실험과 정반대 과정이며, 프리스틀리가 발견한 '탈플로지스톤 공기'가 자신이 찾고 있는 공기 성분일지 모른다고 생각하였다. 그래서 라부아지에는 자신의 주석 연소 실험에서 주석 대신 수은을 이용하여, 자신의 실험과 프리스틀리의 실험을 반복적으로 수행하였다. 즉, [A]수은을 직접 만든 장치에 넣고 가열해 붉은 색의 수은재를 얻고, 다시 렌즈로 가열해 수은재를 수은으로 환원시켰다. 이러한 실험을 통해 프리스틀리가 말하는 '탈플로지스톤 공기'는 금속이 연소될 때 결합하는 자신이 찾던 바로 그 공기 성분이라는 것을 발견하였다. 라부아지에는 이 공기 성분의 이름을 '산소'라고 지었으며, 플로지스톤에 의한 연소설을 부정하고 새로운 연소 이론을 도입하였다.

■주제 :

Words

• **가연성(可燃性)** : 불에 잘 탈 수 있거나 타기 쉬운 성질 • **주석(朱錫)** : 탄소족 원소의 하나. 은백색의 고체 금속으로, 잘 늘어나며 녹슬지 않는다. • **진공(眞空)** : 물질이 전혀 존재하지 아니하는 공간 • **수은(水銀)** : 상온에서 유일하게 액체 상태로 있는 은백색의 금속 원소

1 윗글을 바탕으로 할 때, '라부아지에'의 업적으로 볼 수 있는 것은?

① 산소의 존재를 처음으로 발견하여 세상에 알렸다.
② 공기 중에서 산소만 따로 포집하는 방법을 개발하였다.
③ 공기에 산소 외에 다른 성분도 존재한다는 사실을 밝혔다.
④ 연소란 물질이 산소와 결합하는 현상이라는 사실을 밝혔다.
⑤ 연소할 때 연소되는 물질의 질량이 증가한다는 사실을 밝혔다.

2 윗글의 내용으로 볼 때, 〈보기〉에 대한 '프리스틀리'와 '라부아지에'의 생각으로 적절하지 않은 것은?

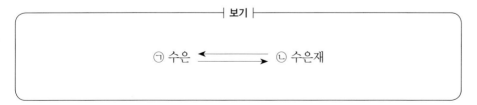

┤ 보기 ├

㉠ 수은 ◀━━━━━▶ ㉡ 수은재

① '프리스틀리'는 ㉡이 공기 중의 플로지스톤을 흡수하면 ㉠이 된다고 보았다.
② '프리스틀리'는 ㉡이 ㉠이 될 때 탈플로지스톤 공기를 얻게 된다고 보았다.
③ '라부아지에'는 ㉠이 공기의 일부를 흡수하면서 ㉡이 된다고 보았다.
④ '라부아지에'는 ㉠이 ㉡이 될 때 밀폐된 용기 내에서만 질량이 증가한다고 보았다.
⑤ '라부아지에'는 ㉠이 ㉡이 될 때와 ㉡이 ㉠이 될 때 모두 열이 필요하다고 보았다.

3 다음의 〈보기〉는 [A]에서 한 실험이다. 윗글을 바탕으로 @~@에 대해 탐구한 내용으로 적절하지 <u>않은</u> 것은?

┤ 보기 ├

라부아지에는 @수은 4온스(약 124g)를 유리병 속에 넣고 뚜껑을 닫아 밀폐한 후 가열했다. 12일째 되는 날 ⓑ불을 끄고 병을 식힌 다음 공기의 양을 쟀더니 공기가 1/6가량 줄어 있었으며, ⓒ유리병에 남아 있는 공기 속에서 양초를 태웠지만 타지 않았다. ⓓ재로 변한 수은의 질량을 정밀하게 측정했더니 약 3g가량 늘어난 것을 발견했다.

① @에서 뚜껑을 닫은 상태라면 가열 전후 유리병의 질량은 동일할 것이다.
② ⓑ에서 공기가 줄어든 것은 ⓓ에서 수은의 질량이 증가한 것과 연관이 있다.
③ ⓑ에서 뚜껑을 열고 유리병의 질량을 재면 감소한 공기 질량만큼 증가할 것이다.
④ ⓒ로 보아 ⓑ에서 줄어든 공기의 성분은 양초를 타게 하는 특성을 가졌을 것이다.
⑤ ⓓ에서 수은의 질량이 증가한 것으로 보아 유리병 속은 진공 상태가 되었을 것이다.

4 다음 중 밑줄 친 부분의 의미가 ㉑와 가장 유사한 것은?

① 여행 중에 맛집을 물색(物色)하려고 여러 군데를 돌아다녔다.
② 잠재 능력이 높은 인재를 발굴(發掘)해 국가 기관에 추천했다.
③ 경찰은 이번 사태의 주동자를 색출(索出)해 중징계할 방침이다.
④ 그 영양소는 몸에 흡수가 잘된다는 사실을 발견(發見)해 논문에 등재하였다.
⑤ 보건 당국은 쇠고기에서 세균을 검출(檢出)해 수입을 금지시켰다고 발표했다.

투수는 타자들의 *타격 타이밍을 흩뜨려 놓기 위해 직구 이외의 변화구*를 개발한다. 투수가 타자에게 던지는 변화구는 날아가는 방향이 다양한데, 이는 어떻게 가능한 것일까? 이것은 베르누이의 법칙으로 설명할 수 있다.

베르누이의 법칙이 없는 유체* 역학은 공기가 없는 지구라고 할 정도로 이 법칙은 유체를 다루는 데 있어 떼어 놓고 생각할 수 없는 절대적인 법칙이다. 흐르는 유체에서의 압력은 정지한 유체에서의 경우와는 다르다. 흐르지 않고 정지한 유체에서는 지표면으로부터 같은 높이에 있는 모든 점에서 압력은 같다. 그러나 흐르는 유체에서는 같은 높이에서도 유체의 속력이 증가하면 압력은 낮아진다. 이는 압력이 센 곳에서는 유체가 느리게 흐르고, 그렇지 않은 곳에서는 유체가 빠르게 흐른다는 의미이다. 즉 유체의 압력과 속도는 반비례한다는 것으로, 이를 베르누이의 법칙이라고 한다. 그러면 이 간단한 법칙이 어떻게 야구공의 절묘한 회전을 설명하는지 살펴보자.

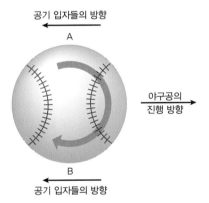

투수가 야구공을 던지면 공기 입자들이 강하게 저항을 하게 된다. 즉, 공기 입자들이 야구공이 나아가는 방향과 반대쪽으로 거슬러 흐르면서 공의 진행을 방해하는 것이다. 이때 옆의 그림처럼 야구공이 상하로 회전하며 나아가면 공의 위쪽 A와 아래쪽 B에 속도 차이가 생기게 된다. 왜냐하면 두 곳의 속도는 야구공과 공기의 속도를 합한 값인데, 두 속도의 방향이 다르기 때문이다. 그래서 야구공이 시계 방향으로 회전하는 경우에는 야구공과 공기의 방향이 반대인 A는 속도가 느려지고, 방향이 같은 B는 속도가 빨라지게 된다. 이 결과는 베르누이의 법칙에 의해 곧바로 압력의 차이로 이어져 A는 압력이 증가하고 B는 감소하게 된다. 압력이 세다는 것은 내리 누르는 힘이 강하다는 뜻이므로, 공이 위에서 아래로 짓누르는 힘을 받게 되어 뚝 떨어지게 되는 것이다. 이것이 낙하하는 변화구의 비밀이다.

변화구뿐만 아니라 베르누이의 법칙이 우리 생활에 적용되는 사례는 많다. 비행기의 날개 구조를 보면 날개의 아랫부분은 평평하지만 윗부분은 볼록하다. 따라서 날개에 부딪치는 공기 중 위쪽으로 흐르는 공기는 아래쪽을 흐르는 공기보다 더 먼 거리를 빠르게 이동하게 된다. 즉 날개 윗부분의 속력이 더 빠르므로 날개 위쪽의 압력이 아래쪽보다 낮아져 비행기가 위로 뜰 수 있게 되는 것이다. 또 태풍이 불 때 지붕이 날아가는 것도 지붕 위로 흐르는 바람의 속력이 지붕 아래에 있는 공기에 비해 아주 빨라 지붕 위와 집안의 압력차가 커짐으로 인해 나타나는 현상이다.

☑ 지문 분석 노트

1

2

3

4

■주제 : _____
_____

* 변화구 : 공이 갑자기 아래로 떨어지거나 공이 휘어져 들어가게 하는 등 공의 속도와 궤적을 바꾸어 던지는 공
* 유체 : 기체와 액체를 통틀어 이르는 말

Words _____

• **타격(打擊)** : 야구에서, 투수가 던진 공을 배트로 치는 일

1 윗글의 설명 방식을 〈보기〉에서 모두 고른 것은?

┤ 보기 ├

가. 구체적인 예를 들어 이론을 설명하고 있다.
나. 묻고 답하는 방식으로 이론을 소개하고 있다.
다. 비유를 통해 이론의 중요성을 강조하고 있다.
라. 다른 이론과의 비교를 통해 이론의 특징을 밝히고 있다.

① 가, 나   ② 가, 다, 라   ③ 가, 나, 다
④ 나, 다, 라   ⑤ 가, 나, 다, 라

2 윗글의 내용과 일치하는 것은?

① 한 지점에서 물체와 유체의 속도의 합은 늘 일정하다.
② 유체의 상태에 따라 동일한 지점이라도 압력은 다르다.
③ 흐르는 유체의 속력과 물체의 속도는 반비례 관계이다.
④ 물체의 방향과 유체의 방향이 일치하면 압력은 높아진다.
⑤ 흐르는 유체에서의 높이는 압력의 변화에 영향을 미치지 못한다.

3 윗글을 바탕으로 〈보기〉를 이해한 내용으로 적절하지 <u>않은</u> 것은?

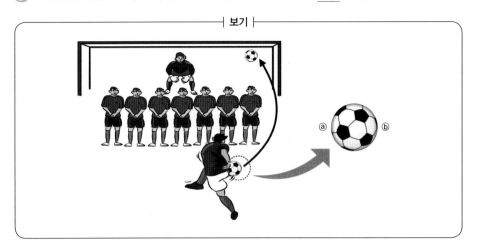

① ⓐ 쪽의 속도가 ⓑ 쪽의 속도보다 빠르군.
② 공의 회전이 빠를수록 휘는 각도가 커지겠군.
③ ⓑ 쪽보다 ⓐ 쪽의 압력이 높아 왼쪽으로 휘는 것이군.
④ 공의 방향을 보니 공은 반시계 방향으로 회전하고 있군.
⑤ ⓐ 쪽과 ⓑ 쪽에 속도 차이가 생기는 이유는 양쪽의 속도의 방향이 다르기 때문이군.

극한 환경 속에서 생물들은 어떻게 살까?

해양 생태계에서 일반적인 먹이 연쇄는 식물성 플랑크톤에서 시작하여 동물성 플랑크톤을 거쳐 어류로 이어진다. 그런데 이러한 생태계와 완전히 다른 형태의 생태계를 보여 주는 곳이 있다. 빛도 없는 깊은 해저의 혹독한 환경에서 살아가는 생물들의 세계이다. 그곳은 어떤 곳일까?

해저의 깊은 바닥에는 지하의 마그마로부터 가열되어 뜨거운 물이 솟아오르는 지역이 있다. 이곳을 열수구라고 하는데, 최고 420℃에 이르는 뜨거운 물이 솟아오르고 있어 생물이 살 수 있는 환경이라고 보기 어렵다. 게다가 열수구는 보통 수심 2,500~3,000m에 달하는 깊은 곳에 있기 때문에 압력 또한 매우 커서 지상 기압의 250~300배에 이르며, 중금속도 뿜어져 나온다. 그러나 최악이라고 할 수 있는 이러한 환경에서 연안보다도 더 많은 생물체가 발견되고 있다.

온도가 100℃ 내외인 열수구 부근에서 많은 생물체가 발견되었으며, 심지어 130℃ 이상에서만 살고 있는 생물체도 발견되었다. 보통 생물체를 구성하는 단백질은 80℃ 정도면 제 기능을 발휘하지 못하는데도 고온의 극한 환경에 적응하면서 살아가는 생물이 존재하는 것이다. 보통 열수구 주변에는 길이가 2~3m이고, 지름이 3~5cm에 이르는 지렁이처럼 생긴 관벌레와 눈이 먼 새우나 게, 조개 등이 살고 있다.

▲ 관벌레

열수구 근처의 화산 분출구에서는 납, 아연 등의 중금속 물질과 더불어 이산화탄소와 황화수소 등

이 뿜어져 나오고 햇빛도 들어오지 않기 때문에 광합성을 통한 에너지의 생산을 기대할 수 없다. 이 때문에 관벌레나 조개류 등 극한 환경 속에서 사는 생물들은 먹이를 먹지 않고, 체내의 독특한 박테리아와 공생한다. 이 박테리아들은 황화합물을 분해할 때 발생하는 에너지를 이용하여 유기물을 합성하고, 열수구 주변의 생물들은 이 박테리아에서 에너지를 얻고 있는 것이다.

과학자들은 독특한 심해 생태계를 연구함으로써 지구 생명의 신비를 벗겨 낼 수 있을 것으로 기대하고 있다. 산소가 없는 초창기의 원시 지구 환경은 현재 열수구 주변의 환경과 매우 유사했을 것으로 추정되기 때문이다. 따라서 이러한 혹독한 환경에서 생물체가 살고 있다는 사실은 원시 해양에서 생물체가 탄생한 것과 깊은 관계가 있을 것으로 추측할 수 있다. 이는 산소가 없는 외계의 천체에서도 생물이라고 볼 수 있는 유기체가 존재할 가능성이 높음을 시사한다.

– 홍준의 외, 『살아있는 과학 교과서2』

● 단락 요지 ●

1문단 : 깊은 해저의 생태계에 대한 궁금증

2문단 : 열수구의 극한 환경에서 발견되는 생물체

3문단 : 열수구 주변에서 살아가는 생물의 종류

4문단 : 열수구 주변 생태계의 특징

5문단 : 심해 생태계 연구의 의의

● Quiz ●

1. 열수구에서 솟아오르는 뜨거운 물은 [   ]에 의해 가열된 것이다.

2. 열수구 주변에 사는 관벌레나 조개류는 화산 분출구에서 뿜어져 나오는 중금속 물질과 황화수소 등을 섭취하여 생명 유지에 필요한 에너지를 얻는다. (O, ×)

3. 열수구 주변에 사는 생물들의 체내에 있는 박테리아는 유기물을 합성할 수 있다. (O, ×)

정답 : 1. 마그마 2. × 3. O

베게너의 대륙이동설

베게너(Wegener, 1880~1930)의 대륙이동설은 예술적 직관에서 시작되었다. 원래 기상학자였던 베게너는 세계 지도를 보다가 남아메리카의 동쪽 해안선과 아프리카의 서쪽 해안선의 형태가 서로 맞물릴 수 있을 정도로 닮아 있다는 것을 발견하였다. 그는 오래전에 이 땅들이 붙어 있었다가 떨어졌기 때문이라고 생각하였고, 자신의 추측을 입증하기 위해 여러 차례 여행을 다녔다. 각지의 암석과 화석, 동물의 분포들을 보며 그 추측이 옳다는 확신을 갖게 되었다.

베게너는 1912년 학회에 이 사실을 공표하였지만 학계에서 그의 주장은 무시되었다. 그가 지질학자가 아니라 기상학자이며, 무엇보다 대륙을 이동시키는 힘이 무엇인지에 대한 설명이 없었기 때문이다. 거대한 대륙이 지구의 표면 위를 움직인다는 아이디어는 너무나 기발한 것이어서 학자들은 진지한 고려를 하지 않았다. 그러나 베게너는 이에 굴하지 않고 꾸준히 연구를 계속하였다.

사실 베게너 이전에도 대륙이동설을 주장한 학자가 있었다. 남반구의 여러 대륙에 유사한 지층이 분포하는 데에 기반을 두고 오스트리아의 지질학자 수스가 19세기 말 대륙이동설을 주장하였다. 그리고 베게너 이후에도 지구의 형성 과정을 설명하려는 유사한 이론이 계속 등장하였는데, 홈스는 1928년 맨틀의 대류 현상에 의해서 대륙이 이동한다고 주장하며 베게너의 이론을 지지하였지만 베게너의 이론과 마찬가지로 받아들여지지 않았다.

▲ 판구조론에서 주장하는 지구의 주요 판

이렇게 오랫동안 묵살되었던 대륙이동설이 부활한 것은 해저확장설이 나오는 1960년대였다. 1960년대 초 미국의 디츠와 헤스는 해저 지질 연구를 통해 해령에서 분출되는 마그마가 새로운 해양 지각을 형성하고 이 지각이 열곡의 반대 방향으로 확장해 가다가 해구에서 침강하며 맨틀 속으로 들어간다는 해저확장설을 주장하였다. 그들은 이 이론을 뒷받침하기 위해 홈스의 맨틀대류설을 끌어들였는데, 고지자기* 연구를 통해서 입증되어 갔다.

이러한 연구들을 종합하여 약 30여 년 전 정리된 이론이 판구조론이다. 지층의 맨 외각 부분인 암석권은 10여 개의 커다란 판과 몇 개의 작은 판들로 이루어져 있는데, 맨틀의 대류에 의해서 이 판들이 상대적인 운동을 함으로써 지각의 변동이 일어난다는 것이다. 아직도 지구 내부의 구조를 밝히기 위해서는 많은 문제들이 해결되어야 하지만, 현재로써는 판구조론이 정설로 성립되어 지난 수십억 년 간의 지구 형성의 역사를 설명해 주고 있다.

대륙이동설에서 시작되어 판구조론이 정립되는 과정은 증거나 이론이 부족한 직관적인 아이디어가 과학자들 사이에서 얼마나 받아들여지기 힘든지를 보여 준다. 과학자들 역시 편견과 선입견을 가진 사람들이며 새로운 아이디어를 받아들일 때에는 저항을 하기 때문이다. 그래서 하나의 아이디어가 과학적 이론으로 정리되기까지는 일반적으로 많은 사람들의 노력이 뒷받침되어야 한다. 앞서 보았듯 베게너의 대륙이동설은 간단한 착상에서 시작되어 수십 년의 시간이 흐른 뒤에야 정설로 인정될 수 있었다. 인정받지 못했지만 자신의 직관을 믿었던 베게너의 노력이 갖는 가치와 그것을 뒷받침하기 위해 노력한 많은 학자들의 공동의 노력을 함께 기억해야 할 것이다.

* 고지자기(古地磁氣) : 지질 시대의 지구 자기

– 김원기, 「꿈꾸는 과학」

● 단락 요지

1문단 : 베게너의 대륙이동설의 시작

2문단 : 베게너의 대륙이동설이 인정받지 못한 이유

3문단 : 학계에서 인정받지 못한 대륙이동설

4문단 : 해저확장설을 통한 대륙이동설의 부활

5문단 : 지구 내부의 구조를 설명하는 판구조론

6문단 : 대륙이동설의 정립 과정이 주는 교훈

제논의 역설
(Zenon's paradoxes)

그리스의 철학자 제논(Zenon of Elea, BC 490~BC 430)은 기원전 490년경 페르시아 전쟁이 시작될 무렵 태어났다. 위대한 그리스 철학도 이 제논의 역설에 굴복할 수밖에 없었는데, 그것은 바로 0의 존재 때문이다. 제논의 논리적 수수께끼는 거의 2천 년 동안 철학자들과 수학자들을 괴롭혔다.

제논은 '아킬레스와 거북이의 경주'를 통해 아킬레스가 아무리 빨리 달려도 먼저 출발한 거북이를 절대 앞지를 수 없다고 주장하였다. 구체적인 숫자를 통해 이 이야기를 살펴보자. 아킬레스는 1초에 1미터의 속도로 달리고 거북이는 그 절반의 속도로 달린다고 가정하자. 그리고 거북이는 아킬레스보다 1미터 앞서 출발했다고 하자.

아킬레스는 빠른 속도로 달려 단 1초 만에 거북이가 처음에 있던 곳까지 왔다. 그런데 거북이도 달리고 있었으므로 그보다 2분의 1만큼 앞으로 나아간다. 아킬레스는 다시 2분의 1미터를 따라갔다. 하지만 거북이도 같은 시간에 4분의 1만큼 또 앞서 나간다. 또 아킬레스가 거북이를 쫓아가지만, 거북이는 다시 8분의 1만큼 앞으로 나아간다. 아킬레스와 거북이 사이의 거리는 점점 가까워지지만, 아킬레스가 아무리 달려도 거북이는 항상 그보다 앞에 있다. 따라서 아킬레스는 결코 거북이를 따라잡을 수 없다는 것이다.

그리스 철학자들은 제논의 역설이 잘못되었다는 것을 뻔히 알면서도 수학적 논리에서 아무런 오류를 찾아내지 못했다. 논리가 완벽함에도 불구하고 어떻게 잘못된 결론이 나올 수 있었을까? 제논의 역설에서 문제가 되는 부분은 바로 '무한'이다. 제논은 연속적인 동작을 무한한 수의 작은 걸음으로 나누었다. 무한은 매우 신중하게 다루어야 하지만, 역설적이게도 0의 도움이 없다면 결코 이해할 수 없다.

그리스 인들에게는 없던 0이 바로 제논의 수수께끼를 푸는 열쇠이다. 무한 개수의 항들을 모두 더하면 무한한 값이 될 것이라고 생각하기 쉽다. 하지만 무한 개수의 항들이 0에 접근하면 유한값이 나오는 경우가 있다. 바로 아킬레스와 거북이의 경주가 그렇다. 그리스 인들은 0을 알 수 없었기 때문에 종착점이 있다는 것을 이해하지 못했다. 아킬레스가 달린 거리를 모두 더하면 숫자 1에서 시작하여 1/2, 1/4, 1/8……처럼 항들이 점점 작아져 0에 가까워진다. 이처럼 일정한 규칙에 따라 배열되는 수를 우리는 '수열'이라고 부른다.

$$1+1/2+1/4+1/8+1/16\cdots\cdots = 2$$

아킬레스가 달린 거리를 모두 합하면 겨우 2미터에 불과하다. 그저 두 걸음을 내디디면 거북이를 이길 수 있는 것이다. 비록 거기까지 가기 위해 무한한 수의 걸음을 디뎌야겠지만, 아킬레스가 거북이를 추월하는 시간은 단 2초밖에 걸리지 않는다.

그리스 시대의 우주에는 무한도 없고 무(無)도 없었다. 다만 지구를 둘러싼 아름다운 천체만 있을 뿐이었다. 당연히 지구는 우주의 한가운데 위치했으며, 이러한 기하학적 우주는 천문학자 프톨레마이오스에 의해 완성되었다. 또 그리스의 철학자 아리스토텔레스는 "자연은 진공을 싫어한다"고 주장함으로써 0을 인정하지 않았으며, "무한을 사용할 필요가 없다"고 선언함으로써 간단히 제논의 역설을 피했다. 이처럼 0을 인정하지 않은 철학 체계는 이후 기독교의 중심 사상이 되었고, 중세를 거쳐 16세기 엘리자베스 시대까지 유지되었다.

— 정갑수, 『세상을 움직이는 수학』

● 단락 요지 ●

1문단 : 그리스 철학을 굴복시킨 제논의 역설

2문단 : 제논이 제시한 아킬레스와 거북이의 경주

3문단 : 제논의 역설의 내용

4문단 : 제논의 역설을 풀지 못한 그리스 철학

5~6문단 : 제논의 수수께끼를 푸는 열쇠인 '0'

7문단 : 그리스 시대의 우주관 및 철학 체계

● Quiz ●

1. 그리스 철학자들은 제논의 역설을 풀기 위해 0의 개념을 도입하였다. (○, ×)
2. 무한 개수의 항들을 모두 더하면 항상 무한한 값이 나온다. (○, ×)
3. 프톨레마이오스가 완성한 우주관에서는 무의 개념이 없었다. (○, ×)

정답 : 1. × 2. × 3. ○

질소비료의 부작용

식물에 유용한 질소화합물에 들어 있는 질소를 흔히 '고정화'된 질소라 부른다. 농경사회인들은 오랫동안 식량 공급을 농업에 의존하여 살아오면서 인간 분뇨를 포함한 동물의 분뇨, 식물성 퇴비 등을 고정화된 질소의 공급원으로 활용해왔다. 그러나 이 같은 천연 비료는 수확을 더 많이 늘리고 싶은 농부들의 마음을 채우기에는 부족하였다. 농경사회에서 농부들은 자연히 더 좋은 비료를 많이 갖고 싶어 했다.

20세기 초 독일의 프리츠 하버와 카를 보슈는 질소 기체와 수소 기체를 반응시켜 암모니아를 제조하는 방법을 찾아냈다. 그 덕분에 질소를 고정시키는 공업적 공정이 상용화되었고, 하버-보슈 공정(하버-보슈법)이라 부르는 이 공정은 지금도 세계적으로 사용되고 있다. 인공적인 질소의 고정은 곧바로 농업 혁명으로 이어져 작물 재배에 필요한 질소화합물이 대량으로 공급되었다. 독일에서는 곧바로 암모니아와 황산을 섞어 만든 황산암모늄을 비료로 사용하였으며, 후에는 암모니아로부터 요소비료를 생산하였다.

암모니아나 황산암모늄이 토양 속에 존재하는 박테리아들에 의해 산화되어 질소산화물로 변하면, 작물들이 이를 흡수해 잘 자라게 된다. 사람들은 아예 암모니아를 밭에 뿌리기도 했는데, 이같은 질소비료를 농토에 공급하면서 여러 가지 문제가 발생하기 시작하였다. 전에 경험하지 못한 질소순환계의 문제가 나타나기 시작한 것이다.

첫 번째 문제는 질소가 풍부하지 못한 환경에 적응하도록 진화된 식물들에 고정화된 질소를 공급하자 새로운 식물들이 출현하게 된 것이다. 이러한 변화는 장기적으로 자연과 인간에게 줄 영향에 관해 아무도 자신 있게 평가하지 못하고 있다. 두 번째 문제는 작물들이 흡수하거나 논밭에 잔류하지 못한 비료들이 빗물에 씻겨 개천, 강을 거쳐 호수 혹은 바다로 들어간다는 것이다. 물 속에 고정화된 질소의 농도가 높아지면 수중의 인이나 칼륨 등과 합쳐져 수중의 영양분을 증가시키는 부영양화 현상이 일어난다. 이 때문에 수중 식물의 성장이 왕성해져 물의 표면을 덮어 태양 빛의 수중 침투를 막게 되고, 물 속 산소량이 감소하여 물고기 등의 생존을 방해하게 된다.

이 같은 변화가 전부는 아니다. 토양 박테리아에 의해 산화질소화합물이 만들어지는 과정에서 일산화이질소(N_2O)가 만들어지는데, 이 기체가 대기 중으로 배출되면 전 세계가 걱정하고 있는 이산화탄소에 의한 지구 온난화보다 더 무서운 결과를 초래할 수도 있다. 일산화이질소는 이산화탄소보다 300여 배나 더 많은 온실 효과를 유발하기 때문이다. 또 박테리아가 만드는 다른 질소산화물인 산화질소(NO)와 이산화질소(NO_2)는 공기 중에 배출되면 광화학 스모그를 만든다. 비에 녹아내리면 바로 산성비가 되어 토양 및 수질에 악영향을 끼치며 건축물을 부식시킨다. 또 음용수에 질소산화물이 들어 있으면 암을 유발할 수 있다는 보고도 있으며, 공기 중의 질소산화물은 특히 어린아이들의 호흡기에 나쁜 영향을 준다.

무엇보다 걱정되는 점은 이런 문제가 현재까지 우려의 수준에만 머물러 있을 뿐, 질소순환에 관한 과학적 정보가 충분히 축적되어 있지 못하다는 것이다. 이제 우리는 탄소의 순환에 덧붙여 질소순환을 심각하게 걱정하고 그에 대처해야 할 때가 되었다. 더구나 질소순환계와 탄소순환계가 서로 어떻게 영향을 주고받는지도 하루 속히 밝혀야 할 것이다.

– 진정일, 『진정일 교수가 풀어놓은 과학 쌈지』

• **단락 요지** •

1문단 : 오랫동안 사용되어 온 천연 비료

2문단 : 하버-보슈 공정을 통한 질소화합물의 대량 생산

3문단 : 질소비료의 문제점

4문단 : 질소비료로 인한 생태계 변화

5문단 : 질소 비료로 인한 지구 환경 변화

6문단 : 질소순환에 관한 연구의 필요성

• **Quiz** •

1. 질소비료의 영향으로 전에 보지 못했던 새로운 식물들이 출현하였다. (○, ×)
2. 수중에 고정화된 질소의 농도가 높아지면 수중의 영양분을 증가시키는 [   ] 현상이 일어난다.
3. 산화질소와 이산화질소는 공기 중에 배출되면 [   ]를 만든다.

정답 : 1. ○ 2. 부영양화 3. 광화학 스모그

빛의 속도를 측정했던 과학자들

빛의 속도는 대략 30만km/s이며, 빛보다 빨리 움직일 수 있는 물질이 없다는 것은 누구나 아는 상식이다. 그런데 이렇게 빠른 빛의 속도는 누가, 언제, 그리고 어떻게 측정했던 것일까?

고대의 천문학자들은 빛의 속도가 무한한 것으로 생각했는데, 대표적인 사람이 바로 철학자 아리스토텔레스다. 그는 밤에 별을 볼 때 눈을 뜨자마자 바로 별이 보인다는 사실을 강조하며, 그렇게 멀리 떨어진 곳에서 출발한 빛이 눈 깜짝할 사이에 우리 눈까지 도달한다면 빛의 속도는 무한할 것이라고 주장하였다.

시간이 흐르면서 빛의 속도가 유한할지 모른다고 생각한 과학자들도 나타나기 시작하였다. 레오나르도 다 빈치는 아주 짧은 시간이긴 하지만 빛이 도달하는 데 시간이 걸리므로 빛의 속도는 유한하다고 주장하였다. 이러한 생각을 지지했던 갈릴레이는 직접 실험을 통하여 빛의 속도를 측정하고자 하였다. 그는 조수에게 램프를 주고 맞은편 산봉우리 위로 올라가게 했다. 처음에는 갈릴레이의 램프와 조수의 램프를 덮개로 막아 빛이 새어나오지 않게 하고 있다가, 먼저 갈릴레이가 램프의 덮개를 벗기면 이를 멀리서 관측한 조수가 즉시 자신의 램프 덮개를 벗겨 조수로부터 되돌아오는 램프 불빛을 갈릴레이가 관측할 때까지의 시간차를 측정하여 빛의 속도를 알고자 하였다. 사람이 불빛을 보고 덮개를 벗기기까지는 기본적으로 시간이 걸린다는 것을 잘 알고 있었던 갈릴레이는 그 '기본적으로 걸리는 시간'의 효과를 없애기 위해 다양한 시도를 하였다. 그러나 1초 동안 지구 둘레를 일곱 바퀴 반이나 도는 빛에게 봉우리 사이는 너무 짧은 거리였다. 결국 갈릴레이는 실험을 포기하고 말았다.

최초로 빛의 속도를 구한 사람은 덴마크의 천문학자인 뢰머였다. 뢰머는 목성의 위성 중 하나인 이오를 관측하던 중, 지구가 목성을 향하여 다가갈 때와 멀어질 때 이오의 공전 주기가 달라 보인다는 것을 알아냈다. 이오의 공전 주기는 목성의 뒤를 돌아 처음 나타나는 이오를 보는 시각과 다음 번에 다시 보는 시각의 차이로 결정된다. 지구가 목성에서 멀어지는 시기에는 그동안 지구가 움직이므로 시간이 더 걸리기 때문에 공전 주기에 차이가 발생한 것이었다. 뢰머는 빛의 속도가 유한하다는 가정 하에 이러한 현상을 설명하였

으며, 또한 빛의 속도도 구할 수 있었다. 그가 구한 빛의 속도는 210,000km/s로, 실제의 값보다 1/3 정도 작은 값이다. 이는 뢰머가 빛의 속도를 구한 1675년 당시에는 아직 행성들 사이의 거리를 정확하게 몰랐기 때문에 발생한 오차였다.

1849년 프랑스의 피조는 빛의 속도를 직접 측정하는 데 성공하였다. 그는 빨리 회전하는 톱니바퀴 앞에서 광선을 톱니 부분에 비추어 그 광선이 회전하는 톱니에 의해 차단되었다 통과했다 하면서 펄스* 형태로 발사되도록 하였다. 그는 이 광선이 8.63km 떨어진 지점에 있는 거울에서 반사되어 되돌아와 다시 톱니바퀴를 통과하여 눈으로 관측할 수 있게 하였다. 톱니바퀴의 회전 속도가 적당하면 회전하는 톱니바퀴의 틈 부분을 통과한 빛이 되돌아 왔을 때 다시 틈을 만나야 눈으로 빛을 관측할 수 있는 것이다. 그는 톱니바퀴의 회전 속도를 변화시켜가며 빛을 관측하여 톱니의 개수, 회전 속도, 빛이 진행한 거리로부터 빛의 속도를 구할 수 있었고, 315,000km/s라는 결과를 도출하였다.

이후 푸코는 톱니바퀴 대신에 거울을 회전시켜 더 정밀하게 빛의 속도를 측정하였고, 물속에서의 빛의 속도도 구하였다. 이 방법에서 거울을 좀 더 개량한 미국의 마이켈슨은 현재의 공인값인 299,792km/s와 별로 차이가 나지 않는 299,774km/s라는 값을 얻을 수 있었다. 현재 우리가 알고 있는 빛의 속도인 299,792km/s는 지금까지 가장 정확한 시계인 세슘 원자 시계와 크립토 원자에서 나오는 특정 방출광을 이용하여 구한 것이다.

* 펄스(pulse) : 아주 짧은 시간 동안 흐르는 전류. 일정한 파형(波形)을 가짐.

– 한국물리학회, 『빛과 파동 흔들기』

▶ 단락 요지 ◀

1문단 : 빛의 속도 측정에 대한 의문

2문단 : 고대 천문학자들이 생각한 빛의 속도

3문단 : 광속 측정을 위한 갈릴레이의 실험과 실패

4문단 : 최초로 빛의 속도를 구한 뢰머

5문단 : 톱니바퀴를 이용한 피조의 빛의 속도 측정법

6문단 : 이후 더욱 정교해진 빛의 속도 측정

핵분열

핵분열(nuclear fission)은 무겁고 불안정한 핵이 가볍고 안정적인 핵으로 변화하는 과정이다. 과정 자체는 자연적인 방사성 붕괴와 유사한 점이 있지만, 핵분열은 중성자라는 입자와의 충돌에 의해 반응이 일어나고, 크기가 현저히 다른 새로운 핵들이 생성된다는 점에서 큰 차이가 있다. 즉, 핵분열은 어떤 원자핵에 중성자를 충돌시키면 표적핵이 매우 불안정한 상태로 변하고 곧이어 둘 이상의 핵으로 쪼개지는 현상이다. 예를 들어 핵 발전소의 원자로에서는 우라늄-235가 중성자와 충돌 후 불안정해져서 바륨-144와 크립톤-89 및 3개의 중성자로 분열된다.

핵분열 과정에서 새로이 생성된 핵과 중성자는 큰 운동 에너지를 가지고 있다. 이 에너지는 핵분열 과정에서 원래의 질량이 감소하기 때문에 발생하는 것으로, 연소와 같은 화학적 변화 과정에서 나오는 에너지의 백만 배 정도의 크기이다. 핵 발전소는 바로 이 에너지를 이용하여 전력을 생산하는데, 주로 순도가 높은 우라늄-235를 핵연료로 사용하고 있다.

▲ 핵분열

핵분열을 할 수 있는 물질이 고농도로 농축되어 있으면 앞선 핵분열에서 생성된 중성자가 다른 원자핵과 충돌하여 여러 개의 2차 핵분열을 일으키고, 이들로부터 생성된 중성자가 또다시 다음 핵분열을 일으켜서 걷잡을 수 없이 핵분열이 순식간에 일어나는, 이른바 연쇄 반응이 일어난다. 따라서 핵분열에 의한 에너지를 이용하기 위한 시설인 원자로에는 핵분열에서 발생하는 중성자를 흡수해서 반응 속도를 조절하기 위한 장치가 반드시 필요한데, 이러한 목적으로 사용되는 물질로는 카드뮴이 있다.

핵분열은 느린 중성자에 의해 잘 일어나기 때문에 반응을 빠르게 하기 위해서 중성자의 속도를 느리게 해 주는 물질인 감속재를 사용하기도 한다. 이런 목적으로 경수*나 중수*가 사용되며 어떤 감속재를 사용하였느냐에 따라 원자로가 경수로* 혹은 중수로*로 불린다.

핵연료의 연쇄 반응을 제한하지 않고 한꺼번에 핵분열이 일어나게 하면 핵폭탄이 된다. 고농도로 농축된 핵연료가 일시에 핵분열을 일으켜서 주위에 막대한 열과 다량의 방사성 물질을 생산하는 것이 바로 핵폭탄인 것이다. 핵폭탄이 인간에게 미치는 피해는 열보다는 투과력이 강한 감마선에 의한 것이 더 크며, 폭발 후에도 지상과 대기에는 다른 방사성 물질이 남게 되어 두고두고 피해가 발생하게 된다.

* 경수(輕水) : 물분자의 수소가 일반 수소인 일반적인 물
* 중수(重水) : 중수소와 산소의 결합으로 만들어진 물. 보통의 물보다 무겁고 끓는점과 어는점이 높다.
* 경수로(輕水爐) : 경수를 감속재와 냉각제로 사용하는 원자로
* 중수로(重水爐) : 천연 우라늄을 원료로 하고 중수소를 감속재와 냉각제로 사용하는 원자로

— 박영목, 「현대 과학의 이해」

● 단락 요지 ●

1문단 : 핵분열의 특징과 예

2문단 : 핵분열 과정에서 발생하는 에너지

3문단 : 핵분열의 연쇄 반응과 조절 장치의 필요성

4문단 : 감속재의 종류에 따른 원자로의 분류

5문단 : 핵폭탄에 의한 피해

● Quiz ●

1. 핵분열은 핵이 [_____]와 충돌함으로써 발생한다.
2. 핵분열 과정에서 새로이 생성된 핵과 중성자가 큰 운동 에너지를 가지는 이유는 핵분열을 통해 원래의 질량이 감소하기 때문이다. (○, ×)

정답 : 1. 중성자 2. ○

☑ 지문 분석 노트

(가)

(나)

(다)

(라)

(마)

(가) 고대 그리스 인들은 수학을 실용성으로부터 해방시켜 학문의 길에 들어서게 했지만 실용성에서 완전히 벗어나지는 못했다. 그들은 •기하학을 통해서 수학적 개념을 이해하고 있었는데, 이것은 자연에서 발견될 수 있는 것에 한정되어 있었다. 예를 들어 그리스 인들에게 수는 선분의 길이를 의미하는 것이었기에 그들은 0이라는 수와 음수의 개념을 상상할 수 없었다.

(나) 0은 5세기 경 인도에서 발명했다고 알려져 있지만 사실 그 이전 고대 마야 문명에서도 비어 있는 자리를 나타내기 위해 기호를 사용하였다. 그런데 왜 인도에서의 0의 발명을 더욱 중요하게 다루는 것일까? 그 이유는 위치적 십진 •기수법과 관련이 있다. ㉠위치적 기수법은 수가 놓인 자리에 따라 값이 달라지는 표기 방법인데, 인도에서는 위치적 십진 기수법 체계를 세우고 0을 자릿수를 나타내는 기호로 썼다. 즉, 인도는 오늘날 1~9까지의 숫자와 비슷한 형태를 지닌 아홉 개의 서로 다른 기호로 수를 표기했고, 0을 그것이 놓인 위치의 자릿수에 값이 존재하지 않음을 나타내는 방식으로 사용하였다. 또한 이전의 문명에서와 달리 0이 비어 있는 자리를 나타내기 위한 기호만이 아니라 수학적으로 유의미한 실제 숫자임을 밝혔다.

(다) '1, 2, 3…'으로 시작되는 자연수는 개수를 세는 데서 출발하는 '자연 발생적인 수 개념'이다. 그리고 덧셈, 뺄셈, 곱셈, 나눗셈의 사칙 연산을 통해서 가장 먼저 태어난 것은 자연수와 자연수의 비로 표현되는 유리수였다. 그런데 뺄셈의 개념이 생겨난 후에도 음수의 개념은 탄생하지 않았다가 0의 발명과 더불어 비로소 0을 기준으로 양의 정수와 음의 정수라는 개념을 갖게 된다. 인도에서는 0의 발명과 더불어 음수의 인식이 이루어졌던 것으로 여겨진다. 7세기경의 회계 장부에서 양수를 자산으로, 음수를 부채로 사용한 기록이 남아 있기 때문이다.

(라) 이러한 인도의 수 체계와 기수법은 11세기경 아랍을 거쳐 유럽으로 전해졌지만 그리스의 유산을 이어받은 유럽인들은 이 숫자들을 쉽게 받아들이지 못했다. 서구에서는 16세기에 와서야 0과 음수의 개념을 적극적으로 받아들여 쓰기 시작하는데, 18세기까지도 음수의 존재에 의문을 제기하는 수학자들이 남아 있었다.

(마) 수 체계의 발달은 이렇듯 새로운 아이디어에 대한 저항 속에서 이루어졌고, 이 저항이 극복될 때마다 수학은 기존의 선입견으로부터 자유로워졌다. 자연수로부터 음수로, 유리수에서 무리수로, 실수에서 허수로 수의 개념이 확장되고 수학의 범위가 넓어지면서, 수학이 무엇을 대상으로 하는 학문인가에 대한 인식도 달라졌다. 0을 본격적으로 쓰기 시작한 인도인들조차도 양수를 자산으로, 음수를 빚으로 이해해야 했지만 점차 '수'를 비롯한 수학의 대상을 굳이 다른 어떤 것을 통해서 이해할 필요가 없다는 사실을 알게 되었던 것이다. 학문으로서의 수학은 그리스의 기하학과 더불어 그 첫발

을 내디뎠지만, 현재와 같이 수학이 구체적인 대상이 아니라 순수하게 추상화된 패턴이나 구조를 다루는 학문이라는 생각을 갖게 되기까지는 아주 먼 길을 걸어야만 했다. 0의 발명은 그 길을 걷기 위한 중요한 한 걸음이었다.

■ 주제 : _____

Words

• **기하학** : 도형 및 공간의 성질에 대하여 연구하는 학문 • **기수법** : 숫자를 사용하여 수를 적는 방법

1   (가)~(마)의 중심 내용으로 적절하지 <u>않은</u> 것은?

① (가) : 고대 그리스 수학의 한계
② (나) : 인도에서 발명한 '0'과 위치적 십진 기수법
③ (다) : 0의 발명으로 인한 수 개념의 확장
④ (라) : 인도의 수 개념이 서구에서 수용된 이유
⑤ (마) : 수 체계의 발달에 따른 수학의 대상 변화

2   윗글을 이해한 내용으로 적절하지 <u>않은</u> 것은?

① 고대 그리스 인들은 자연에 존재하지 않는 것은 수학적으로 의미 있게 다루지 않았다.
② 서구에서는 18세기까지도 음수의 존재를 인정하지 않는 사람들이 존재하였다.
③ 마야 문명에서는 비어 있는 자리를 나타내기 위한 특정한 기호를 사용하였다.
④ 유리수의 개념은 음수의 개념이 탄생한 이후에 수학적으로 인정을 받게 되었다.
⑤ 수 개념의 확장은 수학이 추상화된 패턴이나 구조를 다루는 학문이라는 인식 형성에 영향을 끼쳤다.

3 ㉠을 활용한 수 표시 방법을 〈보기〉에서 모두 고른 것은?

───────┤ 보기 ├───────

ㄱ. 로마에서는 기본 숫자 7개를 사용해서 덧셈의 원리에 의해 수를 나타내었다. 246이라는 수는 100을 의미하는 'C'를 두 번, 10을 의미하는 'X'를 네 번, 5를 의미하는 'V'를 한 번, 1을 의미하는 'Ⅰ'를 한 번 사용하여 'CCXXXXVI'로 표기하였다.

ㄴ. 바빌로니아에서는 기본 숫자는 단순 단위인 1을 의미하는 'Ⴅ'와 10을 의미하는 'Ⴓ'이었고, 1부터 59까지는 이들을 더하여 각 기호를 만들었다. 60 이상이 되면 표기는 위치와 관련을 갖게 된다. 예를 들어 125는 '2개의 60과 5개의 단순 단위들'로 이해되어 첫째 자리에 5를 의미하는 Ⴅ를, 둘째 자리에 '2'를 의미하는 'ႷႷ'를 사용하여 'ႷႷႨ'로 표기하였다.

ㄷ. 중국에서는 기본 숫자 13개를 사용하였는데, 426은 '四百二十六'으로 표기하였다. 이는 100(百)이 네 개, 10(十)이 두 개, 그리고 6(六)이 있다는 의미이다.

① ㄱ   ② ㄴ   ③ ㄱ, ㄴ

④ ㄱ, ㄷ   ⑤ ㄴ, ㄷ

탄소는 숯 같은 무정형의 상태로도, 다이아몬드나 흑연과 같은 결정 구조로도 존재한다. 이렇게 한 종류의 원소로 이루어졌으나 그 성질이 다른 물질이 존재할 때, 이 여러 형태를 '동소체'라고 부른다. 예를 들어 산소는 일반적으로 O_2로 존재하며 오존인 O_3와 O_4 등의 동소체가 존재한다. 불과 20년 전까지 사람들은 탄소의 동소체는 ㉠흑연과 ㉡다이아몬드뿐이라고 믿었다. 그런데 같은 탄소 원소로 이루어졌음에도 흑연은 검고 잘 부서지며 다이아몬드는 맑고 투명하면서도 단단하다. 이렇게 큰 차이를 보이는 이유는 무엇 때문일까? 그것은 탄소 원자들이 결합하는 모양이 다르기 때문이다.

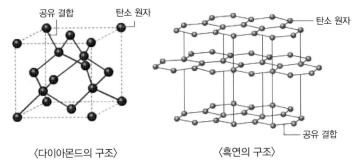

〈다이아몬드의 구조〉　　〈흑연의 구조〉

다이아몬드는 각 탄소 원자들이 결정 전체에 걸쳐 같은 거리에 있는 4개의 인접한 탄소와 결합하고 있으며, 그 4개의 결합은 한 평면에 있는 것이 아니라 2개의 결합끼리 만드는 결합각이 109.5°인 정사면체 모양을 하고 있다. 다이아몬드는 치밀하고 밀접한 결합을 하는 결정 구조 때문에 경도가 매우 커서, 모스 경도계*로 굳기를 비교했을 때 표준 광물 중 가장 수치가 높은 10이며, 전기 *절연체이다.

반면에 흑연은 6개의 탄소 원자가 벌집 모양의 육각 고리 평면을 이루면서 연속적으로 배열된 겹겹의 층으로 이루어져 있다. 즉, 한 평면에 있는 각 탄소 원자는 3개의 인접한 탄소와 결합하고 있으며 이들끼리는 강한 결합을 하고 있지만 층간의 결합은 매우 약하다. ⓐ바로 이런 이유로 경도가 다이아몬드보다 훨씬 약해 1~2밖에 안 된다. 그리고 평면 육각형 고리가 연속되는 구조 때문에 전자의 이동이 용이하여 전기 전도성을 가진다. 동소체는 서로 변환이 가능한데, 흑연이 다이아몬드가 되려면 10만 기압의 높은 압력과 3000℃의 높은 온도가 필요하다. 반면에 다이아몬드는 산소를 차단하고 2000℃ 정도로 가열하면 흑연으로 변하게 된다.

한편 빛의 스펙트럼을 분석하던 과학자들은 200nm의 파장 영역에서 항상 강한 흡수가 일어나는 것을 관찰할 수 있었다. 그들은 이것을 우주를 가로질러 지구로 오던 빛들이 무언가에 의해 강하게 흡수되는 현상으로 이해하였고, 그 물질이 탄소 입자들로 구성되었다고 생각하였다. 그 후 흑연에 레이저를 쪼이고 플라즈마* 상태로 만든 후 다시 응축시키는 과정을 반복하여 탄소 입자를 얻어내었는데, 그 화합물이 바로 탄소

☑ 지문 분석 노트

①

②

③

④

60개가 축구공 형태로 이루어진 탄소의 세 번째 동소체 C_{60}이었다. 이 물질은 수소, 질소 산화물, 아황산가스 등과 반응하여도 그 구조를 그대로 유지할 만큼 안정적이었다. C_{60}은 버키볼 혹은 ⓒ풀러렌이라고 불리는데, 다이아몬드를 웃도는 경도를 가지며 고압에도 잘 견뎌 *나노 머신의 윤활제로 쓰일 수 있다. 그 후 C_{76}, C_{84} 등 다양한 종류의 버키볼이 발견됨에 따라 그 쓰임새가 다양해져 여러 분야에 광범위하게 응용할 수 있을 것으로 기대하고 있다.

■주제 :
_____

* 모스 경도계 : 가장 무른 것을 1로 하고, 가장 단단한 것을 10으로 하여 10개의 광물에 굳기 순서대로 번호를 붙여 놓은 것
* 플라즈마 : 물질의 기본적인 세 가지 상태인 기체, 액체, 고체 상태와 더불어 또 하나의 상태

Words
• **절연체** : 전기를 전달하기 어려운 성질을 갖는 물질의 총칭 • **나노 머신** : 나노 기술을 이용해 제작되는 매우 작은 기계

1 윗글을 읽고 이해한 내용으로 적절하지 <u>않은</u> 것은?

① 어떤 물질의 쓰임새는 원소의 종류에 의해 결정된다.
② 압력과 온도는 원자들의 결정 구조를 변화시킬 수 있다.
③ 원자들이 이루는 결정 구조는 물질의 경도에 영향을 미친다.
④ 원자들의 결합 구조에 따라 전자 이동의 용이성이 다를 수 있다.
⑤ 한 종류의 원소로 이루어져도 성질이 다른 물질이 존재할 수 있다.

2 ㉠, ㉡, ㉢에 대한 설명으로 적절하지 <u>않은</u> 것은?

① ㉠, ㉡, ㉢은 모두 서로 변환이 가능하다.
② ㉠은 ㉡, ㉢의 결정 구조의 기본 틀이 된다.
③ ㉠, ㉡, ㉢ 중 모스 경도계가 가장 큰 것은 ㉢이다.
④ ㉠, ㉡과 달리 ㉢은 과학자들이 실험을 통해 발견한 것이다.
⑤ ㉠, ㉡, ㉢이 각각 성질이 다른 것은 탄소의 결합 구조 때문이다.

3 윗글과 〈보기〉를 바탕으로 추론한 내용으로 가장 적절한 것은?

─┤ 보기 ├─

C_{60}을 연구하는 과정에서 발견된 탄소 나노튜브는 탄소의 네 번째 동소체로, 탄소 원자들이 육각형 벌집무늬가 둥글게 말린 형태를 띠고 있다. 원래 전기적으로 도체인 나노튜브가 다발을 이루면 튜브끼리 상호작용을 일으켜 반도체로 변화한다. 탄소 나노튜브는 반도체 소자로 쓰일 수 있을 뿐 아니라 현저히 작은 나노 사이즈이기 때문에 집적도가 높은 칩을 만들 수 있다. 현재 주로 사용되는 실리콘 반도체보다 화학적으로 더 안정적이고 열, 마찰에도 잘 견디는 장점이 있다.

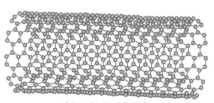
〈탄소 나노튜브의 구조〉

① 동소체의 결합 구조가 복잡할수록 전도체의 성질을 가지겠군.
② 동소체끼리 대체할 수 있다는 점에서 장점을 지니는군.
③ 동소체가 발견될수록 여러 분야의 발전에 영향을 줄 수 있겠군.
④ 동소체는 크기가 작아지면 그 구조를 유지하려는 경향이 강해지는군.
⑤ 동소체의 응용 분야는 다른 동소체끼리의 상호 작용에 따라 달라지는군.

4 밑줄 친 단어의 의미가 ⓐ와 가장 유사한 것은?

① 숨길 생각 말고 바로 말해라.
② 바로 눈앞에 있는 것도 못 찾니?
③ 청소년의 미래가 바로 나라의 미래다.
④ 그는 눕자마자 바로 코를 골기 시작했다.
⑤ 정해진 답안지에 바로 쓰지 않으면 무효가 된다.

우리가 어떤 물체를 본다는 것은 그 물체에서 반사된 빛이 우리 눈을 거치면서 굴절되어 망막에 상이 만들어지고, 이 정보가 뇌에 전달되어 그것이 무엇인지를 이해하는 과정을 일컫는다. 이 때 빛의 굴절을 담당하는 기관은 각막과 수정체인데, 눈이 정상인 경우에는 각막 및 수정체에서 굴절된 빛이 망막에 정확한 상을 맺게 된다. 그러나 망막에 정확한 상이 맺히지 않고 앞쪽에 맺히거나 뒤쪽에 맺히는 경우가 있는데, 이를 굴절 장애라 한다. 근시, 원시 등의 굴절 장애가 있을 경우 시력이 떨어지고 눈이 피로하며 시야가 흐려지게 되므로, 시력을 교정하기 위하여 안경이나 콘택트렌즈 등의 보조 기구를 사용한다. 최근에는 수술을 통해 시력을 교정하기도 하는데, 대표적인 것이 라식 수술과 라섹 수술이다.

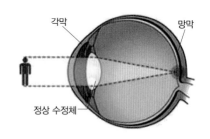

㉠라식 수술은 각막 절개도 또는 레이저를 이용하여 각막 °상피를 포함한 각막의 실질 일부까지 정해진 두께로 잘라서 각막 °절편을 만든다. 그리고 나서 각막 실질에 미리 목표한 양만큼의 레이저를 °조사하여 시력을 교정한 뒤, 벗겨낸 각막편을 다시 덮어 주면 수술이 끝난다. 각막 자체의 자연적인 °유착력에 의해 각막 절편이 자연히 부착되기 때문에 실로 봉합할 필요는 없다. 이러한 라식 수술은 통증 및 각막 혼탁을 ⓐ줄이고, 시력 회복 기간을 단축시키는 장점이 있다. 그러나 수술로 인해 각막 두께가 얇아져 °안압을 견디지 못하는 각막 확장증이나, 절편을 만드는 과정에서 안구의 상태를 감지하는 신경이 손상되어 눈의 시림, 이물감, 건조감 등을 느끼는 안구 건조증이 유발되기도 한다. 이에 각막 표층 기질을 절제하는 수술이 주목 받기 시작하면서, 라섹 수술이 개발되었다.

㉡라섹 수술은 희석된 알코올을 이용하여 각막 상피편을 얇게 만들어 벗겨낸 후, 라식 수술과 같이 각막 실질에 레이저를 조사하여 시력을 교정하는 수술이다. 라섹 수술은 라식 수술과 마찬가지로 각막 실질 부위에 미리 목표한 양의 레이저를 조사하여 근시, 원시, 난시 등의 굴절 장애를 교정한다는 공통점이 있으나, 각막 실질에 레이저를 조사하기 위해 실질 부위를 노출시키는 방법에서 차이가 있다. 라식 수술에서는 각막 상피뿐 아니라 각막 실질의 일부까지 포함하는 상대적으로 두꺼운 각막 절편이 만들어지는 반면, 라섹 수술에서는 알코올을 이용하여 각막 상피만을 포함하는 얇은 각막 절편이 만들어지게 되는 것이다. 또 라식 수술은 각막 실질에 레이저를 조사한 후 각막편을 덮지만, 라섹 수술은 보호 렌즈를 씌워 각막 실질의 표면이 아물게 한다.

라섹 수술은 두꺼운 각막 절편을 만들어야 하는 라식 수술에 비해 각막편 주름, 불규칙 절편 등의 합병증이 없고, 물리적 충격에 강하다는 장점이 있다. 또한 수술 후 안구 건조증 발생 비율이 라식 수술에 비해 낮은 것으로 알려져 있다. 그러나 라식 수술에 비해 수술 후 통증의 강도 및 각막 혼탁의 발생 가능성이 높고, 시력 회복의 속도가 느린 경우가 많다는 점은 문제점으로 지적된다. 이와 같이 라식 수술과 라섹 수술은 진행 과정의 차이로 인해 각각의 장단점이 다르다. 따라서 자신의 눈 상태와 처한 상황 등을 고려하여 자신에게 적합한 수술 방법을 선택해야 한다.

■주제 :

Words

- **상피(上皮)** : 동물의 체내·외의 모든 표면을 덮는 세포층 • **절편(切片)** : 생체 조직의 일부를 얇게 자른 것 • **조사(照射)** : 광선이나 방사선 따위를 쬐는 것
- **유착력(癒着力)** : 엉겨 붙는 힘 • **안압(眼壓)** : 눈알 내부의 일정한 압력. 정상적인 안압은 15~25mmHg이며, 그 이상 또는 그 이하이면 시력 장애를 일으킨다.

1 윗글에 대한 이해로 적절하지 <u>않은</u> 것은?

① 시력 교정 수술의 원리를 소개하고 있다.
② 라식 수술과 라섹 수술의 특징을 비교하고 있다.
③ 라섹 수술을 개발하게 된 배경에 대해 설명하고 있다.
④ 라식 수술을 한 후에 발생할 수 있는 부작용을 언급하고 있다.
⑤ 라섹 수술을 하기 전에 주의해야 할 사항에 대해 제시하고 있다.

2 〈보기〉는 어느 안과 홈페이지의 질의응답 게시판에 올라온 글이다. 윗글을 바탕으로 조언을 한 것으로 가장 적절한 것은?

┤ 보기 ├

질문 : 안녕하세요. 제가 시력이 좋지 않아서 그동안 안경과 콘택트렌즈를 번갈아 끼었습니다. 그런데 불편한 점이 너무 많아서 시력 교정 수술을 받고자 합니다. 라식 수술과 라섹 수술이 있던데, 어떤 것을 받는 것이 좋을까요?

① 통증을 잘 참지 못한다면 라식 수술보다는 라섹 수술을 권장합니다.
② 합병증 발생 가능성을 낮추고 싶다면 라섹 수술보다는 라식 수술을 권장합니다.
③ 검사를 해 본 뒤 각막 두께가 얇다면 라섹 수술보다는 라식 수술을 권장합니다.
④ 수술 후 안구 건조증 발생이 염려된다면 라식 수술보다는 라섹 수술을 권장합니다.
⑤ 빠른 시간 내에 시력을 회복하고 싶다면 라식 수술보다는 라섹 수술을 권장합니다.

3 〈보기〉는 ㉠과 ㉡의 과정을 각각 보여 주는 그림이다. 윗글을 바탕으로 〈보기〉를 탐구한 내용으로 적절하지 <u>않은</u> 것은?

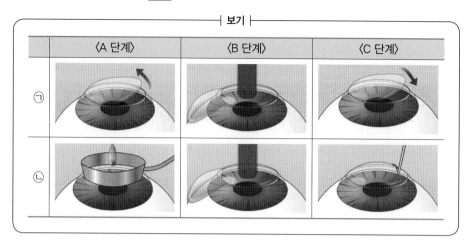

① ㉠은 〈A 단계〉에서 레이저를 사용하지만 ㉡은 희석된 알코올을 사용한다.

② 〈A 단계〉에서 만들어지는 각막 절편의 두께는 ㉠보다 ㉡에서 더 얇다.

③ ㉠과 ㉡은 모두 〈B 단계〉에서 각막 실질에 레이저를 조사한다.

④ ㉡이 〈C 단계〉에서 각막편을 다시 덮는 것과 달리 ㉠은 보호 렌즈를 씌운다.

⑤ 〈C 단계〉 이후 각막편에 주름이 생길 가능성은 ㉠보다 ㉡이 낮다.

4 문맥상 ⓐ와 바꾸어 쓰기에 가장 적절한 것은?

① 감소(減少)시키고

② 감량(減量)시키고

③ 삭감(削減)시키고

④ 압축(壓縮)시키고

⑤ 축소(縮小)시키고

과학 / 물리 ⑫ 실전 TEST

열역학이 발전하게 된 직접적인 계기는 오늘날 '열역학 제1법칙'이라고 불리는 에너지 보존 법칙, 즉 열을 포함하여 모든 에너지는 서로 다른 형태의 에너지 간에 교환이 가능하며, 외부와 에너지나 물질의 교환이 없는 고립계* 내에서 에너지의 총합은 불변이라는 원리의 발견이었다. 이는 프랑스의 카르노가 앞서 행한 열기관*의 효율에 대한 연구에 힘입은 바가 크다. 카르노는 '열기관의 효율을 얼마까지 높일 수 있는가'에 관심을 가졌고, 결국 1824년에 주어진 열을 일로 전환시키는 열기관의 효율에는 궁극적인 한계가 있음을 논증하였다.

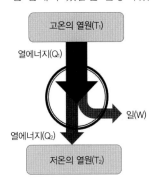

카르노는 우선 열에너지가 마찰 등으로 소모되지 않고 오로지 일로만 변환되는 이상적인 기관을 가정하였는데, 이 열기관을 '카르노 기관'이라고 한다. 그림과 같이, 열기관은 고온의 *열원(T_1)으로부터 열에너지(Q_1)를 흡수하여 그 중 일부를 일(W)로 바꾸고 나머지 열에너지(Q_2)를 저온의 열원(T_2)으로 방출한다. 이때 에너지 보존 법칙에 의해서 열기관이 변환한 일에너지(W)와 방출한 열에너지(Q_2)를 합한 것은 열기관에 투입된 열에너지(Q_1)와 같다. 열기관의 효율(e)은 공급받은 열에너지(Q_1)와 열기관이 한 일(W)의 비율로 정의할 수 있다. 즉 이상적인 열기관이라고 하더라도 100%의 효율(e=1)을 달성하기 위해서는 저온의 열원(T_2)이 절대영도(0K)*에 도달해야만 하는 것이다.

카르노의 이론을 발전시켜 '열역학 제2법칙'을 정식화한 클라우지우스는 열은 고온의 물체에서 저온의 물체 쪽으로 흘러가고 스스로 저온에서 고온으로 흐르지 않는다는 법칙을 발표했다. 낮은 열을 가진 차가운 물체의 원자는 상대적으로 질서 있게 제자리를 지키지만, 높은 열을 가진 뜨거운 물체의 원자는 더 많이 돌아다니는 편이다. 즉, 열은 무질서의 정도를 알려주는 척도이고, 물리학자들은 '엔트로피'라는 개념을 통해 무질서도를 *정량적으로 측정한다. 따라서 엔트로피는 온도와 직접적으로 관련이 있다. 열은 자발적으로 온도가 낮은 곳에서 높은 곳으로 이동하는 법이 없으므로, 어떤 계의 엔트로피는 반드시 증가하는 방향으로만 변하게 될 것이다. 그리고 최종적으로는 계 내의 엔트로피가 극대화되어 일을 할 만한 에너지가 하나도 남지 않은 '평형 상태'에 이르게 될 것이다. 에너지의 형태 중에서 엔트로피가 가장 높은 것은 열에너지이기 때문에 모든 에너지는 궁극적으로 열에너지가 된다는 것이다. 그런데 열역학적 관점에서 보면 열은 에너지 중 일을 하기 위한 효율이 가장 떨어지는 에너지이다. 결국 엔트로피란 하나의 물질계 속에서 얼마나 많은 양의 에너지가 일을 하는 데 쓰이지 못했는지를 나타내는 물리량으로, 열은 고온 쪽에서 저온 쪽으로만 흘러간다는 열역학 제2법

✔ 지문 분석 노트

①
___
___

②
___
___
___

③
___

칙은 고립계가 할 수 있는 일에는 한계가 있음을 알려 주는 것이기도 하다.

④

그런데 열역학 제2법칙은 한편으로 열린계, 즉 다른 계와 에너지나 물질의 교환이 가능한 계에서는 ㉠엔트로피가 감소할 수도 있다는 것을 말해 준다. 예를 들어 냉장고에 오렌지 주스를 넣어두면 주스가 차갑게 식는다. 주스의 온기를 다른 곳으로 옮기지 못한다면 불가능한 일이 아닌가? 제2법칙의 대답은, 특수한 조건에서는 그런 일이 가능하다는 것이다. 냉장고는 내용물을 식히는 대가로 다른 곳에서 많은 열을 만들어내는데, 냉장고 뒷면에 손을 대보면 밖으로 열을 방출한다는 것을 금방 알 수 있다. 따라서 냉장고와 주변 환경을 함께 고려한 고립계 내에서는 여전히 총 엔트로피가 열역학 제2법칙에 따라 증가한다.

* 고립계(孤立系) : 외계에 대하여 폐쇄되어 있는 계. 외부와 에너지나 물질의 교환이 이루어지지 않는다.
* 열기관 : 증기기관과 같이 고온과 저온의 열원 사이의 순환을 통해 열에너지를 역학적 에너지로 전환시켜 주는 장치
* 절대영도 : 열역학에서의 이론적 온도의 최저점으로, 실험적으로는 도달 불가능한 온도

■ 주제 :

Words

• **열원(熱源)** : 열이 생기는 근원 • **정량적(定量的)** : 양을 헤아려 정하는. 또는 그런 것

1 윗글에서 알 수 있는 내용으로 적절하지 <u>않은</u> 것은?

① 고립계 내에서는 에너지의 총합이 항상 보존된다.

② 저온의 물체는 고온의 물체에 비해 원자 배열이 불규칙적이다.

③ 어떤 계의 엔트로피를 감소시키기 위해서는 다른 계와의 에너지 교환이 필요하다.

④ 고립계가 한번 평형 상태에 도달하면 계 내의 무질서도가 더 이상 증가하지 않는다.

⑤ 외부에서 에너지를 가하지 않고는 저온의 물체에서 고온의 물체로 열을 이동시킬 수 없다.

2 윗글의 '카르노 기관'을 이해한 내용으로 적절하지 <u>않은</u> 것은?

① 열기관이 방출한 열(Q_2)은 항상 투입된 열(Q_1)보다 작다.

② 열기관이 외부에 한 일(W)은 Q_1에서 Q_2를 뺀 값과 같다.

③ 카르노 기관은 열이 100% 일(W)로 전환될 수 없다는 것을 증명한다.

④ 카르노 기관은 에너지의 자발적 흐름이 양방향적이라는 것을 보여 준다.

⑤ 열효율을 높이기 위해서는 고온의 열원과 저온의 열원의 온도 차를 크게 해야 한다.

3 ⊙의 사례로 가장 적절한 것은?

① 물에 푸른 잉크 방울을 떨어뜨리면 잉크가 섞인 푸르스름한 물이 된다.

② 더운 사무실에 냉방기를 가동하여 사무실 내 온도를 시원하게 유지한다.

③ 얼음이 든 잔에 뜨거운 커피를 따르면, 얼음은 열을 받아서 녹고 커피는 식는다.

④ 레모네이드 위에 떠 있는 육면체 얼음이 녹을 때 육면체라는 원래의 모양을 유지하지 않는다.

⑤ 스파게티를 만들려고 가지런히 놓아둔 파스타 가닥들을 끓는 물에 넣으면 가닥들이 뒤엉킨다.

4 윗글을 바탕으로 〈보기1〉을 이해한 내용으로 적절한 것만을 〈보기2〉에서 골라 묶은 것은?

┤ 보기1 ├

외부에서 에너지를 공급받지 않고도 영구히 일을 계속할 수 있는 가공의 동력 기관을 영구 기관이라고 한다. 한 번의 에너지 공급으로 영원히 움직이며 일을 계속할 수 있는 기계를 제1종 영구 기관이라 하고, 단 하나의 열원으로부터 흡수한 열을 일로 계속 바꾸는 기계를 제2종 영구 기관이라 한다.

┤ 보기2 ├

ㄱ. 고립계 내의 에너지는 한정되어 있으므로 제1종 영구 기관은 불가능하다.

ㄴ. 열역학 제2법칙에 따라 열을 전부 일로 바꿀 수 없으므로 제2종 영구 기관은 불가능하다.

ㄷ. 제2종 영구 기관은 계 내의 엔트로피를 극대화시켜 그것을 순환 과정의 동력으로 활용하려는 것이다.

ㄹ. 어떤 동력 기관이 에너지 보존 법칙을 만족시키더라도 외부에 일을 할 수 있는 에너지는 점점 감소한다.

① ㄱ, ㄴ   ② ㄱ, ㄷ   ③ ㄱ, ㄴ, ㄹ

④ ㄷ, ㄹ   ⑤ ㄴ, ㄷ, ㄹ

바이러스는 먹지도 않고 산다

곰팡이와 박테리아 그리고 바이러스는 우리가 알고 있는 대표적인 미생물이다. 미생물도 생물이므로 당연히 운동과 생장 그리고 유전과 변이라는 생물의 특성을 갖고 있다. 미생물들은 양분을 섭취하고, 이를 소화시켜 에너지를 얻고, 다시 이것을 이용하여 생장과 증식 그리고 변이를 일으킨다. 그런데 바이러스는 다른 미생물과 살아가는 방법이 조금 다르다. 우선 바이러스는 먹이를 먹지 않고, 양분을 섭취하지 않으므로 이를 소화시키는 대사 작용과 생리 작용을 하지 않는다. 다만 자신과 똑같은 자손을 만들어내는 능력만은 갖추고 있어 바이러스도 미생물의 한 종류로 분류된다.

바이러스는 다른 미생물과는 달리 완전한 세포 구조를 갖지 않기 때문에 양분을 먹지도 않고 자라지도 않는다. 게다가 다른 모든 생물들이 가지고 있는 핵 대신에 유전 정보를 간직한 DNA나 RNA 분자를 갖고 있다. 또 바이러스는 핵산 분자를 보호하는 단백질 분자가 합쳐진 아주 간단한 형태를 띠고 있다.

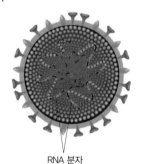

RNA 분자
▲ 감기를 유발하는 인플루엔자 바이러스

바이러스가 살아가는 방법을 좀 더 자세히 살펴보자. 바이러스는 다른 숙주 생물의 세포 안에 들어가 자신을 닮은 자손을 만들어내는 독특한 삶의 모습을 보여 준다. 숙주로 이용할 살아 있는 세포 안에 들어간 바이러스가 숙주세포로 하여금 바이러스 입자로 조립할 수 있는 부품을 만들게 하고, 이들 부품이 서로 어울려 바이러스 입자를 꾸미도록 이끈다. 즉, 바이러스는 다른 생물의 세포 안에 들어가야만 비로소 삶을 시작하고 증식할 수 있는 것이다.

바이러스가 숙주로 이용하는 살아 있는 세포는 사람을 비롯하여 다른 동물과 식물, 심지어는 곰팡이와 박테리아 같은 미생물 세포들도 포함된다. 그렇기 때문에 바이러스는 숙주가 되는 생물의 입장에서는 분명히 해로운 기생체이다. 이와 반대로 바이러스 입장에서 생각해 보면, 사람을 비롯한 다른 생물체가 있어야만 생존과 증식을 할 수 있기 때문에 기생이라는 삶의 형태가 아주 당연한 선택일 수밖에 없다. 세포 안에서 기생이라는 바이러스의 삶의 형태가 숙주 생물에게는 해로운 영향을 미치는 병이라는 모습으로 나타난다.

바이러스는 숙주 생물이 없을 때는 단순한 분자와 같은 무생물에 가깝지만 숙주 생물이나 살아 있는 세포만 있다면 생물처럼 증식을 할 수 있으므로, 우리는 바이러스를 일컬어 '생물과 무생물의 중간 존재', '살아 있는 유전 물질'이라고 부르기도 한다.

– 이재열,『교양으로 읽는 과학의 모든 것 1』

● 단락 요지 ●

1문단 : 다른 미생물들과 구별되는 바이러스의 특성

2문단 : 바이러스의 구조

3문단 : 바이러스가 살아가는 방법

4문단 : 바이러스와 숙주 생물의 관계

5문단 : 바이러스의 별칭

● Quiz ●

1. 바이러스는 다른 미생물 세포를 숙주로 하여 살아가기도 한다. (○, ×)
2. 모든 미생물은 양분을 섭취하고 이를 소화시켜 에너지를 얻는 대사 작용을 한다. (○, ×)
3. 바이러스는 ⬚⬚⬚⬚를 보호하는 단백질 분자가 합쳐진 모습을 하고 있다.

정답 : 1. ○ 2. × 3. 핵산 분자

라이덴 병의 발명

전하를 유체로 생각했던 시절에는 대전체*에서 전하가 사라지는 현상, 즉 방전이 전하가 증발하기 때문에 생긴다고 생각하였다. 그래서 방전을 막는 방법에 대한 연구가 유체의 증발을 막는 방법의 연장선상에서 이루어졌다. 1745년 독일의 폰 클라이스트(Edwald Georg Von Kleist)는 대전*된 물을 유리병에 담아 두면 전하의 증발이 방지되므로 전하가 줄어들지 않을 것이라고 생각하였다. 아마추어 과학자였던 그는 사실 전기에 대해 잘 알지 못하였다. 그는 유리병에 담은 물을 대전시키기 위해 코르크 마개로 병 입구를 막고 마개 중앙에 긴 못을 꽂아 못이 물에 닿게 하였다. 원래는 평평한 곳에 유리병을 놓고 대전시킬 생각이었겠지만, 유리병을 놓을 곳이 마땅치 않았던지 클라이스트는 한 손으로 병을 잡은 채 마찰 전기 발생기에 못을 연결하여 물을 대전시켰다. 대전이 끝나고 클라이스트의 다른 손이 실수로 못에 닿게 되자, 클라이스트는 전기 충격을 느꼈다.

클라이스트의 실험 소식을 전해들은 많은 과학자들이 재연 실험에 들어갔지만 실망스럽게도 아무도 똑같은 충격을 느끼지 못했다. 재연 실험들이 번번이 실패했던 이유가 밝혀진 것은 1년 후인 1746년 네덜란드의 라이덴 대학 교수인 피터르 판 뮈스헨부르크(Pieter van Musschenbroek)에 의해서였다. 뮈스헨부르크는 충격을 느끼려면 물을 대전하는 동안 반드시 손으로 병을 잡고 있어야 한다는 사실을 밝혀냈다. 물을 대전시키는 동안 손으로 유리병을 잡고 있으면 물과 접촉하고 있는 안쪽의 금속박뿐만 아니라, 손을 통해 접지된 유리병의 바깥쪽 금속박도 함께 대전되고 두 금속박의 전하는 반대가 된다. 따라서 이 상태에서 다른 손으로 못을 건드리면 서로 다른 전극이 연결되는 것과 같은 효과가 발생해 전류가 몸에 흘러 엄청난 전기 충격을 받게 된다는 것이다.

뮈스헨부르크는 여러 실험을 거쳐 물 없이 유리병 안쪽과 바깥쪽에 금속박을 붙이고, 바깥쪽 금속박은 접지시키고 안쪽 금속박만 대전시키면 대전이 끝나도 전하가 사라지지 않고 병 안에 보관된다

▲ 라이덴 병

는 사실을 알아냈다. 그 후 이 장치의 유용함이 알려지면서 뮈스헨부르크가 재직하던 대학의 이름을 따서 이 병을 '라이덴 병'이라고 부르게 되었다. 이러한 라이덴 병은 최초로 발명된 축전기라고 할 수 있다.

전기를 저장한다는 것이 무척 생소하고도 신기했던 당시에는 라이덴 병과 관련된 믿지 못할 일들이 많이 벌어졌다. 프랑스에서는 180명의 근위병이 서로 손을 잡고 둥글게 원을 그리며 서 있다가 양끝의 두 근위병이 라이덴 병에 손을 대자 그 전기 충격으로 인해 180명 전원이 공중으로 펄쩍 뛰어 오르는 모습을 왕에게 보여 주기도 했다. 또 영국에서는 라이덴 병에서 나온 긴 철사를 템스 강의 다리를 건너 다시 라이덴 병으로 돌아가게 한 후, 한 손으로는 라이덴 병을 잡고 다른 한 손으로는 쇠막대기를 쥔 사람이 쇠막대를 강물에 대어 전기 충격을 받는 위험한 실험이 행해지기도 했다.

* 대전체(帶電體) : 전기를 띠게 되는 물체
* 대전(帶電) : 어떤 물체가 전기를 띰. 또는 그렇게 함.

– 한국물리학회, 『속 보이는 물리, 전기와 자기 밀고 당기기』

사과 쌓는 방법을 연구하는 물리학자

슈퍼마켓이나 마트에 가서 과일 코너나 채소 판매대를 관찰해 보자. 귤이나 감자는 불규칙한 모양으로 수북이 모아두지만 사과나 배는 정성스럽게 층층이 쌓아 놓는다. 서로 부딪혀 충격이 가해지면 쉽게 물러져 상품 가치가 떨어지기 때문이다. 각 나라의 과일 판매상들이 공통적으로 선호하는 안정적인 구조는 바닥면을 삼각형으로 해서 위로 갈수록 좁게 쌓아올린 피라미드 모양이다. 물리학 용어로는 '면심입방 구조(FCC, face centered cubic)'라 불린다.

2012년 프랑스 국립과학연구센터(CNRS) 산하의 고체물리연구소와 독일 드레스덴공과대학교의 유체역학연구소 연구진은 공동으로 '과일 쌓는 법'에 대한 논문을 발표했다. 이들은 다량의 구체를 상자 안에 던져 넣을 때 자연스레 형성되는 배열을 연구했고, 다른 구조보다 면심입방 구조가 선호되는 이유가 기계적인 안정성 때문임을 밝혀냈다.

▲ 면심입방 구조

동일한 부피를 가진 동일한 물체를 최적의 밀도로 쌓는 방법에는 여러 가지가 있는데, 그 중 하나가 면심입방 구조이다. 이 구조는 바닥면을 최대한 작은 삼각형으로 해서 피라미드 모양으로 쌓아올린다. 서로 다른 세 가지 형태의 층이 A, B, C, A, B, C 순으로 반복된다. 사과나 구슬처럼 둥근 고체 물질을 층층이 쌓을 때는 가장 적은 면적에 최대한 많은 상품을 쌓으면서도 쉽게 무너지지 않아야 하기 때문에 '효율성'과 '안정성'이 중요하다. 이 때문에 각 나라의 과일 상인들은 공통적으로 면심입방 구조를 선호하는 것이다.

다른 하나는 '육각밀집(HCP, hexagonally close-packed) 구조'다. 바닥면이 육각형이며, 두 가지 형태의 층이 A, B, A, B 순으로 반복된다. 이론적으로 면심입방 구조와 육각밀집 구조는 효율과 안정성 면에서 동일한 결과를 보인다. 그러나 거의 모든 상인들은 면심입방 구조를 선호한다. 쌓

▲ 육각밀집 구조

기가 간단해서일까, 아니면 오랜 시간 동안 경험으로 체득한 비밀이 있는 것일까.

프랑스와 독일 공동 연구진은 이 같은 질문에서 출발해 '사과 쌓기의 비밀'에 도전했다. 지금까지는 '두 구조의 엔트로피(entropy), 즉 높은 무질서 상태를 보이는 정도가 다르기 때문'이라는 설명이 설득력을 얻었다. 그러나 이 이론은 나노 크기의 물질에만 해당될 뿐, 사과처럼 커다란 물체에도 적용이 가능한지는 증명된 적이 없었다. 연구진은 1미크론(0.001밀리미터)보다 큰 구체 물질을 특정한 크기의 상자 안에 계속 던져 넣는 컴퓨터 시뮬레이션 프로그램을 만들고 실제 기계적 실험을 통해 어떠한 배열이 자연적으로 생겨나는지도 조사했다. 그러자 면심입방 구조와 육각밀집 구조가 동일한 비율로 나타났다. 그러나 구체를 계속 얹어 나가자 두 구조의 차이점이 드러나기 시작했다. 육각밀집 구조는 하중이 커질수록 무너질 확률이 높았으며, 무너지고 쌓이고를 반복하면서 점차 면심입방 구조의 형태로 변해갔다. 안정성 면에서는 면심입방 구조가 월등히 나은 점수를 받은 것이다.

연구진은 '하중의 방향'을 이 실험 결과의 원인으로 지목했다. 상자 안에 넣을 때는 하중이 늘어나도 인접한 구체들끼리 단단히 맞물리면서 안정적인 구조를 유지한다. 그러나 상자를 제거해서 외벽을 없애면 하중을 지탱할 인접 구체의 숫자가 줄어들게 된다. 중력이나 마찰력이 충분히 작용하지 않으면 전체 무게를 감당할 수 없다. 면심입방 구조에서는 하중이 직선을 따라 아래로 옮겨가기 때문에 안정성이 유지된다. 따라서 더 높이 쌓고 싶으면 바닥에 깔린 구체의 숫자를 늘리되 바닥면을 삼각형으로 유지하기만 하면 된다. 그러나 육각밀집 구조는 하중이 외부로 향하기 때문에 구체 간의 마찰력이 부족해지면 무너질 수밖에 없으며, 무너진 뒤에는 면심입방 구조의 배열이 남는다. 과일 상인들은 반복된 경험을 통해 면심입방 구조가 가장 안정적이고 효율적이라는 사실을 깨달았던 것이다.

– 김형근, 『과학으로 이루어진 세상』

효소(酵素)

효소(enzyme)는 수백 개의 아미노산으로 구성된 단백질로, 유기체 내에서 필요로 하는 분자 간의 결합을 깨뜨리는 화학 작용을 한다. 예를 들어 우리가 밥이나 빵을 입에 넣는 순간, 침에 들어 있는 효소인 아밀라아제는 복잡한 녹말을 작은 당 분자로 분해하기 시작한다. 효소가 없었다면 며칠, 몇 주, 몇 년이 걸릴지도 모를 소화 과정이, 효소 덕분에 단 몇 시간 안에 끝난다. 효소는 수백 만, 심지어 수십 억만 배로 반응 속도를 증가시킨다. 이러한 효소와 반응하는 물질은 '기질'이라고 하고, 기질이 효소에 의해 변형된 것을 효소의 '생성물'이라고 한다. 그리고 화학 반응을 촉진시키는 것을 통틀어 촉매라고 하는데, 효소는 생물학적 고분자 촉매라고 할 수 있다.

▲ 에밀 피셔

1894년, 독일의 과학자인 헤르멘 에밀 피셔(Emil Fischer, 1852~1919)는 효소의 작동 원리를 설명하고자 노력했다. 그는 '자물쇠-열쇠' 모형을 제시했는데, 효소가 그 표면에 자신의 기질과 정확하게 들어맞는 구멍을 가지고 있다는 것이다. 열쇠가 자물쇠에 꼭 맞게 들어가듯이, 기질은 효소에 잘 맞아 들어간 결과 반응이 일어나며, 반응 결과 생긴 새로운 생성물은 효소로부터 다시 떨어져 나간다는 것이 주요 내용이다.

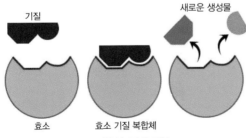

기질   새로운 생성물

효소   효소 기질 복합체
▲ 자물쇠-열쇠 모형

'자물쇠-열쇠 모형'은 오랫동안 받아들여졌지만, 현대 과학자들은 '유도-적합' 모형을 새롭게 제시하였다. '유도-적합' 모형은 효소가 과자를 자르는 칼 같이 특정한 모양을 가진 것이 아니라, 훨씬 유연하다는 이론이다. 적절한 기질이 효소에 접근하면, 효소는 부드럽게 기질을 둘러싸기 위해

모양을 변형시킬 수 있다는 것이다.

이러한 메커니즘과 상관없이 중요한 것은 효소가 특정한 기질과만 반응한다는 점이다. 효소는 자신에게 맞는 기질을 찾고, 그 기질을 만나기 전까지는 반응을 시작하지 않는다. 이런 기질 특이성은 물질대사에서 중요한 역할을 한다. 실험실에서 과학자들은 언제라도 시험관이나 비커에 촉매를 넣어 화학 반응을 일으킬 수 있다. 반응을 시작하기 전까지는 두 반응물을 분리된 상태로 보관하여 의도하지 않는 화학 반응을 일으키지 않게 할 수 있다. 그러나 인체 내에서의 문제는 그리 간단하지 않다. 효소는 이미 세포라는 시험관 안에 있는 셈이므로 수많은 기질에 둘러싸여 헤엄치고 있는데, 그들 모두와 반응하는 일이 벌어지면 매우 곤란해진다. 그래서 자연은 화학적으로 정확한 자극을 찾기 전에는 효소의 잠재력이 발현되지 않도록 하는 메커니즘을 설계했다. 물론 우리는 아직도 이 메커니즘에 대해 모르는 것이 매우 많다.

효소는 우리 몸에서 화학 반응이 어떻게 일어나는지 보여 주는 대표적인 표본이다. 효소의 작용을 응용한다면, 우리는 위험한 병원균을 훨씬 효율적으로 없앨 수 있는 약품을 개발할 수도 있을 것이다. 현재는 효소들이 본래의 기능을 수행하지 못하도록 하는 효소 억제제를 약품으로 개발하여 사용하고 있다. 이 억제제는 효소가 치료 과정을 방해할 때 유용하게 사용되고 있다.

– Denise Kiernan 외, 「사이언스 101 화학」

●**단락 요지**

1문단 : 효소의 개념 및 역할

2문단 : 효소의 작동 원리 ① – '자물쇠-열쇠' 모형

3문단 : 효소의 작동 원리 ② – '유도-적합' 모형

4문단 : 효소의 기질 특이성

5문단 : 효소 응용의 전망과 현재

●**Quiz**

1. 효소는 유기체 내에서 필요로 하는 화학 반응들을 수행하는 촉매의 일종이다. (○, ×)

2. 적절한 기질이 효소에 접근하면, 효소는 부드럽게 기질을 둘러싸기 위해 모양을 변형시킬 수 있다는 이론은 ⬚⬚⬚⬚⬚ 모형이다.

정답 : 1. ○   2. 유도-적합

프랙탈

구름이나 번개, 눈송이, 유리창에 어리는 성에, 나뭇가지 등 우리를 둘러싼 자연은 복잡하고 불규칙한 모양들로 가득하다. 나뭇가지들은 큰 줄기에서 작은 줄기로 갈라지고 다시 작은 줄기로 갈라지는 것을 되풀이한다. 그런데 작은 줄기를 살펴보면 그 안에 나무 전체의 형상이 들어 있는 것을 발견할 수 있다. 신체의 동맥, 정맥이나 하천이 갈라진 모습도 마찬가지이다. 이렇게 불규칙해 보이는 자연 속에 규칙이 자리 잡고 있다는 것을 맨 처음 확인한 사람은 미국의 수학자 만델브로(Benoit Mandelbrot, 1924~2010)이다. 그는 이렇게 불규칙하고 조각난, 자신과 닮은 부분을 가진 도형에 '부서진'이라는 의미의 '프랙탈(fractal)'이라는 이름을 붙였다.

프랙탈이란 전체를 부분으로 쪼개었을 때 부분 안에 전체의 모습을 담고 있는 기하학적 도형이다. 프랙탈 도형은 자기닮음(self-similarity, 자기 유사성)과 축소에 대한 불변(independent of scale)의 특징을 갖는다. 여기서 자기닮음이란 도형의 부분에 전체의 모습과 닮은 작은 부분이 포함되어 있는 것을 말하며, 축소에 대한 불변이란 도형을 축소해도 구불구불함의 정도, 불규칙성의 정도가 변하지 않음을 말한다.

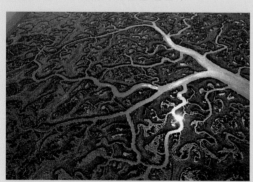
▲ 프랙탈의 예

큰 구조 안에 같은 작은 구조가 무한히 들어 있는 것이 바로 프랙탈이다. 이러한 프랙탈을 다루는 수학은 고전적인 기하학과는 완전히 딴판이다. 고전적인 기하학에서는 정수 차원을 다룬다. 정육면체나 구는 3차원이고, 삼각형이나 사각형은 2차원이며, 직선이나 곡선은 1차원이다. 그러나 프랙탈 기하학에서의 도형은 1과 2 사이의 차원일 수 있다.

프랙탈은 무질서해 보이는 자연현상을 설명하는 새롭고도 좋은 도구이다. 지도에서 구불구불한 해안선을 살펴보면, 지도를 확대하여 볼수록 구불구불한 것이 더욱 드러나고, 해안선의 일부를 지정하여 확대해도 구불구불한 것이 여전하다. 해안선 안에 해안선이 들어 있는 셈이다. 이것이 바로 자기닮음이다. 고전 기하학에서는 곡선을 확대하면 직선이 되지만, 실제 산이나 구름, 해안선의 구불구불함은 아무리 확대해도 없어지지 않는다. 그 크기를 축소하더라도 구조의 변화가 없다. 이것이 바로 축소에 대한 불변이다.

프랙탈은 1970년대 말부터 물리학자, 지리학자, 미술학자, 건축학자, 철학자 등에게 큰 반향을 불러일으켰으며, 현재 프랙탈이 응용되는 분야는 지속적으로 확대되고 있다. 경제학에서는 가격 변동, 소득 분포 등과 같은 경제 현상을 설명하는 데, 공학에서는 소음이 나는 현상을 분석하는 데, 과학에서는 브라운 운동*과 같이 불규칙한 입자의 운동을 설명하거나 은하의 분포를 설명하는 데에도 프랙탈을 이용하고 있다.

* 브라운 운동 : 액체 혹은 기체 안에 떠서 움직이는 작은 입자의 불규칙한 운동. 냄새의 확산 현상 등에서 찾아볼 수 있다.

– 강옥기 외, 『수학 서핑』

● 단락 요지 ●

1문단 : 프랙탈의 발견

2문단 : 프랙탈의 개념 및 특성

3문단 : 고전적인 기하학과는 다른 프랙탈 기하학

4문단 : 자연현상을 설명해 주는 프랙탈

5문단 : 프랙탈의 다양한 응용 분야

● Quiz ●

1. 프랙탈 기하학에서는 3차원 이상의 도형을 다룬다. (○, ×)
2. 프랙탈 도형은 [＿＿＿＿＿＿]과 [＿＿＿＿＿＿]의 특징을 갖는다.

정답 : 1. ×   2. 자기닮음, 축소에 대한 불변

기술

제 II 부

실전 TEST 01 기술 / 생활 기술

☑ 지문 분석 노트

①

②

③

④

⑤

■주제 :

이어폰으로 스테레오 음악을 ㉠들으면 두 귀에 약간 차이가 나는 소리가 들어와서 자기 앞에 공연장이 펼쳐진 것 같은 공간감을 느낄 수 있다. 이러한 효과는 어떤 원리가 적용되어 나타난 것일까?

사람의 귀는 주파수 분포를 •감지하여 •음원의 종류를 알아내지만, 음원의 위치를 알아낼 수 있는 직접적인 정보는 감지하지 못한다. 하지만 사람의 청각 체계는 두 귀 사이 그리고 각 귀와 머리 측면 사이의 상호 작용에 의한 단서들을 이용하여 음원의 위치를 알아낼 수 있다. 음원의 위치는 소리가 오는 수평 · 수직 방향과 음원까지의 거리를 이용하여 •지각하는데, 그 정확도는 음원의 위치와 종류에 따라 다르며 개인차도 크다. 음원까지의 거리는 목소리 같은 익숙한 소리의 크기와 거리의 상관관계를 이용하여 추정한다.

음원이 청자의 정면 정중앙에 있다면 음원에서 두 귀까지의 거리가 같으므로 소리가 두 귀에 도착하는 시간 차이는 없다. 반면 음원이 청자의 오른쪽으로 ㉡치우치면 소리는 오른쪽 귀에 먼저 도착하므로, 두 귀 사이에 도착하는 시간 차이가 생긴다. 이때 치우친 정도가 클수록 시간 차이도 커진다. 도착 순서와 시간 차이는 음원의 수평 방향을 ㉢알아내는 중요한 단서가 된다.

음원이 청자의 오른쪽 귀 높이에 있다면 머리 때문에 왼쪽 귀에는 소리가 작게 들린다. 이러한 현상을 '소리 그늘'이라고 하는데, 주로 고주파 대역에서 ㉣일어난다. 고주파의 경우 소리가 진행하다가 머리에 막혀 왼쪽 귀에 잘 도달하지 않는 데 비해, 저주파의 경우 머리를 넘어 왼쪽 귀까지 잘 도달하기 때문이다. 소리 그늘 효과는 주파수가 1,000Hz 이상인 고음에서는 잘 나타나지만, 그 이하의 저음에서는 거의 나타나지 않는다. 이 현상은 고주파 음원의 수평 방향을 알아내는 데 특히 중요한 단서가 된다.

한편, 소리는 귓구멍에 도달하기 전에 머리 측면과 귓바퀴의 굴곡의 상호 작용에 의해 여러 방향으로 반사되고, 반사된 소리들은 서로 간섭을 일으킨다. 같은 소리라도 소리가 귀에 도달하는 방향에 따라 상호 작용의 효과가 달라지는데, 수평 방향뿐만 아니라 수직 방향의 차이도 영향을 준다. 이러한 상호 작용에 의해 주파수 분포의 변형이 생기는데, 이는 간섭에 의해 어떤 주파수의 소리는 ㉤작아지고 어떤 주파수의 소리는 커지기 때문이다. 이 또한 음원의 방향을 알아낼 수 있는 중요한 단서가 된다.

Words

• **감지(感知)** : 느끼어 앎. • **음원(音源)** : 소리가 나오는 근원 • **지각(知覺)** : 감각 기관을 통하여 대상을 인식함. 또는 그런 작용. 그 작용의 결과로 지각체가 형성된다.

1 윗글의 내용과 일치하지 <u>않는</u> 것은?

① 사람의 귀는 소리의 주파수 분포를 감지하는 감각 기관이다.

② 청각 체계는 여러 단서를 이용해서 음원의 위치를 지각한다.

③ 위치 감지의 정확도는 소리가 오는 방향에 관계없이 일정하다.

④ 소리 그늘 현상은 머리가 장애물로 작용하기 때문에 일어난다.

⑤ 반사된 소리의 간섭은 소리의 주파수 분포에 변화를 일으킨다.

2 사람의 청각 체계에 대한 설명으로 옳은 것은?

① 두 귀에 소리가 도달하는 순서와 시간 차이를 감지했다면 생소한 소리라도 음원까지의 거리를 알아낼 수 있다.

② 이어폰을 통해 두 귀에 크기와 주파수 분포가 같은 소리를 동시에 들려주면 수평 방향의 공간감이 느껴진다.

③ 소리가 울리는 실내라면 소리가 귀까지 도달하는 시간이 다양해져서 음원의 방향을 더 잘 찾아낼 수 있다.

④ 귓바퀴의 굴곡을 없애도록 만드는 보형물을 두 귀에 붙이면 음원의 수평 방향을 지각할 수 없다.

⑤ 소리의 주파수에 따라 음원의 수평 방향 지각에서 소리 그늘을 활용하는 정도가 달라진다.

3 〈보기〉에서 ⓐ~ⓔ의 합성에 적용된 원리를 분석한 내용으로 옳지 <u>않은</u> 것은?

┤ 보기 ├

　　은영이는 이어폰을 이용한 소리 방향 지각 실험에 참여하였다. 이 실험에서는 컴퓨터가 각각 하나의 원리만을 이용해서 합성한 소리를 들려준다. 은영이는 ⓐ멀어져 가는 자동차 소리, ⓑ머리 위에서 나는 종소리, ⓒ발 바로 아래에서 나는 마루 삐걱 거리는 소리, ⓓ오른쪽에서 나는 저음의 북소리, ⓔ왼쪽에서 나는 고음의 유리잔 깨지는 소리로 들리도록 합성한 소리를 차례로 들었다.

① ⓐ는 소리의 크기가 시간에 따라 점점 작아지도록 했겠군.
② ⓑ는 귓바퀴와 머리 측면의 상호 작용이 일어난 소리가 두 귀에 들리도록 했겠군.
③ ⓒ는 같은 소리가 두 귀에서 시간 차이를 두고 들리도록 했겠군.
④ ⓓ는 특정 주파수 분포를 가진 소리가 오른쪽 귀에 먼저 들리도록 했겠군.
⑤ ⓔ는 오른쪽 귀에 소리 그늘 효과가 생긴 소리가 들리도록 했겠군.

4 ㉠~㉤을 바꾸어 쓴 말로 적절하지 <u>않은</u> 것은?

① ㉠ : 청취(聽取)하면
② ㉡ : 치중(置重)하면
③ ㉢ : 파악(把握)하는
④ ㉣ : 발생(發生)한다
⑤ ㉤ : 감소(減少)하고

[평가원 기출]

디지털 ㉮피아노는 ㉯건반의 움직임에 따라 내장 컴퓨터가 해당 건반의 소리를 재생하는 ㉰악기이다. 각 건반의 소리는 디지털 데이터 형태로 녹음되어 내장 컴퓨터의 저장 장치에 저장되어 있다.

건반의 움직임은 일반적으로 각 건반마다 설치된 3개의 센서가 감지한다. 각 센서는 정해진 순서대로 작동하는데, 가장 먼저 작동하는 센서는 건반의 눌림 동작을 감지하고, 나머지 둘은 건반을 누르는 세기를 감지한다. 첫 센서에 의해 건반의 움직임이 감지되면 내장 컴퓨터의 중앙 처리 장치(CPU)가 해당 건반에 대응하는 소리 데이터를 저장 장치로부터 읽어 온다.

건반을 누르는 세기에 따라 음의 크기가 달라지도록 해 주어야 하는데, 이를 위해서는 나머지 두 센서를 이용한다. 강하게 누르면 건반이 움직이는 속도가 빨라져 두 번째와 세 번째 센서가 작동하는 시간 간격이 줄어든다. CPU는 두 센서가 작동하는 시간의 차이가 줄어드는 만큼 음의 크기가 커지도록 소리 데이터를 처리한다. 이렇게 처리가 끝난 소리 데이터는 디지털-아날로그 신호 변환 장치(DAC)를 거쳐 아날로그 신호로 바뀌고 앰프와 스피커를 통해 피아노 소리로 재현된다.

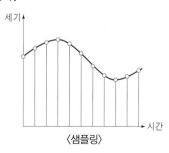

〈샘플링〉

그렇다면 저장 장치에 저장되어 있는 각 건반의 소리는 어떤 과정을 거쳐 디지털 데이터로 바뀐 것일까? ㉠각 건반의 소리는 샘플링과 양자화 과정을 거쳐 디지털 데이터의 형태로 녹음된다. 샘플링은 시간에 따라 지속적으로 변하는 소리 •파동의 모양에 대한 정보를 얻기 위해 파동을 일정한 시간 간격으로 나누고, 매 구간마다 파동의 크기를 측정하여 수치화한 샘플을 얻는 것이다. 이때의 시간 간격을 샘플링 주기라고 하는데, 이 주기를 짧게 설정할수록 음질이 좋아진다. 하지만 각 주기마다 데이터가 하나씩 생성되기 때문에 샘플링 주기가 짧아지면 단위 시간당 생성되는 데이터도 많아진다.

양자화는 샘플링을 통해 얻어진 측정값을 양자화 표를 이용해 디지털 부호로 바꾸는 것이다. 양자화 표는 일반 피아노가 낼 수 있는 소리의 최대 변화 폭을 일정한 수의 구간으로 나눈 다음, 각 구간에 이진수로 표현되는 부호를 일대일로 대응시켜 할당한 표이다. 양자화 구간의 개수는 부호에 사용되는 이진수의 자릿수에 의해 결정된다. 가령, 하나의 부호를 3자리의 이진수로 나타낸다면 양자화 구간의 개수는 000~111까지의 부호가 할당된 8개가 된다. 즉 가장 작은 소리부터 가장 큰 소리까지 8단계로 구분하여 나타낼 수 있다. 만일 자릿수가 늘어나면 양자화 구간의 간격이 좁아져 소리를 세밀하게 표현할 수 있지만 전체 데이터의 양은 커진다. 이렇게 건반의 소리는 샘플링과

☑ 지문 분석 노트

①

②

③

④

⑤

■주제: _____ 양자화 과정을 통해 변환된 부호의 형태로 저장 장치에 저장된다.
_____

Words _____

• 파동(波動) : 공간의 한 점에 생긴 물리적인 상태의 변화가 차츰 둘레에 퍼져 가는 현상

1 윗글의 내용과 일치하지 <u>않는</u> 것은?

① 소리는 디지털 데이터로 미리 녹음되어 저장된다.
② 각 건반에는 같은 수의 센서가 설치되어 있다.
③ 건반의 눌림 동작과 세기는 동시에 감지된다.
④ 소리 파동 모양의 정보는 샘플링을 통해 얻는다.
⑤ 양자화 구간마다 할당된 부호는 서로 다르다.

2 〈보기〉는 디지털 피아노의 작동 원리를 도식화한 것이다. ⓐ~ⓔ에 해당하는 것으로 옳지 <u>않은</u> 것은?

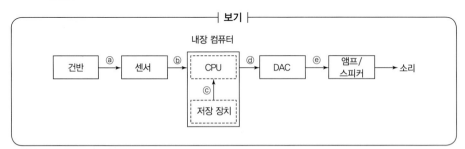

① ⓐ : 건반의 눌림과 움직이는 속도
② ⓑ : 샘플링된 소리의 측정값
③ ⓒ : 해당 건반의 소리 데이터
④ ⓓ : 처리된 소리 데이터
⑤ ⓔ : 변환된 아날로그 신호

3 ㉠에 대한 설명으로 옳지 <u>않은</u> 것은?

① 소리 파동의 모양은 생성되는 데이터의 개수를 결정한다.
② 부호의 자릿수는 소리 표현의 세밀한 정도를 결정한다.
③ 부호의 자릿수는 양자화 구간의 개수를 결정한다.
④ 샘플의 측정값은 양자화를 통해 부호로 바뀐다.
⑤ 샘플링 주기는 재생되는 음질에 영향을 준다.

4 ㉮와 ㉯의 의미 관계를 A, ㉮와 ㉰의 의미 관계를 B라고 할 때, A와 B의 예로 옳은 것은?

	A	B
①	동물 : 개	나라 : 국민
②	비행기 : 날개	복숭아 : 과일
③	버스 : 택시	구두 : 신발
④	고양이 : 꼬리	사람 : 인간
⑤	아들 : 딸	옷장 : 가구

[평가원 기출]

☑ 지문 분석 노트

① ____

② ____

③ ____

④ ____

　　1883년 백열전구를 개발하고 있던 에디슨은 우연히 진공에서 전류가 흐르는 현상을 발견했다. 이것은 플레밍이 2극 진공관을 발명하는 ㉠토대가 되었다. 2극 진공관은 진공 상태의 유리관과 그 속에 들어 있는 필라멘트와 금속판으로 이루어져 있다. 진공관 내부의 필라멘트는 고온으로 가열되면 표면에서 전자(−)가 방출된다. 이때 금속판에 (+)전압을 걸어 주면 전류가 흐르고, 반대로 금속판에 (−)전압을 걸어 주면 전류가 흐르지 않게 된다. 이렇게 전류를 한 방향으로만 흐르게 하는 작용을 정류라 한다. 이후 개발된 3극 진공관은 2극 진공관의 필라멘트와 금속판 사이에 '그리드'라는 전극을 추가한 것으로, 그리드의 전압을 약간만 변화시켜도 필라멘트와 금속판 사이의 전류를 큰 폭으로 변화시킬 수 있었다. 이것이 3극 진공관의 증폭 기능이다.

　　진공관의 개발은 라디오, 텔레비전, 컴퓨터의 출현 및 발전에 지대한 역할을 하였으나 진공관 자체는 문제가 많았다. 진공관은 부피가 컸으며, 유리관은 깨지기 쉬웠고, 필라멘트는 •예열이 필요하고 끊어지기도 쉬웠다. 그러다가 1940년대에 이르러 게르마늄(Ge)과 규소(Si)에 불순물을 첨가하면 전류가 잘 흐르게 된다는 사실을 과학자들이 발견하게 되면서 문제 해결의 계기가 마련되었다. 순수한 규소는 원자의 결합에 관여하는 전자인 최외각 전자가 4개이며 최외각 전자들은 원자에 속박되어 있어 전류가 흐르기 힘들다. 그러나 그림 (가)와 같이 최외각 전자가 5개인 비소(As)를 규소에 소량 첨가하면 결합에 참여하지 않는 1개의 잉여 전자가 전류를 더 잘 흐르게 해 준다. 이를 n형 반도체라고 한다.

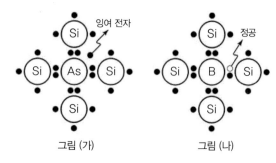

그림 (가)　　　　그림 (나)

　　한편 그림 (나)와 같이 규소에 최외각 전자가 3개인 붕소(B)를 소량 첨가하면 빈자리인 정공(+)이 생기게 된다. 이 정공은 자유롭게 움직일 수 있어 전류를 더 잘 흐르게 해 준다. 이를 p형 반도체라고 한다.

　　p형과 n형 반도체를 각각 하나씩 접합하여 pn 접합 소자*를 만들면 이 소자는 정류 기능을 할 수 있다. 즉 p형에 (+)전압을, n형에 (−)전압을 걸어 주면 전류가 흐르는 반면, 이와 반대로 전압을 걸어 주면 전류가 거의 흐르지 않는다. 한편 n형이나 p형을 3개 접합하면 트랜지스터라 불리는 pnp 혹은 npn 접합 소자를 만들 수 있다. 이때 가운데 위치한 반도체가 진공관의 그리드와 같은 역할을 하여 트랜지스터는 증폭 기능을 한다. 이렇듯 반도체 소자는 진공을 만들거나 필라멘트를 가열하지 않고도 진공관의 기능을 대체했을 뿐 아니라 소형화도 이룰 수 있었다. 이로써 전자 공학 기술의 •비약

적 발전이 가능해졌다.

＊ 소자 : 독립된 고유의 기능을 가진 낱낱의 부품

Words

• **예열(豫熱)** : 미리 가열하거나 덥히는 일 • **비약적(飛躍的)** : 지위나 수준 따위가 갑자기 빠른 속도로 높아지거나 향상되는, 또는 그런 것

1 윗글의 내용과 일치하지 않는 것은?

① pnp 접합 소자는 그리드를 사용한다.

② 진공관은 컴퓨터의 출현에 기여하였다.

③ 2극 진공관은 3극 진공관보다 먼저 출현하였다.

④ pn 접합 소자는 2극 진공관과 같이 정류 기능을 한다.

⑤ 진공관 내의 필라멘트를 고온으로 가열하면 전자가 방출된다.

2 그림 (가)와 (나)에 대한 설명으로 적절한 것은?

① (가)에서 잉여 전자는 원자 간 결합에 참여한다.

② 순수한 규소는 (나)에 비해 전류가 더 잘 흐른다.

③ 순수한 규소를 (가)로 변형시킨 것이 p형 반도체이다.

④ (가), (나), (가)를 차례로 접합하여 증폭 기능을 하는 소자를 만들 수 있다.

⑤ (가)와 (나)를 접합한 후 (가)에 (−)전압을, (나)에 (+)전압을 걸어 주면 전류가 흐르지 않는다.

3 윗글과 〈보기〉를 읽고 '반도체 소자를 적용한 보청기'에 대해 보인 반응으로 적절하지 <u>않은</u> 것은?

┤ 보기 ├

- 보청기는 음향을 전기적 신호로 바꾸어 주는 마이크로폰, 전기 신호를 크게 만드는 증폭기, 증폭된 전기 신호를 음향으로 환원하는 수화기로 구성되어 있다.
- 진공관을 사용한 보청기는 1920년대에 개발되었고, 반도체 소자를 적용한 보청기는 1950년대에 개발되었다.

① 예열이 필요 없게 되었겠군.
② 진공관 보청기에 비해 부피가 줄어들었겠군.
③ 트랜지스터가 증폭 기능을 위해 사용되었겠군.
④ 내구성을 위해 보청기 내부를 진공으로 만들었겠군.
⑤ 순수한 규소나 게르마늄만 가지고는 만들 수 없었겠군.

4 ㉠과 바꿔 쓰기에 적절하지 <u>않은</u> 것은?

① 기준이 되었다　　　　② 기초가 되었다
③ 기틀이 되었다　　　　④ 바탕이 되었다
⑤ 발판이 되었다

기술 / 기계 **04** 실전 TEST

[대학수학능력시험 기출]

어떤 장비의 '신뢰도'란 ㉠주어진 운용 조건하에서 의도하는 사용 기간 중에 의도한 목적에 맞게 작동할 확률을 말한다. 복잡한 장비의 신뢰도는 한 번에 분석하기가 힘든 경우가 많으므로, 장비를 분해하여 몇 개의 하부 시스템으로 나누어서 생각하는 것이 합리적인 접근 방법이다. 직렬과 병렬 구조는 하부 시스템에 자주 나타나는 구조로서, 그 결과를 통합한다면 복잡한 장비의 신뢰도를 구할 수 있다.

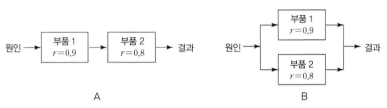

A   B

A와 같은 직렬 구조는 원인에서 결과에 이르는 경로가 하나인 가장 간단한 신뢰도 구조이다. 직렬 구조에서 시스템이 정상 가동하기 위해서는 모든 부품이 다 정상 작동해야 한다. 어떤 하나의 부품이 고장 나면 형성된 경로가 차단되므로 시스템이 고장 나게 된다. 만약 어떤 부품의 고장이 다른 부품의 수명에 영향을 주지 않는다면 A의 신뢰도는 부품 1의 신뢰도($r=0.9$)와 부품 2의 신뢰도($r=0.8$)를 곱한 0.72로 계산되며, 이것은 100번 ⓐ가운데 72번은 고장 없이 작동한다는 것을 의미한다. 고장 없이 영원히 작동하는 부품은 없기 때문에 직렬 구조의 신뢰도는 항상 가장 약한 부품의 신뢰도보다도 낮을 수밖에 없다.

한편, B와 같은 병렬 구조는 원인에서 결과에 이르는 여러 개의 경로가 있고, 그중에 몇 개가 차단되어도 나머지 경로를 통해 결과에 이를 수 있는 구조이다. 병렬 구조에서는 부품이 모두 고장이어야 시스템이 고장이므로 시스템이 작동한다는 의미의 값인 1에서 두 개의 부품이 모두 고장 날 확률($0.1^* \times 0.2 = 0.02$)을 빼서 얻은 0.98이 B의 신뢰도가 된다. 한 부품의 고장이 다른 부품의 신뢰도에 영향을 준다면 이 값 역시 달라진다.

이러한 신뢰도 구조는 물리적 구조와 구분된다. 자동차의 네 바퀴는 물리적 구조상 병렬로 설치되어 있지만, 그중 하나라도 고장 나면 자동차가 정상적으로 운행될 수 없으므로 신뢰도 구조상으로 직렬 구조인 것이다.

[가] ┌ 종종 장비의 신뢰도를 높이기 위해 중복 설계(重複設計)를 활용하기도 한다. 가령, 순간적인 ●과전류로부터 섬세한 전자 기구를 보호하는 회로 차단기를 설치할 때에 그 안전도를 높이기 위해 2개를 물리적 구조상 직렬로 연결해야 하는데, 이때 차단기 2개 중 1개라도 정상 작동하면 전자 기구를 보호할 수 있다. 이것은 물리적으로 직렬 구조이지만 신뢰도 구조상으로 병렬 구조인 것이다. └

　　신뢰도 문제에서 직렬이나 병렬의 구조로 분석할 수 없는 'n 중 k' 구조도 나타난다. 이 구조에서는 모두 n개의 부품 중에 k만 작동하면 시스템이 정상 가동된다. n겹의 쇠줄로 움직이는 승강기에서 최대 *하중을 견디는 데 k겹이 필요한 경우가 그 예이다. 이 구조에서도 부품 간의 상호 작용에 따라 신뢰도가 달라진다.

　　실제로 대규모 장비에 대한 신뢰도 분석은 대단히 힘들기 때문에 많은 경우 적절한 판단과 근삿값 계산을 필요로 한다. 따라서 주어진 장비의 구조 및 운용 조건을 충분히 이해하는 것이 필수적이다.

　　* 어떤 부품이 고장 날 확률 = 1 − (그 부품의 신뢰도)

Words

• **과전류(過電流)** : 회로가 합선될 때 비정상적으로 생기는 큰 전류 • **하중(荷重)** : 어떤 물체 따위의 무게

---

1 '신뢰도 구조'에 대해 추론한 내용으로 적절한 것은?

① 직렬 구조에서는 부품 수가 많아질수록 신뢰도가 높아진다.
② 부품 간의 상호 작용 유무에 관계없이 신뢰도는 동일하다.
③ $k=n$일 때, 'n 중 k' 구조의 신뢰도는 직렬 구조의 경우와 같아진다.
④ 2개의 부품이 만드는 경로의 수는 병렬 구조보다 직렬 구조에서 더 많다.
⑤ 신뢰도 0.98은 100번 작동에 98번 꼴로 고장 날 수 있음을 의미한다.

2 〈보기〉가 ㉠을 고려하여 작성한 카메라 사용 시 주의 사항이라 할 때, 신뢰도에 영향을 주는 요소로 볼 수 <u>없는</u> 것은?

┤ 보기 ├

　　본 카메라를 무상으로 ⒜보증하는 기간은 구입일로부터 1년입니다. 본 카메라는 ⒝0℃~40℃의 온도 범위에서 사용하도록 설계되었습니다. 카메라 렌즈가 ⒞직사광선에 정면 노출되지 않도록 하십시오. ⒟강한 전파 에너지가 발생하는 곳에서는 카메라를 사용하지 않도록 하십시오. 카메라의 오작동으로 인하여 ⒠손실된 녹화 내용에 대해서는 보상하지 않습니다.

① Ⓐ　　　　② Ⓑ　　　　③ Ⓒ　　　　④ Ⓓ　　　　⑤ Ⓔ

3 원인과 결과가 하나뿐인 직렬 또는 병렬 구조를 적용한 사례 중, 신뢰도 구조가 다른 하나는?

① 도로에 줄지어 선 가로등에서 1개가 고장 났지만 나머지 가로등은 그대로 켜져 있었다.

② 2개의 퓨즈가 모두 끊어져 작동을 멈춘 청소기에 새 퓨즈 1개를 교체해 넣으니 다시 작동하였다.

③ 교실 천장에 있는 4개의 형광등에서 깜빡거리는 형광등 1개를 빼내도 3개의 형광등은 켜져 있었다.

④ 4개의 건전지가 필요한 탁상시계에 3개의 건전지를 넣어도 작동하지 않다가 4번째 건전지를 끼우니 작동하였다.

⑤ 이중 제동 장치가 장착된 승용차에서 제동 장치 하나가 고장났지만 다른 제동 장치가 작동해 차량이 정지하였다.

4 [가]에 근거할 때, 〈보기〉의 배수펌프 시스템의 신뢰도를 높이기 위한 물리적인 구조는?

┤ 보기 ├

하천 인근의 배수펌프 관에는 두 개의 역류 방지용 밸브가 연결되어 있다. 펌프에서 배출된 물이 금방 빠지지 않을 경우 펌프 쪽으로 물이 역류할 우려가 있다. 두 개의 밸브는 '중복 설계'된 것이므로 한 개만 작동해도 역류를 막을 수 있다.

* 단, 역류에 대한 고장만을 생각하고 밸브가 닫힌 채 고장 나는 경우는 생각하지 않음.
(→ : 물이 흘러 나가는 방향)

5 문맥상 ⓐ의 의미와 가장 가까운 것은?

① 장미는 많은 꽃들 가운데 내가 제일 좋아하는 꽃이다.

② 어떤 아이가 두 사람 가운데로 불쑥 끼어들었다.

③ 민희는 어려운 가운데서도 남을 돕고 산다.

④ 진수는 반에서 키가 가운데는 된다.

⑤ 호수 가운데 조각배가 떠 있다.

공기 청정기의 원리

공기 중에는 건강에 해로운 세균이나 바이러스, 곰팡이, 미세먼지, 유해 기체, 악취를 풍기는 냄새 성분과 같은 여러 가지 오염 물질이 있을 수 있다. 공기 청정기는 이러한 오염 물질을 제거하기 위해 사용되는데, 공기 중의 오염 물질을 제거하는 방식은 크게 필터를 통해 공기를 여과·흡착하여 걸러내는 방식과 전기적으로 오염 물질을 제거하는 방식으로 나눌 수 있다.

여과란 입자의 크기 차이를 이용하여 액체나 기체로부터 고체 입자를 물리적으로 분리하는 과정이고, 흡착은 고체의 표면에 기체나 용액의 입자들이 달라붙는 과정이다. 공기 청정기는 필터의 종류에 따라 제거할 수 있는 입자의 크기는 달라지며 미세한 입자를 여과할수록 필터의 능력이 뛰어나다고 할 수 있다.

공기 중의 고체 입자의 분포는 0.001μm~500μm(1μm=10^{-6}m)로 눈에 보이는 것부터 보이지 않는 것까지 다양하다. 필터 방식으로 먼지를 제거할 때에는 보통 섬유 필터를 사용하게 되며, 요즘 많이 사용되는 필터는 헤파(HEPA, High Efficiency Particulate Air) 필터이다. 0.3μm의 입자를 1회 통과시켰을 때 99.97% 이상을 제거한다고 알려져 있으며, 미국에서 방사성 먼지를 제거하기 위해 개발되었다. 헤파 필터는 진드기, 바이러스, 곰팡이 등을 제거할 수 있어 공기 청정기뿐만 아니라, 에어컨, 청소기 등에도 사용된다.

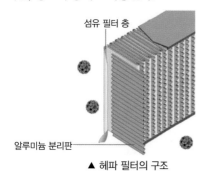

섬유 필터 층

알루미늄 분리판

▲ 헤파 필터의 구조

헤파 필터는 불규칙하게 배열된 섬유들의 집합으로, 공기 중의 입자들이 섬유에 의해 차단되면서 정전기 때문에 섬유에 갇히게 되는 원리를 이용한 것이다. 공기 청정기에서 헤파 필터를 사용할 경우에는 세척이 가능한 프리 필터를 먼저 통과시켜 크기가 더 큰 입자를 제거한다. 이는 헤파 필터를 자주 갈아야 하는 불편을 줄이기 위해서이다.

헤파 필터로 거를 수 없는 더 작은 입자는 울파 필터(ULPA, Ultra-Low Penetration Air)라는 초고성능 필터를 사용해 제거한다. 울파 필터는 0.12μm 이상의 입자를 99.999%까지 제거할 수 있어 주로 반도체 연구실이나 생명공학 실험실의 클린룸에서 사용한다. 헵파 필터나 울파 필터 같이 필터를 사용하는 방식의 공기 청정기를 이용할 때에는 필터가 더러워져 공기가 다시 오염되는 것을 막기 위해서 필터를 자주 세척하거나, 필터의 교환 주기를 철저히 지켜야 한다.

전기적으로 오염 물질을 제거하는 공기 청정기는 방전*에 의한 이온화 방식을 이용한다. 수천 볼트의 고전압이 흘러 들어가면 전극 자체에서 전자가 생성되거나 전극 주위의 기체에서 전자가 만들어지는데, 이때 전극 주위에 플라즈마가 형성된다. 플라즈마란 기체 상태의 원자나 분자에서 전자가 분리되어 전자와 이온을 포함하고 있는 상태로, 전기를 잘 전도하는 특징이 있다. 이렇게 만들어진 전자가 공기 중의 입자에 부착되면 입자들이 −전하를 띠게 되고, 전하를 띤 먼지 입자는 정전기적 인력에 의해 반대 전하가 걸려 있는 집진판으로 이동하여 들러붙어 제거된다.

이온화 방식은 공기 정화 과정에서 오존이나 질소산화물 같은 산화물이 어느 정도 발생한다. 산화물 중 일부는 공기 중 유해 물질의 분해를 촉진하는 살균 효과가 있어 긍정적이지만, 오존 발생에 주의를 기울여야 한다. 실내의 오존 농도가 높으면 기침, 두통, 천식, 알레르기 질환 등의 원인이 되기 때문이다. 이 때문에 환경부는 다중 이용 시설에 대해 실내의 오존 농도를 0.06ppm 이하로 관리하고 있다.

먼지 외의 각종 냄새의 원인을 제거할 때는 활성탄 필터를 사용하기도 한다. 활성탄은 극히 미세한 수백만의 기공이 있는 다공성 물질로 1g의 활성탄이 500m² 이상의 표면적을 가지고 있어 기체나 액체 등을 효과적으로 흡착한다. 또한 살균력이 있는 자외선을 공기에 쬐여 미생물을 제거하는 방식이나 산화티탄을 이용해 유해 물질을 분해하거나 미생물을 죽이는 광촉매 방식도 공기 청정에 이용되고 있다.

공기 오염이 날로 심각해지고 있는 상황 속에서 건강에 대한 관심도 날로 증가하고 있어 이를 겨냥한 공기 청정기들이 속속 등장하고 있다. 성능이 뛰어난 공기 청정기를 사용하는 것도 좋겠지만, 우리가 할 수 있는 가장 손쉬운 공기 정화 방식인 실내를 자주 환기시키는 일을 잊지 말아야 한다.

* 방전(放電) : 공기와 같은 절연체가 강한 전기장 하에서 절연성을 잃고 전류가 흐르는 현상

– 이화정, 「깨끗한 실내 공기를 위하여–공기 청정기의 원리」

슈퍼컴퓨터 – 인공 뇌

사람의 뇌를 재현할 수 있을까? 뇌를 연구하는 사람들은 우리 뇌의 모든 부분을 슈퍼컴퓨터로 모델링해 인공 뇌를 만들고자 한다. 이를 통해 인공 지능의 새로운 문이 열리기를 기대하는 것이다.

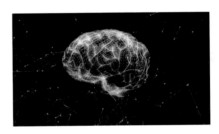

사람의 뇌는 복잡한 네트워크와 같다. 약 1,000억 개의 신경 세포들이 서로 전기 신호를 주고받으며 정보를 처리한다. 정보를 어떻게 처리하는지 이해하려면 개별 신경 세포의 전기적 성질을 슈퍼컴퓨터로 시뮬레이션해야 한다. 그러나 우리의 뇌 전체를 한 번에 시뮬레이션하기는 어렵기 때문에 구획 단위로 나누어서 실행한다. 수백에서 수천 개의 신경 세포로 묶인 구획 단위로 진행되는 시뮬레이션을 '구획 모형 방법'이라고 한다.

이 방법으로 유명한 연구 성과가 '블루 브레인 프로젝트'이다. 2005년부터 스위스 로잔공대 연구 팀이 스위스 정부의 지원을 받아 진행한 이 프로젝트는 쥐의 뇌에서 가장 작은 기능 단위로 알려진 외피원주의 시뮬레이션 모형을 만드는 데 성공했다. 외피원주는 약 1만 개의 신경 세포가 3,000만 개의 시냅스를 이루는데, 이 방대한 양을 계산하기 위해서는 슈퍼컴퓨터가 필요했다. 그래서 8,192 개의 CPU로 이루어진 IBM '블루진 라이트' 슈퍼컴퓨터를 사용해 성공적으로 시뮬레이션 모형을 만들어 냈다.

이와 같은 성과를 바탕으로 2013년 초 EU는 '휴먼 브레인 프로젝트'를 승인했다. 이 프로젝트의 목표는 슈퍼컴퓨터를 이용해서 2023년까지 사람 뇌 전체를 시뮬레이션 하는 것이다. 앞선 블루 브레인 프로젝트처럼 시냅스의 연결 구조, 신호 전달 체계 등까지 정교하게 모사하기 위해 스위스 로잔공대, IBM 등 80여 기관이 참여하며, 이 프로젝트를 위해 엑사플롭스급 슈퍼컴퓨터를 구축할 예정이다.

휴먼 브레인 프로젝트의 주요 임무는 4가지이다. 뇌의 구조 및 기능에 관한 데이터 확보, 슈퍼컴퓨터와 소프트웨어로 구성된 IT 플랫폼 구축, 대표적인 뇌 질환에 대한 치료법 제시, 뇌에 대한 이론 체계 수립이다. 그리고 프로젝트를 마치는 시점에서는 사람 뇌와 비슷한 인공 뇌가 완성될 것으로 기대를 모으고 있다.

프로젝트를 이끄는 연구 팀은 2012년 6월 과학 잡지 '사이언티픽 아메리칸(Scientific American)' 기고문에서 "휴먼 브레인 프로젝트는 사람 두개골 안의 뉴런 890억 개와 이들이 만든 100조 개의 연결을 컴퓨터로 시뮬레이션 하는 것"이라며, "뇌의 컴퓨터 시뮬레이션이 완성되면 신경과학, 의학, 컴퓨터 기술에 혁명적 변화가 일어날 것"이라고 밝혔다.

– 김선희, 「뇌 질환 잡고 인공 뇌 만든다」

무인 항공기 - 드론

드론(Drone)은 무선 전파로 조종할 수 있는 무인 항공기이다. 카메라, 센서, 통신 시스템 등이 탑재되어 있으며 25g부터 1,200kg까지 무게와 크기도 다양하다. 드론은 군사용도로 처음 생겨났지만 최근에는 고공에서 촬영을 하거나 농약을 살포하고 공기 질을 측정하는 등 다방면에 활용되고 있다.

▲ 드론

20세기 초반에 등장한 드론은 군사용 무인 항공기로 개발되었다. 드론(Drone)이란 원래 '벌이 내는 웅웅거리는 소리'를 뜻하는데, 작은 항공기가 소리를 내며 날아다니는 모습을 보고 이러한 이름이 붙여졌다. 초창기 드론은 공군의 미사일 폭격 연습 대상이었으며, 점차 정찰기와 공격기로 용도가 확장되었다. 조종사가 탑승하지 않고 적을 파악하여 폭격까지 가할 수 있다는 장점 때문에 미국은 2000년대 중반부터 드론을 군사용 무기로 활용하였다.

구글, 페이스북, 아마존 같은 전세계에서 내로라하는 기업들은 최근 몇 년 새 드론 기술을 개발하는 데 열을 올리고 있다. 아마존은 2013년 12월 '프라임에어'라는 새로운 배송 시스템을 공개하였다. 이 배송 시스템은 택배 직원이 했던 일을 드론이 대신하는 유통 서비스로, 아마존은 이를 위해 드론을 개발하는 연구원을 대거 고용하기도 하였다.

구글과 페이스북은 드론을 내세워 인터넷 사업을 확장할 심산이다. 구글은 열기구를 이용해 전세계에 무선 인터넷을 공급하는 '프로젝트 룬' 사업을 진행하고 있다. 페이스북도 '인터넷닷오아르지' 프로젝트를 통해 저개발 국가에 인터넷 기술을 보급하고 있다. 1만 1천여 대의 드론을 띄워서 중계기로 활용한다는 것이 페이스북의 생각이다.

글로벌 기업 외에 드론에 큰 관심을 가지는 다른 기업도 많다. 신문·방송업계나 영화 제작사가 대표적인 사례이다. 이들은 드론을 촬영용 기기로 활용하고 있다. 언론사는 '드론 저널리즘'을 표방하며 스포츠 중계부터 재해 현장 촬영, 탐사 보도에까지 드론을 활발히 사용하고 있다. 카메라를 탑재한 드론은 지리적인 한계나 안전상의 이유로 가지 못했던 장소를 생생하게 렌즈에 담을 수 있고, 과거에 활용하던 항공 촬영보다 촬영 비용이 더 저렴하다는 장점이 있기 때문이다. '내셔널지오그래픽'은 2014년 탄자니아에서 사자 생태를 촬영하는 데 드론을 이용했고, 'CNN'도 터키 시위 현장, 필리핀 태풍 취재 등에 드론을 활용하였다. 국내 방송사들도 예능 방송이나 드라마 촬영에 이미 드론을 이용하고 있다. 이러한 이유로 HD급 고화질 동영상과 사진을 촬영할 수 있는 드론이 많이 생산되고 있다.

배달 업계에서도 드론에 대한 관심이 많다. 국제 배송 서비스 회사인 DHL은 '파슬콥터'라는 드론을 만들어 2014년 9월부터 육지에서 12km 떨어진 독일의 한 섬에 의약품과 긴급구호물품을 전달하고 있다. 최근에는 개인을 겨냥한 드론도 나오고 있는데, 스마트폰으로 손쉽게 조종할 수 있는 것이 특징이다.

국내에서는 한국항공우주산업(KAI)과 대한항공이 드론 연구 개발에 적극적이다. 그러나 우리나라에서는 드론을 사용하는 데 여러 가지 제약이 있다. 아직까지 드론을 항공기로 취급하고 있어 기존의 군사용이나 공적인 업무로 사용하던 것을 중심으로 법이 제정되어 있기 때문이다. 따라서 드론을 상업용으로 용도를 확장시켜 사용하려면 관련 규정이나 법 개정이 필요하다.

드론이 장점만 있는 것은 아니다. 많은 나라가 드론의 가장 큰 문제점으로 '안전'을 꼽는다. 테러리스트가 드론에 위험 물질을 넣어 배달할 수도 있고, 갑자기 드론이 고장나서 지상으로 추락할 수도 있다. 해킹을 당하거나 장애물에 부딪힐 위험도 상존한다. 또 촬영용 드론이 많아질수록 사생활 침해 위협도 늘어난다.

현재 방송사 등에서 상업용으로 사용하는 드론은 미리 관련 부처에 신고를 하고 이용하게 되어 있으며, 독일의 DHL은 드론을 이용하기 위해 비행 구간도 따로 만들고 속도도 시간당 40마일로 제한해서 운행한다고 한다.

하지만 이러한 한계에도 불구하고 드론 시장은 꾸준히 성장하고 있다. 드론의 고공 비행은 당분간 의심할 여지가 없어 보인다.

— 이지현, 「군사용에서 키덜트 제품까지 – 드론」

3D 프린터

인터넷 쇼핑몰에서 주문한 물건을 그 자리에서 만들어 받을 날이 다가오고 있다. 사진이나 악보를 구입해 프린터로 인쇄하듯이, 자전거나 그릇, 신발, 장난감, 의자 같은 상품의 설계도를 내려 받아 3차원으로 인쇄하는 것이다. 이것을 가능하게 하는 것이 바로 3차원 프린터이다.

지금까지 우리가 알고 있는 프린터란 모니터에 나타난 글자와 그림을 종이에 그리는 기계였다. 그런데 글이나 사진 파일을 열어 '인쇄' 버튼을 누르면 종이에 똑같이 그려내듯이, 3차원 프린터는 특정 소프트웨어로 그린 3차원 설계도를 보고 입체적인 물건을 인쇄한다. 놀랍게도 이 진기한 기계는 이미 서른 살이 훨씬 넘었다. 1980년대 초반, 미국 3D시스템즈사는 플라스틱 액체를 굳혀 물건을 만드는 프린터를 세계 최초로 개발하였다.

3차원 프린터는 어떤 원리로 물건을 인쇄할까? 3차원 프린터는 입체적으로 그려진 물건을 마치 미분하듯이 가로로 1만 개 이상 잘게 잘라 분석한다. 그리고 아주 얇은 막(레이어)을 한 층씩 쌓아 물건의 바닥부터 꼭대기까지 완성한다(쾌속조형방식). 잉크젯 프린터가 빨강, 파랑, 노랑 세 가지 잉크를 조합해 다양한 색상을 만드는 것처럼 3차원 프린터는 설계에 따라 레이어를 넓거나 좁게, 위치를 조절해 쌓아 올린다. 레이어의 두께는 약 0.01~0.08mm로 종이 한 장보다도 얇다. 쾌속조형 방식으로 인쇄한 물건은 우리의 맨눈에는 곡선처럼 보이는 부분도 현미경으로 보면 계단처럼 들쭉날쭉하게 보인다. 그래서 레이어가 얇으면 얇을수록 물건이 더 정교해진다.

3차원 프린터에 들어가는 재료는 주로 가루(파우더)와 액체, 실의 형태이다. 가루와 액체, 그리고 녹인 실을 아주 미세한 한 겹(레이어)으로 굳히게 되는 것이다.

예를 들어 빨주노초파남보 무지개 빛깔의 컵을 만들려면 먼저 보라색 레이어를 여러 겹 쌓아 둥근 바닥을 완성하고 남색부터 빨간색까지 벽을 쌓아 올린다. 이 과정은 재료에 따라 다르게 설명할 수 있다. 먼저 가루가 주 재료인 경우, 나일론이나 석회를 미세하게 빻은 가루를 용기에 가득 채운다. 그 위에 프린터 헤드가 지나가면서 접착제를 뿌리고, 가루가 엉겨 붙어 굳으면 레이어 한 층이 완성된다. 완성된 레이어는 가루 속에 묻히면서 표면이

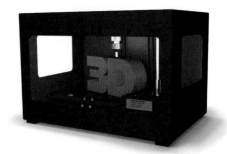

▲ 3D 프린터

가루로 얇게 덮이게 된다. 다시 프린터 헤드는 그 위로 접착제를 뿌려 두 번째 레이어를 만든다. 설계도에 따라 이 동작을 무수히 반복하면 레이어 수만 층이 쌓여 하나의 물건이 완성된다. 인쇄가 끝나면 프린터는 가루에 묻혀 있는 완성품을 꺼내 경화제에 담갔다가 5~10분 정도 말린다.

액체 재료로 인쇄하는 방식도 비슷하다. 3차원 프린터에 들어가는 액체 재료는 빛을 받으면 고체로 굳어지는 광경화성 플라스틱이다. 액체 재료가 담긴 용기 위에 프린터 헤드가 설계도에 따라 자외선으로 원하는 모양을 그리고, 빛을 받으면 액체 표면이 굳어 레이어가 된다. 첫 번째 레이어는 액체 속에 살짝 잠기고 그 위로 다시 프린터 헤드가 지나가면서 두 번째 레이어를 만든다. 액체에 잠기는 과정에서 망가질 수 있기 때문에 레이어마다 지지대를 달아준다. 마지막에는 완성품을 액체에서 꺼내면 된다.

마지막으로 액체 실을 이용한 경우이다. 액체 실을 이용한 경우는 인쇄 방식이 조금 다르다. 3차원 프린터에 들어가는 액체 실은 플라스틱을 길게 뽑아낸 것이다. 실타래처럼 둘둘 말아놓았다가 한 줄을 뽑아 프린터 헤드에 달린 노즐로 내보낸다. 이때 순간적으로 강한 열(700~800℃)을 가해 플라스틱 실을 녹인다. 그럼 프린터 헤드가 실을 녹이면서 그림을 그리면 상온에서 굳어 레이어가 된다.

한 겹씩 쌓아 올리는 대신 커다란 덩어리를 둥근 날로 깎아 물건을 인쇄하는 컴퓨터 수치 제어 조각 방식은 쾌속조형방식에 비해 곡선 부분이 매끄럽다는 장점이 있다. 하지만 컵처럼 안쪽으로 들어간 모양(언더컷)은 날이 안쪽까지 들어갈 수 없기 때문에 만들기 어렵다. 한 덩어리에서 물건 하나가 나와 단색이라는 한계도 있다. 그래서 모양이 복잡하고 알록달록한 물건은 쾌속조형방식으로만 인쇄할 수 있다.

— 이정아, 「생활을 인쇄하라, 3차원 프린터」

별 여행을 실현시킬 미래의 추진 기술

인간이 만든 우주선 중에서 가장 빠른 보이저 호(시속 약 6만km)도 태양계에서 가장 가까운 센타우르스 자리 알파별(거리 4.3광년)까지 가는 데 무려 8만 년이나 걸린다. 이곳에 10년 안에 도달하기 위해서는 광속의 2분의 1 이상의 속도가 필요하다. 하지만 우주선은 광속에 접근함에 따라 질량이 늘어나게 되어 추진력을 증가시켜도 별로 가속되지 않는다. 이처럼 멀고 먼 항성간 우주 비행에 필요한 에너지는 지금까지의 우주 비행에서와 엄청난 차이가 있다. 항성 간 우주 비행에 기존의 화학 로켓을 사용하면 우주 비행이 어려워진다. 따라서 강력한 추진력을 낼 수 있는 우주 추진 시스템이 필요하다.

제2차 세계대전이 두 개의 원자탄으로 막을 내리자, 과학자들은 원자탄의 또다른 가능성에 매료되었다. 1950년대 말 미국 프리스턴 연구소의 프리먼 다이슨(Freeman John Dyson, 1923~)을 포함한 과학자들은 원자탄을 항성 간 우주선의 추진 장치로 사용할 수 있을 것이라고 생각하였다. '오리온 계획'이라고 명명된 이 계획은 초 당 수천 개의 원자탄을 우주선 후미에서 폭발시키고, 이 폭발 에너지로 추진판을 밀어내 우주선을 추진시킨다는 계획이었다. 실제로 다이슨 등은 1959년 화약을 이용한 실험 로켓 '핫 로드'를 수백 미터 비행시키는 데 성공하기도 하였다. 여기에 고무된 이들은 1970년까지 토성을 향하여 실제 우주선을 발사할 계획을 세우기도 하였으나, 대기 중 핵 실험 금지 조약에 묶여 1965년 실험을 중단하고 말았다.

1968년 다이슨은 오리온 계획을 수정하여 수소 폭탄을 이용하는 계획을 다시 발표하였다. 수소 폭탄 우주선은 최대 광속의 3% 속도로 날 수 있고, 센타우르스 알파별까지는 130년 정도면 도착할 수 있을 것이라는 게 그들의 계산이었다.

최근에는 폭발력을 이용하는 방법과 달리 원자로에서 만들어지는 열로 추진제를 가열하여 배출하면서 추진하는 핵 열 로켓도 구상되고 있다. 핵 열 로켓이 다른 화학 로켓보다 더 뛰어난 이유는 이 시스템이 화학 로켓과 같은 온도나 저온에서도 화학 로켓보다 훨씬 큰 배기 속도를 낼 수 있기 때문이다. 현재의 우주 왕복선 엔진과 같이 수소와 산소 연료를 쓰는 로켓 엔진의 온도는 약 2,700°C, 비추력*은 약 450초 정도이다. 이에 비하여 핵 열 로켓은 추진제인 수소를 직접 배출하기 때문에 비추력이 900초 이상이 된다. 로켓의 성능이 두 배로 향상되는 것이다. 실제로 핵 열 로켓을 만들기 위하여 1960년대에 NASA에서는 시험용 엔진이 제작되었다. 1968년과 1969년 네바다 사막에서 이루어진 분사 실험에서 만족할 만한 성과를 얻자, 추력* 약 34t, 비추력 825초의 비행용 엔진을 설계하게 되었다. 그러나 1973년 정치적인 이유로 미국 정부에 의해 중단되었다.

최근 들어 다시 핵 열 추진에 주목하는 것은 핵폭탄을 이용하는 기술만큼 실현 가능성이 높은 미래의 추진 기술이 없기 때문이다. 이미 30년 전에 관련된 실험을 해 보았으며, 그동안 원자로 제작 기술이 더욱 향상되어 왔다. 과학자들은 최초의 핵 열 로켓 엔진의 시험용 원자로에 키위(Kiwi)라고 이름붙였다. 날개가 도태되어 날지 못하는 새의 이름에서 따왔다고 하는데, 21세기 키위는 어쩌면 날개를 달고 드넓은 우주를 날게 될 수도 있을 것이다.

* 비추력(比推力) : 로켓 따위에서 추진제의 성능을 나타내는 수치. 추진제 1kg을 1초 동안 연소시켰을 때 밀쳐 나가는 힘
* 추력(推力) : 물체를 운동 방향으로 밀어붙이는 힘. 프로펠러의 회전 또는 분사 가스의 반동에 의하여 생기는 추진력을 이른다.

– 정홍철, 「별 여행을 실현시킬 미래의 추진 기술」

● **단락 요지** ●

1문단 : 강력한 우주 추진 시스템 연구의 필요성

2문단 : 원자탄을 이용한 '오리온 계획'의 추진과 중단

3문단 : 수소 폭탄을 이용한 '오리온 계획'의 수정

4문단 : 핵 열 로켓 추진 기술의 구상과 중단

5문단 : 다시 주목받는 핵 열 로켓 추진 기술에 거는 기대

원격 근무(teleworking), 생활이 된다

사무실 출근이나 출퇴근 시간에 구애받지 않고 업무를 처리한다? 창업한 자영업자나 기업 소유주가 아니라면 불가능한 것처럼 보이지만, 현재 미국 내에서만 3,900만 명의 직장인이 이렇게 일하고 있다. 바로 '재택근무'를 통해서다. 처음엔 대면 통제 없는 업무 방식에 대한 우려도 있었지만, 재택근무를 하는 이들의 생산성이 오히려 높은 것으로 평가받고 있으며 우수한 인재들이 재택근무를 하는 기업에 몰리고 있다. 이것이 '원격 근무(teleworking)'가 주목받는 이유이다.

원격 근무란 '멀리서(tele) 일한다(work)'는 뜻이다. 지난 1973년 미국 캘리포니아 대학 미래연구센터의 잭 나일즈가 처음 사용한 이후, 미래학자인 앨빈 토플러가 새로운 미래 노동 방식으로 전자주택(electronic cottage)이라는 개념을 소개하면서 본격적으로 세상에 알려지기 시작했다.

우리나라에선 흔히 원격 근무와 재택근무를 동일한 용어로 사용하고 있는데, 사실 원격 근무의 개념은 매우 광범위하다. 원격 근무는 사무실에 출근하지 않고 IT 기술을 이용해 집이나 원격 근무 센터와 같이 사무실에서 멀리 떨어진 곳에서 업무를 수행하는 근무 방식 전체를 가리킨다. 일반적으로 근무 장소를 기준으로 재택근무, 원격 근무 센터 근무, 이동 원격 근무 등으로 구분된다.

미국, 일본, 유럽 등 선진국들은 점차 원격 근무를 확대하고 있으며, 썬마이크로시스템즈를 비롯한 유명 기업들의 대규모 원격 근무 도입 사례도 발표되고 있다. 우리나라에서도 1980년 후반 재택근무 등의 원격 근무가 도입된 이래로 그 범위가 점차 확대되고 있다.

이처럼 원격 근무가 확산되는 이유는 원격 근무가 기업 운영에 실제로 도움이 되기 때문이다. 일반적으로 결근으로 인한 생산성 저하는 1인당 1년에 2,000달러 정도로 알려져 있다. 재택근무는 이러한 생산성 저하를 막는 것은 물론 교통 정체로 소모되는 시간을 줄여 기업의 생산성을 높일 수 있다. 또 전염병 등의 확산과 같은 예기치 않은 상황에서도 재택근무는 기업 활동을 지속할 수 있는 대안이기도 하다.

게다가 직접적인 비용 절감 효과도 있다. 재택근무자 만큼 사무실 공간을 확보할 필요가 없기 때문에 임대료와 관리비를 아낄 수 있다. 썬마이크로시스템즈의 경우 2007년 한 해에만 6,800만 달러의 관리비를 절감했다고 한다.

이러한 재택근무, 원격 근무를 가능케 하는 것은 IT 기술이다. 인터넷 전화, 휴대 인터넷 등 원격 근무를 지원하는 제품과 기술이 잇달아 선보이고 있고 데스크톱 가상화나 클라우드 컴퓨팅 기술이 보급되면서 굳이 사무실이 아니어도 원격 접속을 통해 업무를 처리할 수 있는 환경이 만들어지고 있다. 또 노동 환경의 변화도 원격 근무에 눈을 돌리는 이유로 지목된다. 저출산·고령화 현상이 심화되면서 여성, 노인, 장애인 등 그동안 상대적으로 사회 활동이 적었던 인구의 경제 활동 참여가 적극적으로 장려되고 있으며, 일부 기업들은 우수 인재 확보 차원에서 '원격 근무'를 전략적으로 활용하기도 한다.

원격 근무는 지리적인 한계를 초월하기 때문에 프로그래머, 시스템 분석가 등 초국가적 글로벌 원격 근무가 가장 먼저 현실화될 것으로 예상된다. 일하는 방식의 변화는 곧 노사 관계에도 직·간접적인 영향을 줄 것이며, 특히 그동안 경제 활동에서 상대적으로 소외되었던 노인, 장애인 등이 IT 기술을 이용해 경제 일선에 더 많이 나설 수 있을 것으로 기대된다.

최근 '일과 생활의 균형(Work-Life Balance)'이라는 개념이 많이 회자되고 있다. 노동자가 직장생활뿐만 아니라, 가정생활과 사회생활을 동시에 잘할 수 있는 여건을 지원하고 행복을 느낄 수 있도록 하자는 것이다. 원격 근무는 이 일과 생활의 균형의 핵심 가운데 하나로 꼽힌다. 원격 근무는 '경제 성장'이 전 사회를 지배하던 1970~80년대를 지나 이제는 직업과 일상생활 간 새로운 역할 관계를 상징하는 대표적인 아이콘이 되었다.

— 박상훈, 「원격 근무(teleworking)」

실전 TEST 05 기술 / 산업 기술

☑ 지문 분석 노트
① _____
_____
_____
_____
② _____
_____
③ _____

최근 전 세계적으로 각종 전자 기기에 전선이 없어도 편리하게 전원을 공급하거나 배터리를 충전할 수 있는 방법인 무선 전력 전송 기술에 대한 연구가 활발히 진행되고 있다. 무선 전력 전송 기술은 전기 에너지를 ●전자기파 형태로 변환하여 전송선 없이 무선으로 에너지를 전달하는 기술이다. 이 기술은 ●자기장을 이용하는 근거리 무선 전력 전송 기술과 안테나를 이용한 원거리 무선 전력 전송 기술로 구분할 수 있다.

근거리 무선 전력 전송 기술은 에너지를 전송하는 방식과 전송 가능 거리에 따라 크게 두 가지로 구분된다. 첫 번째는 전력 송신부 코일에서 자기장을 발생시키면, 그 자기장의 영향으로 수신부 코일에서 전기가 유도되는 전자기 유도 원리를 이용한 방식이다. 〈그림1〉과 같이 1차 코일에 흐르는 전류로부터 발생하는 자기장의 대부분이 2차 코일을 통과하면서 2차 코일에 유도 전류가 흘러 부하*로 에너지를 공급하게 된다. 이러한 ⓐ자기 유도 방식의 특징은 각 코일의 고유 공진 주파수*가 실제 에너지를 전달하는 전송 주파수와 다르다는 점에 있다. 이는 코일의 소형화를 가능하게 하지만 코일의 크기가 줄어듦에 따라 전송 가능한 거리 또한 줄어들기 때문에 보통 사용 가능한 전송 거리는 약 10cm 정도에 불과하다. 송신 코일과 수신 코일의 거리가 10cm 이상 떨어지거나 두 코일의 중심이 정확하게 일치하지 않으면 전력 전송 효율이 급격히 저하된다.

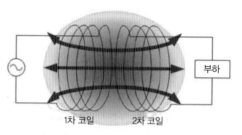

〈그림1〉 자기 유도 방식 무선 전력 전송

두 번째 방식은 〈그림2〉와 같이 코일 사이의 공진 현상*을 이용하여 에너지를 전송하는 ⓑ자기 공진 방식이다. 다양한 ●소리굽쇠 중에 하나를 두드리면 동일 고유 진동수를 가진 소리굽쇠만 함께 진동하는 물리적 현상에서 착안했다. 이 방식은 송신부 코일에서 공진 주파수로 진동하는 자기장을 생성해 동일한 공진 주파수로 설계된 수신부 코일에만 에너지가 집중적으로 전달되도록 한 기술이다. 자기 공진 방식은 1차 코일에 흐르는 전류로부터 발생하는 자기장들이 2차 코일을 통과하여 유도 전류가 발생한다는 점에서 자기 유도 방식과 유사하다. 하지만 1차 코일의 공진 주파수와 2차 코일의 공진 주파수가 모두 동일하게 제작되었다는 점에서 차이가 있다. 자기 유도 방식보다 먼 거리까지 에너지를 전송할 수 있지만 전송 효율을 높게 하기 위해서는 각 코일의 크기가 자기 유도 방식에 비해

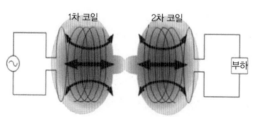

〈그림2〉 자기 공진 방식 무선 전력 전송

크게 제작되어야 한다는 단점이 있다.

[A]
안테나를 이용한 원거리 무선 전력 전송 기술은 주파수가 매우 높은 전자파를 활용하기 때문에 전자파 방식 무선 전력 전송 기술이라고도 불린다. 송전 측에서는 고출력 전자파 발진기를 사용하여 직류 전원을 전자파로 변환시키는데, 이러한 전자파를 전파 에너지 빔으로 모아주는 빔 안테나를 통해 수신 측의 공간으로 전송하게 된다. 수신 측에서는 수신 안테나로 전자파를 받아 다시 직류 전원으로 변환시켜 주는 정류용 반도체 다이오드를 연결해 필요한 전력을 얻게 된다. 수신 측의 안테나는 정류용 다이오드와 결합되었다는 의미에서 렉테나(Rectenna)라고 부른다. 이 방식은 수십km 이상 멀리 떨어진 곳에도 수십kW 이상의 높은 전력을 송신할 수 있다. 그러나 전력 상당 부분이 전송되는 도중 사방으로 사라져 효율이 매우 낮고 전자파가 인체에 해로운 영향을 끼칠 수 있으므로 가정용으로는 취약하다는 단점이 있다. 현재 전자파 방식 원거리 무선 전력 전송 기술을 송전탑 대체 또는 우주 태양광 발전 등에 활용하기 위한 연구가 진행 중이다.

* 부하 : 전자 회로에서 출력을 내기 위한 장치
* 공진 주파수 : 고주파 전류를 발생시키는 전기 회로에서 전기 저항을 0으로 하였을 때의 고유 주파수
* 공진 현상 : 어떤 구조물의 주기성과 신호의 주기성이 일치할 때, 그 주기에 해당하는 주파수의 에너지가 손실되지 않고 보존되거나 전달되는 물리적 현상

Words

• **전자기파** : 전자파. 공간에서 전기장과 자기장이 주기적으로 변화하면서 전달되는 파동 • **자기장** : 자석이나 전류, 변화하는 전기장 등의 주위에 자기력이 작용하는 공간 • **소리굽쇠** : 일정한 진동수의 소리를 내는 기구. 'U'자형 강철 막대의 구부러진 부분에 자루를 달아 상자 위에 붙여서 만듦.

1 윗글에 대한 설명으로 가장 적절한 것은?

① 무선 전력 전송 기술의 단점을 나열하고 새로운 방식의 필요성을 제기하고 있다.
② 무선 전력 전송 기술의 작동 원리를 밝히고 한계를 보완할 방법을 제시하고 있다.
③ 무선 전력 전송 기술이 발전해 온 과정을 소개하고 앞으로의 전망을 밝히고 있다.
④ 무선 전력 전송 기술을 특정 기준으로 구분하여 각각의 작동 원리를 설명하고 있다.
⑤ 무선 전력 전송 기술이 활용될 수 있는 분야를 분석하여 응용 방법을 제안하고 있다.

2 ㉠과 ㉡에 대한 이해로 알맞지 <u>않은</u> 것은?

① ㉠은 송신 코일과 수신 코일의 중심이 일치해야 전송 효율이 높아진다.

② ㉡은 공진 현상을 이용하여 전선 없이 전력을 전송하는 방식이다.

③ ㉠은 ㉡에 비해 전기 에너지를 전송할 수 있는 거리가 짧다.

④ ㉡은 ㉠에 비해 코일을 크게 제작해야 전송 효율을 높일 수 있다.

⑤ ㉠, ㉡은 모두 1차 코일의 공진 주파수와 2차 코일의 공진 주파수가 동일하다.

3 [A]를 참고하여 〈보기〉를 이해한 내용으로 적절하지 <u>않은</u> 것은?

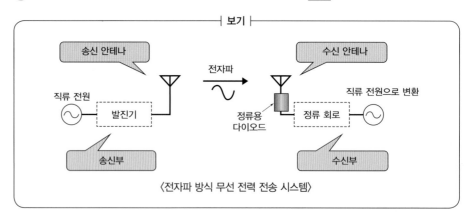

〈전자파 방식 무선 전력 전송 시스템〉

① 발진기에서는 전기 에너지가 전자파로 변환되겠군.

② 송신 안테나는 전자파를 전파 에너지 빔으로 모아 수신 측으로 전송하는 역할을 하겠군.

③ 렉테나는 전자파를 받아 직류 전원으로 변환하는 역할을 하겠군.

④ 정류 회로에서는 반도체 다이오드가 전자파를 전력이 필요한 곳으로 전송하겠군.

⑤ 송신 안테나에서 전송된 전자파는 전송되는 도중 없어질 가능성이 높겠군.

(가) 영화에서 괴수와 싸우는 로봇을 뇌파로 조종하는 모습을 볼 때가 있다. 이런 뇌파 조종을 BCI(Brain Computer Interface)라고 하는데, 최근에 [●]상용화 가능성이 높아지며 크게 주목을 받고 있다. BCI 기술은 사람과 컴퓨터의 의사소통 수단으로 뇌의 활동을 직접적으로 반영하는 사용자 인터페이스*이다. BCI 기술은 사용자의 뇌 활동에 담겨 있는 의도나 상태를 컴퓨터에 전달해서 사용자가 물리적인 움직임 없이도 컴퓨터에 명령할 수 있게 하거나 컴퓨터가 사용자의 상태를 파악하고 그에 맞는 정보를 제공해 주는 것을 가능하게 한다.

(나) BCI 기술이 작동하기 위해서는 뇌파를 인식하는 장치가 필요하다. 인식된 뇌파를 신호화하여 가져와 그 특징을 [●]추출하게 되는데, 이때 뇌 신호 데이터에서 두드러진 특징을 추출하기 위해서 불필요한 데이터를 제거하는 전처리(Preprocessing) 과정이 필요하다. 이후, 뇌 신호를 분류하고 분류된 결과를 명령어로 입력하여 컴퓨터가 기계를 움직일 수 있게 된다. 뇌파는 컴퓨터 연결 장치로서 여러 장점들을 가지고 있다. 우선 뇌파는 우리의 생체에서 직접 발생하는 신호이기 때문에 특정한 동작 없이도 컴퓨터를 작동시킬 수 있다. 그리고 뇌파 정보를 실시간으로 제공 받아 사용할 수 있어 응답 속도의 차이를 줄일 수 있다. 물론 장점만 있는 것은 아니다. 뇌파가 컴퓨터로 전송되는 과정에서 뇌파 정보의 손실이 발생할 수 있고, 이 때문에 정보 분석이 어려울 수 있다.

(다) BCI 기술은 뇌파를 측정하는 부위에 따라 ㉠침습형 방식과 ㉡비침습형 방식으로 나눌 수 있다. 침습형은 뇌에 직접 센서를 심어 신경 세포의 전기 신호를 모으는 방법으로, 뇌수술이 필요해 외과적 부작용이 있을 수 있다. 하지만 정확한 측정이 가능하여 인간의 의지를 정확하게 전달할 수 있다. 비침습형은 수술을 하지 않고 두피에 센서를 붙이거나 헬멧이나 헤드셋 형태의 장비로 뇌파를 측정하는 방식이다. 전기 신호가 약해 인식률이 떨어지고 외부 전파와 같은 요인으로 인해 오류가 발생할 수도 있다. 하지만 사용이 간편해 대학이나 연구 기관의 실험실에서 주로 사용된다.

(라) BCI 기술은 활용 뇌파의 특징에 따라 뇌파 유도형과 뇌파 인식형으로 구분할 수 있다. 뇌파 유도 방식은 특정한 뇌파의 [●]출현을 유도해 응용하는 방법으로, 사용자의 실제 의도와 뇌파의 출현이 일치하지 않기 때문에 특정 뇌파를 만들어내기 위해서는 훈련이 필요하다. 뇌파 인식 방식은 뇌파를 분석하여 간단한 의사나 동작을 인식하고, 사용자의 의도를 컴퓨터나 기계에 그대로 전달하는 방식이다.

(마) BCI 기술이 처음 세상에 소개된 후 중증 신체 장애인을 대상으로 중점적인 연구가 시작되었다. 하지만 지금은 BCI 기술이 의료 분야 외에도 게임, 전기, 전자 등 다양한 분야에서 [●]무궁무진하게 활용될 수 있을 것으로 예상된다. 따라서 이 기술의 발전은 어려움을 겪는 사람들에게 편리함과 유익함을 제공할 수 있다는 측면에서 그 의미가 크다.

☑ 지문 분석 노트

(가)

(나)

(다)

(라)

(마)

* 인터페이스 : 2개 이상의 장치나 소프트웨어 사이에서 정보나 신호를 주고받을 때 그 사이를 연결하는 연결 장치나 소프트웨어

Words

• **상용화(常用化)** : 일상적으로 쓰게 됨. • **추출(抽出)** : 전체 속에서 어떤 물건, 생각, 요소 따위를 뽑아냄. • **출현(出現)** : 나타나거나 또는 나타나서 보임. • **무궁무진(無窮無盡)** : 끝이 없고 다함이 없음.

1 (가)∼(마)의 중심 화제로 적절하지 <u>않은</u> 것은?

① (가) : BCI 기술의 등장 배경과 개념
② (나) : BCI 기술의 작동 원리 및 연결 장치로서의 뇌파의 장단점
③ (다) : 뇌파의 측정 부위에 따른 BCI 기술의 종류
④ (라) : 활용 뇌파의 특징에 따른 BCI 기술의 종류
⑤ (마) : BCI 기술의 발전 가능성 및 의의

2 윗글의 내용과 일치하지 <u>않는</u> 것은?

① BCI 기술은 뇌파를 통해 컴퓨터를 작동시킨다.
② 특정 뇌파를 만들어내기 위해서는 훈련이 필요하기도 하다.
③ BCI 기술은 초창기에 몸이 불편한 사람들을 위해 연구되었다.
④ BCI 기술은 의료 분야 이외의 다양한 분야에서도 사용될 수 있다.
⑤ 뇌파의 응답 속도를 높일수록 뇌파의 정보 손실 발생률이 높아진다.

3 ㉠과 ㉡에 대한 설명으로 적절하지 <u>않은</u> 것은?

① ㉠은 ㉡에 비해 정확한 측정이 가능하다.
② ㉠과 ㉡을 나누는 기준은 뇌파를 측정하는 부위이다.
③ ㉠과 ㉡ 중 연구 기관의 실험실에서 주로 사용하는 것은 ㉠이다.
④ ㉠은 ㉡과 달리 외과적 수술을 하기 때문에 부작용이 있을 수 있다.
⑤ ㉡은 ㉠과 달리 외부 전파로 인한 오류가 발생할 수도 있다.

4 윗글을 바탕으로 〈보기〉를 이해한 내용으로 적절하지 <u>않은</u> 것은?

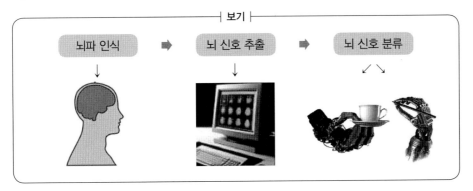

| 보기 |

뇌파 인식 ➡ 뇌 신호 추출 ➡ 뇌 신호 분류

① 뇌파의 특징을 추출하기 위해서는 인식된 뇌파를 신호화하겠군.
② 뇌 신호를 추출하기 전 불필요한 데이터를 제거하는 과정을 거치겠군.
③ 뇌 신호 추출 단계에서는 뇌 신호 중에 두드러진 특징을 추출하겠군.
④ 추출된 뇌 신호를 세분화할수록 컴퓨터와 연결된 기계 작동이 빨라지겠군.
⑤ 뇌 신호의 분류된 결과에 의해 컴퓨터에 명령어가 입력되겠군.

☑ 지문 분석 노트
(가)

(나)

(다)

(라)

(마)

(가) OLED는 °유기 재료에 전압을 공급하면 빛이 방출되는 °소자인 유기 발광 다이오드(Organic Light Emitting Diode)의 줄임말이다. OLED는 빛을 발생시키는 발광 소자이기 때문에 °디스플레이나 키패드용 °광원, LCD 백라이트 같은 IT 기기의 광원, 조명 등 응용 범위가 넓어 여러 산업에 광범위하게 활용되고 있다.

(나) OLED는 양극과 음극 사이에 기능성 박막* 형태의 유기물층이 삽입되어 있는 구조로 이루어져 있다. OLED의 유기물층은 〈그림〉과 같이 정공* 주입층, 정공 수송층, 전자 주입층, 전자 수송층, 발광층으로 구성되어 있어서 효율 및 수명을 향상시킨다. 정공 주입층과 정공 수송층은 양극으로부터의 정공 유입 및 수송을 용이하게 하는 층

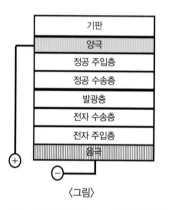
〈그림〉

이다. 발광층은 주입된 전자와 정공이 결합하여 빨강, 초록, 파랑 등의 빛을 내는 층으로, 발광층을 구성하는 유기 물질의 종류에 따라 색상이 결정된다. 전자 주입층은 음극으로부터의 전자 주입을 용이하게 한다. 전자 수송층은 음극으로부터 공급받은 전자를 발광층으로 원활히 수송하고 발광층에서 결합하지 못한 정공의 이동을 억제하여 발광층 내의 재결합 기회를 증가시키는 층으로, °전자 친화도와 음극 전극과의 접착성이 우수해야 한다.

(다) OLED 발광 소자가 구동하는 과정은 전극에서 유기물로 전하가 주입되는 과정, 유기물 내에서 전하가 발광층까지 수송되는 과정, 발광층에서 전자와 정공이 만나 재결합하고 여기자(勵起子, exciton)를 형성하는 과정의 세 단계로 나눌 수 있다. 여기자는 원자핵의 바깥쪽을 도는 전자가 평소의 안정된 상태보다 더 높은 에너지를 가지고 있는 상태인 '들뜬 상태'일 때의 전자와 정공의 쌍을 말한다. 여기자는 불안정하므로 낮은 에너지를 가진 안정 상태로 옮아가게 되는데 이 과정에서 빛이 방출된다. 이 현상을 발광이라 하며 이 현상을 기반으로 OLED의 기본 설계가 진행된다.

(라) 전원이 공급되면 음극에서는 전자가 전자 수송층의 도움을 받아 발광층으로 이동하고, 반대편 양극에서는 정공이 정공 수송층의 도움을 받아 발광층으로 이동하여 발광층에서 전자와 정공이 재결합하면서 여기자를 형성한다. 여기자는 낮은 에너지 상태로 떨어지게 되고 이 과정에서 에너지가 방출되면서 특정한 파장의 빛이 발생하게 된다. 이때 발생하는 빛은 양극을 통해 방출된다.

(마) 이와 같은 원리로 구동하는 OLED는 스스로 빛을 내는 특성을 갖고 있기 때문에 디스플레이로 활용될 때 백라이트 등의 보조 광원이 불필요하며, 그로 인해 아주 얇은 디스플레이로 제작할 수 있다. 또한 정상적인 화면을 볼 수 있는 최대한의 각도를 의

미하는 시야각이 넓고, 응답 속도가 *마이크로초(μs) 이하로 아주 빠르며, 유기 소재를 활용하므로 최근에 각광받고 있는 휘어지는 디스플레이를 제작하기에 적합하다는 장점이 있다.

* 박막 : 기계 가공으로는 실현 불가능한 두께 $1\mu m(10^{-6}m)$ 이하의 얇은 막
* 정공 : 절연체나 반도체를 이루는 분자 내에 전자들이 차지할 수 있는 자리에 전자가 없는 경우를 일컬음. 양공 또는 홀(hole)이라고도 함. 마치 양의 전하를 가진 자유 입자와 같이 동작한다.

Words

• **유기(有機)** : ① 생명을 가지며, 생활 기능이나 생활력을 갖추고 있음. ② 생물체처럼 전체를 구성하고 있는 각 부분이 서로 밀접하게 관련을 가지고 있음.
• **소자(素子)** : 장치, 전자 회로 따위의 구성 요소가 되는 낱낱의 부품으로, 독립된 고유의 기능을 가지고 있는 것 • **디스플레이(display)** : 화면에 문자나 도형의 형식으로 데이터를 시각적으로 표시하는 것 • **광원(光源)** : 빛을 내는 물체 또는 도구 • **전자 친화도** : 원자 또는 분자가 전자와 결합하여 음의 이온이 되는 경향을 표시하는 양 • **마이크로초** : 100만분의 1초

1 (가)~(마)의 중심 화제로 적절하지 않은 것은?

① (가) : OLED의 개념 및 활용 범위
② (나) : OLED의 구조
③ (다) : OLED의 구동 과정
④ (라) : OLED의 종류
⑤ (마) : OLED 디스플레이의 장점

2 윗글을 바탕으로 〈보기〉를 이해한 내용으로 적절하지 않은 것은?

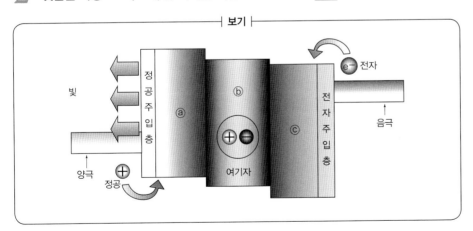

① ⓐ는 정공이 ⓑ로 이동하기 쉽게 도와주는 유기물층이군.
② ⓑ에서 정공과 전자가 만나 불안정한 들뜬 상태가 되겠군.
③ ⓑ에서 발생한 특정한 빛은 양극을 통해 방출되겠군.
④ ⓒ는 전자 친화성과 음극 전극과의 접착성이 우수하겠군.
⑤ ⓒ에서는 ⓑ에서 결합하지 못한 정공이 전자와 재결합하겠군.

3 〈보기〉는 윗글을 읽은 학생이 '자연과 유사한 과학 기술'이라는 주제로 발표를 하기 위해 찾은 자료이다. 자료의 활용 방안으로 가장 적절한 것은?

─┤ 보기 ├─

　　자연에서 볼 수 있는 반딧불이는 몸속의 발광 물질인 루시페린 단백질이 산소와 결합하여 산화 루시페린이 되면서 빛을 내는데, 이때 반드시 촉매 역할을 하는 루시페라제 효소와 마그네슘 이온, 그리고 생체 에너지원인 아데노신 3인산(ATP)이 필요하다. 세포에 산소가 공급되면 ATP가 생기고, 이것과 루시페린 단백질이 결합하면서 불안정한 상태의 고에너지 물질로 바뀌었다가 루시페라제의 작용으로 안정된 물질로 변화하면서 그만큼의 에너지 차이로 인해 빛을 내게 된다. 보통 반딧불이는 파장 510~670nm의 노란색 또는 황록색 빛을 낸다.

① 촉매 역할을 하는 루시페라제 효소가 반드시 필요하다는 점에서 반딧불이의 발광 원리와 OLED의 발광 원리가 유사함을 설명한다.
② 특정 물질이 산소와 결합하는 산화 과정 중에 빛이 방출된다는 점에서 반딧불이의 발광 원리와 OLED의 발광 원리가 유사함을 설명한다.
③ 에너지가 높은 불안정한 상태의 물질이 안정된 상태로 변하면서 빛을 방출한다는 점에서 반딧불이의 발광 원리와 OLED의 발광 원리가 유사함을 설명한다.
④ 생체 에너지원인 아데노신 3인산이 빛을 내는 과정에 반드시 필요하다는 점에서 반딧불이의 발광 과정과 OLED의 발광 과정이 유사함을 설명한다.
⑤ 고에너지 물질이 저에너지 물질로 변할 때 보통 노란색 또는 황록색의 빛을 낸다는 점에서 반딧불이의 발광과 OLED의 발광이 유사함을 설명한다.

태양 에너지가 미래 에너지로 등장한 것은 이미 1970년대 말부터였다. 이미 그때부터 구체적인 모델이 제시되었던 태양 에너지와 대표적인 적용 기술인 태양 전지의 활용은 어디까지 진행되었을까?

일반적으로 태양 에너지 이용 기술은 태양열과 태양광을 이용하는 두 가지로 나뉜다. 우선 태양열 발전은 태양 광선의 파동 성질을 이용하는 분야로, 태양열의 흡수, 저장, 열 변환 과정 등을 건물의 냉난방 및 급탕 등에 활용하는 기술이다. 또 하나는 태양광 발전으로, 태양광을 직접 전기 에너지로 변환시키는 기술이다. 태양광 발전은 햇빛을 받으면 생기는 광전효과에 의해 전기를 발생시키는 발전 방식으로, 태양광 발전 시스템은 태양 전지로 구성된 모듈*과 축전지 및 전력 변환 장치로 구성된다. 태양광 발전 기술은 최근 국내외적으로 큰 주목을 받고 있는데, 그 핵심 소자인 태양 전지는 1839년 프랑스 과학자 베크렐(1820~1891)이 •전해질 속에 담겨진 두 개의 금속 전극으로부터 발생하는 전력이 빛에 노출됐을 때 세기가 증가하는 광기전력 효과를 발견한 것으로부터 그 역사가 시작되었다.

[A]
태양 전지는 태양광을 직접 전기로 변환시키는 태양광 발전의 핵심 소자이다. 반도체의 pn 접합으로 만든 태양 전지에 반도체의 금지대* 폭보다 큰 에너지를 가진 태양광이 입사되면 전자−정공 쌍이 생성된다. 이들 전자−정공이 pn 접합부에 형성된 전기장에 의해 전자는 n층으로, 정공은 p층으로 모이게 됨에 따라 pn 간에 기전력*이 발생하게 된다. 이때 양쪽 끝의 전극에 전기 부하를 연결하면 전류가 흐르게 되는 것이 태양 전지의 작동 원리이다.

태양 전지는 크게 실리콘 반도체를 재료로 사용하는 것과 화합물 반도체를 재료로 사용하는 것으로 나눌 수 있다. 실리콘계 태양 전지는 다시 결정계와 박막계로 분류되는데, 결정계는 에너지 변환 효율이 좋은 반면, 박막계는 에너지 및 자원 절약성이 높다. 이러한 태양 전지는 필요에 따라 직렬과 병렬로 연결하여 장기간 자연환경 및 외부 충격에 견딜 수 있는 구조로 만들어 사용하게 되는데, 그 최소 단위를 태양광 모듈이라고 한다. 이 모듈을 실제 사용 부하에 맞추어 여러 개로 조합한 판(어레이, Array) 형태로 구성하여 설치하게 되는데, 태양광 판과 태양 전지로부터 생성되는 직류 전기를 교류로 변환시키는 인버터, 비나 눈이 며칠간 계속되는 경우를 대비한 축전지 등 주변 장치를 갖추어야 태양 전지가 작동하게 된다.

태양 전지를 이용한 태양광 발전은 환경 친화적으로, 화석 연료를 사용하는 다른 발전 방식과 같은 대기 오염이나 소음의 발생이 없고, 에너지원이 무한하다는 것이 장점이다. 이런 장점 때문에 태양 전지 시장은 매년 급팽창하고 있으며, 관련 산업도 성장을 거듭하고 있다. 최근에는 기상, 통신 분야에까지 사용되고 있으며, 태양 전지로 구

☑ 지문 분석 노트

①

②

③

④

⑤

동되는 자동차, 비행기도 주목을 받고 있다.

■주제 :

＊ 모듈 : 태양 전지를 모아둔 판
＊ 금지대 : 전자가 통할 수 없는 구역
＊ 기전력 : 두 점 사이의 전위차를 발생시켜 전류를 흐르게 하는 힘

Words

• **전해질(電解質)** : 물 따위의 용매에 녹아서, 이온화하여 음양의 이온이 생기는 물질. 전도성을 띠며, 전기 분해가 가능하다.

1 윗글의 내용과 일치하지 <u>않는</u> 것은?

① 태양 전지의 시장은 계속 확장되고 있다.
② 태양 전지는 태양광을 직접 전기로 변환시킨다.
③ 태양열 에너지를 이용할 때는 축전지 등의 주변 장치가 필요하다.
④ 태양 전지는 실제 사용 부하에 맞추어 모듈을 여러 개 조합하여 설치한다.
⑤ 태양광 발전은 에너지원이 무한하며 환경 친화적이다.

2 윗글을 〈보기〉와 같이 도식화할 때, ㉠~㉿에 대한 설명으로 적절하지 <u>않은</u> 것은?

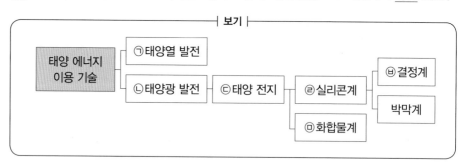

① ㉠, ㉡ 모두 태양 에너지를 변환하는 과정을 거쳐 사용된다.
② ㉠은 ㉡과 달리 태양 광선의 파동 성질을 이용한 것이다.
③ ㉢은 빛에 의해 전력이 증가하는 현상의 발견으로부터 시작되었다.
④ ㉣과 ㉾을 나누는 기준은 반도체의 사용 유무이다.
⑤ ㉿은 에너지 변환 효율이 좋다는 것이 특징이다.

3 〈보기〉는 [A]를 그림으로 나타낸 것이다. ㉮~㉱를 설명한 내용으로 적절하지 <u>않은</u>
것은?

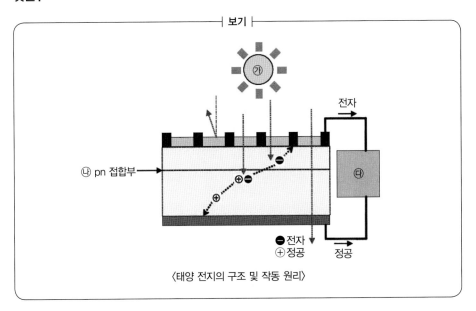

〈태양 전지의 구조 및 작동 원리〉

① ㉮가 반도체의 금지대 폭보다 큰 에너지를 가져야 전자−정공 쌍이 생성되는군.

② ㉯에는 전기장이 형성되어 있겠군.

③ ㉯의 위쪽이 n층이고, 아래쪽이 p층이겠군.

④ ㉱를 연결하게 되면 전류가 흐르겠군.

⑤ ㉱에서 발생된 기전력은 pn의 분리 때문이군.

스피커는 어떻게 소리를 내는 걸까?

북을 치면 소리가 난다. 북을 세게 칠수록 북의 가죽이 크게 진동하고, 주변에 있는 공기의 진동도 커져서 소리의 세기는 커지게 된다. 즉, 북의 가죽에서 진동이 일어나 소리가 난 것이다. 북의 진동수가 크면 높은 소리가 나고, 진동수가 작으면 낮은 소리가 난다. 그렇다면 소리를 재생하는 스피커는 어떻게 소리를 내는 걸까?

도선* 주위에 나침반을 놓고 도선에 전류를 흘려주면 나침반 바늘이 움직인다. 이는 도선에 전류가 흐를 때 그 주변에 자기장이 생긴다는 사실을 의미한다. 이 성질을 이용하면 전자석을 만들 수 있는데, 쇠못에 에나멜(enamel) 선을 감고 에나멜 선에 전류를 흘려주면 쇠못은 자석이 된다. 자석이 된 쇠못을 영구 자석에 가까이 가져가면 밀어내거나 당기는 힘이 작용하는데, 이러한 원리로 스피커도 만들어진다.

스피커에는 진동을 하는 진동판이 있다. 쇠못에 에나멜 선을 감은 것과 같은 코일(coil)을 이 진동판에 붙인다. 이 코일을 보이스 코일(voice coil)이라고 하는데, 보이스 코일을 영구 자석 가까이 놓고 코일에 소리 정보를 가진 전류를 흘려주면 코일이 힘을 받아 움직이게 된다. 이렇게 코일과 붙어 있는 진동판이 진동을 하면 공기가 진동하여 소리가 나게 되는데, 이것이 스피커에서 소리가 나는 기본 원리이다.

스피커는 스피커의 진동판을 진동시키는 방식, 즉 구동 방식에 따라 다이내믹 스피커, 정전형 스피커, 압전 스피커, 이온형 스피커, 진동면이 얇은 박막형 스피커 등으로 나눌 수 있다. 그 중에서 널리 사용되고 있는 것은 다이내믹 스피커이다.

원형의 영구 자석 윗면으로부터 나오는 자기장이 탑 플레이트, 폴피스, 바텀 플레이트, 영구 자석 아랫면으로 이동하는 자기장을 형성한다. 스피커에는 도선을 코일 모양으로 감은 보이스 코일이 있는데, 이 보이스 코일을 폴피스와 플레이트 사이에 놓고 코일에 소리 정보를 가지고 있는 교류 전기를 보낸다. 보이스 코일은 흐르는 전류의 방향이 정반대로 바뀔 때마다 힘의 방향이 정반대로 바뀌게 되어 상하로 움직이게 된다. 그 결과 보이스 코일에 붙어 있는 스피커의 진동판이 왕복 운동을 하게 되고, 스피커가 소리를 내게 된다. 이때 진동판이 빠르게(진동수가 많이) 진동하면 높은 음이, 진동판이 느리게(진동수 적게) 진동하면 낮은 음이 재생된다. 또 진동판의 진폭이 크면 강한 소리가, 진폭이 작으면 약한 소리가 재생된다. 이와 같은 원리로 오디오 기기에 연결하여 사용하는 이어폰도 소리를 출력한다.

가볍고 공간을 적게 차지하는 스피커는 없을까? 필름형 스피커(압전 스피커)는 이 고민을 해결해 준다. 특수 소재에 압력이나 진동을 가하여 형태를 변형시키면 재료의 표면에 전하가 생성되어 전류가 흐르게 되는데, 이러한 효과를 압전효과라고 한다. 전하를 띤 압전 물질에 전류를 흐르게 하면 진동을 하게 된다. 즉, 기계적 에너지와 전기 에너지가 상호 전환하는 것인데, 이러한 원리를 이용한 것이 필름형 스피커이다.

필름형 스피커는 폴리불화비닐리덴(PVDF)이라 불리는 고분자화합물 필름으로 만들어진다. 이 필름의 표면에 압력을 가하여 전극을 형성하도록 가공한 후 소리 정보를 가진 전기 신호를 흘려보내면 진동을 한다. 필름형 스피커는 가볍고 얇고 투명하고 디자인을 다양하게 할 수 있으며, 두루마리처럼 말 수도 있는 장점이 있다. 그러나 저음 영역의 음질이 좋지 않아 여전히 개발이 진행 중인 상태이다.

* 도선(導線) : 전기의 양극을 이어 전류를 통하게 하는 쇠붙이 줄

– 임병욱, 「진동이 만들어 내는 스피커의 소리」

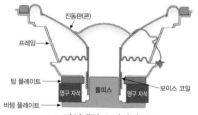

▲ 다이내믹 스피커의 구조

실생활에 접목되는 다양한 나노 기술

나노는 난쟁이를 뜻하는 그리스 어 나노스 (nanos)에서 유래한 말로, 나노 기술(nano-technology)은 성인 남성의 머리카락 굵기의 수만 분의 1 수준에서 자유자재로 물질을 만들거나 조작하는 기술이다. 나노 기술은 차세대 반도체와 새로운 물질 개발에 응용되고 있으며, 이 기술을 선보이는 행사인 '미나텍 크로스로드'에서는 실생활에 접목될 수 있는 다양한 나노 기술이 소개되었다.

〈알약에 번호를 매긴다〉

나노 프린팅 기술은 미세한 탐침으로 눈에 보이지 않는 모양을 내거나 글씨를 새기는 데 응용되고 있다. 나노 크기로 프린팅을 하기 때문에 일반적인 광학 현미경으로는 볼 수 없고, 해상도가 높은 전자 현미경으로만 분간할 수 있다. 나노 잉크사가 나노 프린팅 기술을 알약에 응용한 이유는 위조품의 난립 때문이다. 전 세계적으로 제약 시장의 약 6%가 위조품 또는 불법 거래로 이루어진다는 것이 제약 업계의 설명이다.

나노 잉크사의 관계자는 "고가의 나노 프린팅 기술을 대중화하는 데 성공해 개당 1센트까지 단가를 떨어뜨릴 수 있다."고 말했다. 위조품이나 불법 거래 품목으로 의심되는 제품이 있다면 나노 잉크 센터를 통해 24~48시간 내에 감정이 가능해 위조품 여부를 판단할 수 있고 일련번호를 통해 유통 경로를 파악할 수 있다는 것이 이 회사의 설명이다.

〈손목의 열을 이용해 구동되는 시계〉

스위스 전자기 마이크로 테크놀로지 연구센터(CSEM)의 크리스티앙 피게 박사는 열을 이용한 나노 발전기 분야에서 세계적인 인물이다. 피게 박사는 "인간의 몸에서는 2.4~4.8W의 전기를 만들어낼 수 있는 열이 발생한다."며 "이 같은 미세한 열을 이용하면 작은 전자제품은 충분히 움직일 수 있다."고 설명하였다.

그는 이 행사에서 체열을 이용해 작동하는 손목시계를 선보였다. 손목의 동작을 이용해 동력을 얻는 시계는 1970년대부터 존재했지만, 이번에 피게 박사가 선보인 손목시계는 나노 기술을 이용한 열전 소자를 장착했다는 점에 주목할 만하다. 손목과 붙어 있는 열 전달판을 통해 체열이 올라오면 자연스러운 상승 작용과 함께 열전 소자를 통과, 너비 3cm 정도의 소형 발전기를 구동시키는 원리이다. 피게 박사는 터빈을 장착한 마스크를 얼굴에 갖다 대면 호흡 운동을 통해 0.4W를, 가슴에 벨트를 매면 호흡 때마다 2~5cm의 변화가 생겨 역시 0.4W의 전기를 얻을 수 있다고 덧붙였다.

미국 메사추세츠공대(MIT)의 조셉 파라디소 박사 팀은 신고 달리면 전기를 발생시키는 운동화를 선보였다. 이 운동화의 밑창을 이루는 부위에는 특수한 나노 소자가 숨어 있다. 형상이 뒤틀렸다가 원상으로 회복되는 과정에서 전위*차를 최대로 발생하는 물질이다. 파라디소 박사 팀은 이를 '피에조 일렉트릭' 원리라고 불렀다. 파라디소 박사는 "최대 67W까지 전기를 얻을 수 있어서 발목 등에 충전기를 차면 휴대폰이나 노트북의 배터리를 충전시키기에도 충분하다."고 말했다. 또한 발목에 소형 전등을 달면 어두운 밤길에서도 조깅을 즐길 수 있다고 설명했다.

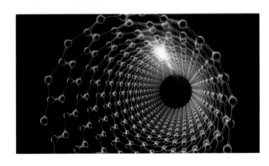

* 전위(電位) : 전기장 안의 한 점에서 어떤 표준점으로부터 단위 전기량을 옮기는 데 필요한 두 점 사이의 전압의 차. 곧 전하가 갖는 위치 에너지를 이른다.

— 심재우 기자, 「나노 기술, 실생활 곁으로」(중앙일보)

인력(人力) 비행기의 역사

어린 시절 누구나 한 번쯤 바람 속을 달려가며 자유롭게 하늘을 날아보고 싶다는 꿈을 꾸었을 것이다. 자연의 힘만으로 날아가는 무동력(無動力) 비행체인 활공기는 항공의 역사와 함께 했던 가장 근본적인 비행체로, 이런 꿈을 실현시켜 주었다.

최초의 유인 활공 비행체

▲ 케일리의 최초의 유인 활공 비행체

새처럼 하늘을 날기 위한 활공 비행 실험은 언제부터 시작되었을까? 1903년 인류 최초의 동력 비행에 성공한 라이트 형제 이전부터 이 실험은 계속되어 왔다. 그 당시 대부분의 실험은 사람이 날개를 등에 업고 언덕 위에서 달려가다 뛰어오르는 형태로 진행되었다. 라이트 형제도 수차례 활공 비행을 실험한 후에 각종 비행 원리를 발견하였으며, 이런 과정이 있은 후에야 무동력 활공기에서 동력 비행을 성공할 수 있었다.

인류 최초로 유인 활공 비행에 성공한 사람은 영국의 조지 케일리(1773~1857)이다. 양력*의 원리를 발견한 케일리는 기본적인 항공 역학에 대한 개념을 바탕으로 날개가 3층인 글라이더를 만들었고, 1849년 최초의 유인 활공 비행을 성공시켜 본격적인 글라이더 시대를 열었다. 그 후 독일의 활공왕 오토 리리엔탈(1848~1896)은 1890년부터 6년 동안 18대의 활공 비행체를 제작해 2000회 이상의 비행 실험을 하였다.

활공기의 변천 과정

케일리와 리리엔탈로부터 시작된 글라이더의 역사는 독일을 중심으로 발전되었다. 1차 세계대전의 패배로 동력 비행기의 제작을 금지당한 독일은 최후의 비행 수단으로 무동력 글라이더 개발을 위해 연구에 몰두했다. 그 결과 글라이더 연구는 열기류를 타고 날아오르는 자유로운 비행의 세계에까지 이르게 되었다.

1920년, 최초의 글라이더 비행 대회가 열렸다. 높은 지역에서 낮은 지역으로 미끄러지는 단순한 비행밖에 할 수 없었던 대회였으며, 1위를 차지한 클램배랠의 '프라우스마우스' 호는 활공 시간 2분 12초, 비행 거리 1830m를 기록했다. 그러나 1923년 대회부터는 그 양상이 달라졌다. 말친이 '화푸닐' 호로 활공 시간 1시간 6분, 거리 9km, 최고 고도 108m의 기록을 달성했기 때문이었다. 이 기록은 적운이나 뇌운 등을 이용하여 열기류를 타고 높은 고도까지 상승하여 비행하는 사면 상승풍에 의해 세워진 대기록이었다.

1931년 글랜호프는 화푸닐 호로 상승풍을 이용해 220km를 비행하는 대기록을 수립하였다. 열상승풍 속에서 연속적인 급선회로 기체의 속도를 높이고 고도를 유지하는 방법인 화푸닐 호의 비행 기술은 글라이더가 오랜 시간 동안 멀리 날 수 있게 한 고급 비행 기술이다. 이 비행 기술은 오늘날 열상승풍(thermal)을 이용하는 비행 기술의 이론적 바탕이 확립되는 계기가 되었다.

제2차 세계대전이 발발하자 독일의 '기간트' 같은 글라이더는 수송 작전에 이용되기도 하였다. 전쟁이 끝나자 다시금 글라이더는 인간이 꿈꿔온 원초적인 비행 욕망을 충족시켜 줄 수 있는 레저 스포츠의 목적으로 평화롭게 사용되었다. 그 대표적인 비행체가 행글라이더와 패러글라이더이다.

패러글라이더

1980년대 중반에 보급된 패러글라이더는 기체가 가볍고 조작이 매우 용이하다. 패러글라이더는 패러슈트(낙하산)에 행글라이더 설계 기술과 조종 기술을 접합시켜 탄생되었다. 그 구조는 양력을 발생시키는 캐노피와 비행사가 착용하는 하네스, 그리고 이것을 연결하는 산줄(suspend-line)과 라이저 등 세 부분으로 구분할 수 있다. 패러글라이더는 캐노피 내부의 공기 압력으로 일반 항공기 날개와 같은 모양을 형성한 후 중력에 의해 아래로 떨어지면서 하늘을 나는 비행체이다. 비행 원리는 일반 항공기의 비행 원리와 동일하다.

최초의 인력 비행기

최초로 인력 비행을 시도한 사람들은 새와 같은 형태의 날개를 팔에 고정하고 높은 탑 위에서 뛰어내리는 소위 '타워 점퍼'들이었다. 몇 세기 동안 타워 점퍼들이 비행을 시도했지만, 실패만 반복되었다. 인간이 내는 근육의 힘을 회전력으로 전환하여 프로펠러 추진력에 의한 비행만이 가능하다는 사실을 알게 되면서 1912년과 1929년, 항공 역학에 조금은 접근한 과학적인 인력 비행이 시도되었다.

1912년 알렉산더 케이스와 조세 베이스는 퍼득거리는 날개를 가진 '옴니쏨터' 인력 비행기를 설계하여 비행을 시도했지만 실패하였다. 1929년에 알렉산더 리피치도 새가 날개치는 원리를 이용한 옴니쏨터 인력 비행을 시도하였다. 이 비행은 견인을 하여 이륙한 다음 인력 비행으로 비행 거리를 연장하는 방법으로, 인력 비행이라기보다는 인력 보조 비행으로 기록되어 있다. 아직까지 새의 원리를 이용한 옴니쏨터 비행은 성공하지 못하였다.

1957년 영국 왕립 항공학회는 인력 비행의 꿈을 이루기 위해 인력 비행기 그룹을 결성하였다. 영국의 부호 헨리 크래머는 자신의 이름을 딴 크래머 상을 만들었다. 반 마일(800미터) 떨어진 두 지점을 돌아오는 8자 모양의 비행을 최초로 성공하는 사람에게 상을 준다는 것이었다. 1961년 11월, 3명의 학생들이 설계한 사우스 엠션 대학의 'SUMPAC'은 최대 고도 1.8m, 비행 거리 45m를 나는 데 성공하였으며, 이는 인력 비행의 역사에 길이 남을 최초의 비행 성공이었다. 그 이후에도 많은 인력 비행이 시도되었지만 크래머 상을 수상할 만한 비행의 성공은 없었다. 그때까지의 인력 비행은 대부분 직선 비행이었으며 겨우 70~80도 선회가 가능할 정도였다.

1977년 8월 사이클 선수인 브라이언 알렌은 크래머의 조건을 만족하는 최초의 인력 비행에 성공하였다. 그가 탄 인력 비행기는 에어로바이런먼트 사에서 제작한 중량 약 32kg, 날개 길이 28.8m인 코서머 콘돌로 비행 거리 1.6km를 8자 비행해 크래머 상을 수상하였다. 뒤이어 1979년 브라이언 알렌도 같은 회사의 코서머 알바트로스 기로 2시간 49분 동안 35.82km의 도버 해협 횡단에 성공하였다.

▲ 국내 인력 비행기 '스카이러너' / 공군사관학교 제공

그 후 인력 비행의 신기록 작성을 위해 미국 정부와 민간회사의 지원을 받은 MIT는 다이달로스 프로젝트를 시작하였다. 1987년 미첼롭라이트 이글은 2시간 19분 동안 109km를 날아 신기록을 수립했다. 뒤이어 1988년 4월 MIT의 다이달로스 88은 그리스 신화 다이달로스 이야기에 나오는 115km의 에게 해를 3시간 45분 동안 비행하여 건너는 데 성공하였다.

1990년대 이후 현재까지 미국, 영국, 독일 등 항공 선진국들은 인력 비행의 신기록을 달성하기 위해 많은 투자와 도전을 아끼지 않고 있다.

지금까지의 인력 비행 역사에서도 알 수 있듯이 순수한 인간의 힘으로 비행하고자 했던 인류의 꿈은 완벽하게 성취되었다. 인간의 끝없는 도전은 결국 불가능을 가능으로 만들어냈다. 꿈을 향한 의지와 탐구심을 인력 비행기의 역사 속에서 찾을 수 있다. 이와 같은 불굴의 인간 정신이 살아있는 한 우리가 꿈꾸는 것은 언젠가는 이룰 수 있을 것이다.

* 양력(揚力) : 유체 속을 운동하는 물체에 운동 방향과 수직 방향으로 작용하는 힘. 비행기는 날개에서 생기는 이 힘에 의하여 공중을 날 수 있다.

— 박계향, 「활공 비행기, 아름다운 하늘 여행」

▲ SUMPAC(1961)

산업 구조를 바꿀 초전도 재료

온도를 낮춰 가면 일정 온도에서 갑자기 전기 저항이 없어지는 물질을 초전도 물질이라고 한다. 물리학자들은 이 물질을 초전도체(super-conducter)라고 부른다. 네덜란드의 카메를링 오너스(Heike Kamerlingh Onnes, 1853~1926)가 수은을 냉각하면서 4.2K*에서 전기 저항이 사라지는 현상을 최초로 발견했다. 그의 발견 이후 초전도체로 인정된 물질은 수백 개가 넘어, 이제는 별로 진귀한 현상도 아니게 되었다.

초전도 재료로 전선을 감아 코일을 만든 후 식힌 상태에서 전류를 흘리면 영구히 전류가 흐른다는 사실도 밝혀졌다. 코일에 전류가 흐르면 자기장이 생겨 자석의 N극과 N극, 또는 S극과 S극을 접근시키면 반발한다. 초전도 코일에 전류를 흘리면서 다른 보통의 코일에 접근시키면 그 코일에도 전류가 흘러 초전도 코일이 접근하는 것에 반발한다. 이 반발력을 이용하면 열차도 뜨게 할 수 있다.

▲ 자기부상 열차

이러한 성질을 이용한 자기부상(magnetic levitation) 열차는 초전도 코일을 이용하여 부상력을 얻는다. 지상에는 보통의 코일이 일렬로 줄지어 있고, 그 위를 초전도 코일이 통과한다. 초전도 코일이 만드는 자기장에 의하여 지상의 코일에 전류가 흘러 반발력이 생긴다. 단, 열차가 움직이고 있을 때만 부상력이 생긴다. 영구 자석을 지면에 놓으면 열차가 움직이지 않아도 부상력이 생기므로, 이 원리를 이용하면 공장에서 조용히 무거운 물건을 움직이거나 반도체 공장 등에서 먼지가 나지 않는 운반차를 만들 수 있다.

현재 사용되고 있는 초전도 코일 재료의 주류는 나이오븀(Nb)과 주석의 합금인 Nb_3Sn으로 초전도가 되는 온도는 18K이다. 이 온도까지 냉각시키기 위해서 액화 헬륨을 냉각제로 쓴다. 액화 헬륨은 아주 낮은 온도에서 비등*하는 물질로, 그 온도는 4.2K이다. 액화 헬륨의 제조는 어렵지만, 그 기술이 확립되어 있으므로 얼마나 싼 비용으로 액화 헬륨을 만드는가 하는 것이 관건이다. 헬륨 가스는 천연가스에 소량 함유되어 있어, 액화 헬륨을 얻기 위해 천연가스를 정제하여 제조하고 있다. 현재 연구용 기기의 냉각제로 헬륨 가스가 많이 사용되고 있으며 그 수요는 계속 증가하고 있다.

초전도 재료는 자기부상뿐만 아니라, 전력의 저장·송전, 전자공학의 소자 등에 대량으로 쓰일 가능성이 있다. 종래에는 초전도 재료로 헬륨이 반드시 필요한 것이었지만 사정은 급변하고 있다. 액화 헬륨을 사용하지 않아도 초전도 상태가 되는 고온 초전도 코일의 실용화가 멀지 않았기 때문이다.

* K(켈빈 온도) : 절대 온도. 섭씨 영하 273.16도를 0도로 하며, 섭씨온도의 눈금을 그대로 쓴다. 단위는 켈빈(K)이다.
* 비등(沸騰) : 액체가 끓어오름. 액체가 어느 온도 이상으로 가열되어, 그 증기압이 주위의 압력보다 커져서 액체의 표면뿐만 아니라 내부에서도 기화하는 현상을 이른다.

– 권순용 외, 「지속가능한 사회와 첨단 소재」

◆ 단락 요지 ◆

1문단 : 초전도체의 정의

2문단 : 초전도 코일의 반발력

3문단 : 초전도 코일을 써서 부상력을 얻는 자기부상 열차

4문단 : 초전도 코일을 만들 때 사용하는 액화 헬륨

5문단 : 고온 초전도 코일의 실용화에 대한 기대

차세대 반도체

우리나라 반도체 산업은 1982년 이후 국가 경제를 주도하고 있다. 2012년의 경우 세계 IT 및 반도체 산업의 회복과 메모리 가격 상승으로 우리나라 전체 수출액 중 반도체 수출이 차지하는 비중은 무려 9.1%에 달했다. 이는 2010년부터 진행된 모바일 인터넷 기반의 스마트폰 등 스마트 기기들이 급속히 보급되면서 수요가 급격히 증가했기 때문이다.

반도체 연구 개발 국책 사업인 '메모리 개발 사업'을 추진하면서 우리나라의 반도체 신화는 시작되었다. 반도체 메모리 기술의 자립화가 이루어졌고, 세계 D램 시장 점유율 1위를 달성하는 발판을 마련하였다. 이후 D램으로 축적된 기술과 실무 경험을 바탕으로 플래시 메모리 등 차세대 메모리 분야에도 성공적으로 진출하게 되었다. 현재 우리나라는 메모리 반도체에서 최강국으로 분류된다.

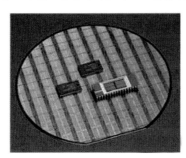

▲ 세계 최초의 64MD 램

하지만 문제도 있다. 반도체 업계는 매년 30% 이상의 D램 가격 하락을 미세 공정을 통한 원가 절감으로 극복해왔다. 그러나 이런 미세 공정도 30나노(nm) 급까지는 별 무리 없이 진행할 수 있었지만 20nm 급으로 진입하면서 기술적인 어려움을 겪게 되었다. 공정 중 작은 오차도 발생하지 않아야 했고, 미세화 공정에 따른 비용도 증가했으며 가공해야 할 단위 공정 수는 늘어났다. 또 새로운 공정도 도입해야 하기 때문에 곧 막대한 투자가 뒤따랐다.

이런 문제에 대한 해답은 바로 차세대 반도체이다. 낸드플래시는 반도체 내부에 축적된 전하의 유무에 따라 0과 1로 구분하여 디지털 정보(데이터)를 저장한다. 저항이 작아서 전류가 잘 흐르면 1로, 저항이 커서 전류가 잘 흐르지 않으면 0으로 계산한다. 이 방법은 기존 메모리가 해결하기 어려웠던 10nm 이하 공정까지 개발할 수 있다는 장점이 있다.

장기적으로 보았을 때 차세대 반도체로 우뚝 설 신개념 반도체는 P램(위상변화 메모리), M램(자기저항 메모리), Re램(비휘발성 메모리)이다. 기존 메모리를 대체할 가장 유력한 후보는 P램으로, 물질에 전류를 가하면 내부 구조가 변하는 원리를 이용한 반도체이다. 전원을 끊어도 데이터가 그대로 보존되는 플래시 메모리와 같은 특성을 갖고 있지만, 플래시 메모리보다 데이터를 읽고 쓰는 속도가 100배 이상 빠르다. 또 수명은 1,000배 길고, 전력은 훨씬 덜 소비한다.

M램은 자기저항(Magnetoresistance)이라는 양자역학적 효과를 이용한 기억 소자이다. 전원이 꺼져도 기록된 정보가 지워지지 않는 비휘발성 소자이며, 고속 정보 처리가 가능한 차세대 통합형 정보 저장 소자의 대표 주자 중 하나이다.

또 Re램은 물질에 전압을 가함에 따라 전류가 흐르는 통로가 생기거나 없어지는 현상을 이용한 저항 변화 메모리이다. 상부 전극과 하부 전극 사이에 절연체(산화물)가 삽입된 형태로, 용량과 속도 면에서 낸드플래시 메모리를 압도한다는 평가를 받으며 주목을 받고 있다.

현재 우리나라는 메모리 반도체 분야에서 세계 최고 수준이지만, 고부가가치를 내는 시스템 반도체까지 포함한 종합적인 반도체 분야에서는 그렇지 못하다. 따라서 메모리 산업의 주도권은 더욱 강화하고, 열악한 시스템 반도체 산업의 경쟁력은 높이기 위해 차세대 반도체 개발에 박차를 가해야 한다.

— 성풍현 외, 「공학이란 무엇인가」

☑ 지문 분석 노트

1

2

3

4

수소 에너지란 수소 형태로 에너지를 저장하고 사용하는 에너지를 의미한다. 수소 에너지의 주원료가 되는 물은 지구상에 풍부하게 존재하며, 생산 방식에 따라 공해 물질이 전혀 발생되지 않을 수도 있다. 또한 수소 1kg을 산소와 결합시키면 35,000kcal의 에너지가 방출되는데, 이는 같은 질량의 부탄, 휘발유, 프로판가스, 등유, 경유 등의 연료가 생산하는 에너지의 거의 3배에 달한다. 그렇기 때문에 수소 에너지는 꿈의 에너지로 평가된다.

수소를 생산하는 방식에는 화석 연료를 이용하는 방식과 비화석 연료를 이용하는 방식이 있다. 세계적으로 사용되는 수소는 대부분 천연 가스, LPG, 나프타 같은 화석 연료의 개질*에 의해 생산되고 있다. 그러나 이 방법은 1kg의 수소를 생산하는 과정에서 7kg 이상의 이산화탄소를 배출한다는 점에서 환경 문제를 완전히 해결하지 못한다는 한계가 있다. 한편, 비화석 연료를 이용하여 수소를 제조하는 방법에는 물을 원료로 하고 수력, 원자력, 태양열, 태양광 등을 에너지원으로 한 전기 분해, 열화학적 분해, 광화학적 분해 방법이 있으며, *바이오매스를 원료로 하고 태양광, 미생물 등을 에너지원으로 한 생물학적 분해 방법이 있다. 이 중에서 물 전기 분해는 가장 오래전에 실용화된 수소 제조 기술인데, 전력 소모가 많아 고순도의 수소를 소규모로 생산할 때 주로 이용된다. 물(H_2O)을 두 전극 사이에 넣고 전기를 흘리면 양극(+)에서는 산소(O_2)가 발생하고 음극(−)에서는 수소(H_2)가 발생하는 원리를 이용한 것이다. 이 방법은 이산화탄소가 전혀 발생하지 않는다는 점에서 이상적인 수소 생산 방법이지만, 전기를 생산하기 위해서 화석 연료 또는 폐기물이나 방사능 문제를 초래할 수 있는 원자력 에너지를 이용해야 한다는 한계를 갖고 있다.

생산된 수소는 고압가스, 액체 등 다양한 형태로 저장할 수 있다. 그런데 수소는 가볍지만 끓는점이 매우 낮고 폭발력이 강하며 액화시키기 ㉠어렵다는 문제가 있다. 이러한 점을 고려하여 수소를 안전하게 저장하기 위해 개발된 것이 수소 저장 *합금으로, 금속 원자 사이의 빈 공간에 수소를 저장해 두었다가 필요할 때 가열하여 사용하는 원리이다. 이렇게 수소를 저장할 경우, 고압가스나 액체 수소에 비해 수소의 밀도를 높일 수 있어 많은 수소를 저장할 수 있으며, 금속이 수소와 반응하여 생성된 금속 수소화물이므로 액화시킬 필요가 없다는 장점이 있다. 그러나 수소 저장 합금은 무겁고, 수소를 추출하려면 높은 온도로 가열해야 한다는 단점이 있다.

수소 에너지를 활용하는 데 있어 가장 큰 문제점은 비용이다. 물 전기 분해를 이용해 수소를 생산하는 경우, 화석 연료를 사용하여 전기를 생산하는 것보다 약 3배가량 비용이 더 들며, 수소 이용 기기의 비용도 화석 연료 이용 기기에 비해 약 4배가량 비싸다. 그러므로 체계적인 연구 개발을 통하여 수소 생산 및 이용 기기의 가격을 낮추는 것이 수소 에너지 보급 활성화에 필수적인 요소이다. 생산 기술 개발뿐만 아니라, 사회적 위험을 수용할 수 있는 수준의 안전성 확보도 무엇보다 중요하다. 수소 가스는 확산 속도가 매우 빠르기 때문에 부취제*가 주입되어도 부취제의 냄새를 인지하기 전에 화재나 폭발 사고가 발생하게 될 가능성이 높다. 따라서 사고 피해를 방지하기 위해 수소 누출 감지 시스템의 신뢰성을 높이는 등 수소 에너지의 안전한 보급을 위한 안전 관리 기술 개발도 꾸준히 이루어져야 할 것이다.

* 개질(改質) : 열이나 촉매의 작용에 의하여 탄화수소의 구조를 변화시켜 가솔린의 품질을 높이는 조작
* 부취제 : 어떤 물질에 첨가되어 냄새가 나도록 하는 기능을 가진 물질. 가스와 같은 기체 상태의 물질에 첨가되어 해당 물질이 증발하거나 외부로 누출될 때 냄새로써 즉시 감지할 수 있도록 하는 기능을 한다.

■주제 :

Words

• **바이오매스(biomass)** : 에너지원으로 사용되기 위해서 사용되는 식물이나 동물 같은 생물체 • **합금(合金)** : 하나의 금속에 성질이 다른 둘 이상의 금속이나 비금속을 섞어서 녹여 새로운 성질의 금속을 만듦. 또는 그렇게 만든 금속

1 윗글에 대한 설명으로 가장 적절한 것은?

① 통시적 관점에서 대상의 변화 과정을 고찰하고 있다.
② 대상에 대한 통념과 이에 대한 반론을 제기하고 있다.
③ 구체적 사례를 바탕으로 대상의 필요성을 확인하고 있다.
④ 대상이 가진 한계와 이에 대한 해결 방안을 제시하고 있다.
⑤ 대상이 발생하게 된 배경을 다양한 측면에서 분석하고 있다.

2 〈보기〉는 수소 에너지의 생산과 저장 방식을 도식화한 것이다. ⓐ~ⓕ에 대한 내용으로 적절하지 <u>않은</u> 것은?

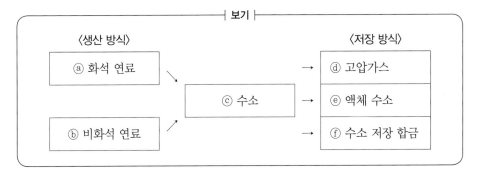

┤ 보기 ├

〈생산 방식〉
ⓐ 화석 연료
ⓑ 비화석 연료
ⓒ 수소

〈저장 방식〉
ⓓ 고압가스
ⓔ 액체 수소
ⓕ 수소 저장 합금

① ⓐ보다 ⓑ를 사용한 생산 과정에서 더 많은 비용이 든다.
② 세계적으로 사용되는 ⓒ는 대부분 ⓐ에 의한 방법으로 생산된다.
③ 열화학적 · 광화학적 · 생물학적 분해 방법은 ⓑ에 의한 생산 방법이다.
④ ⓕ로부터 ⓒ를 추출해 내려면 ⓕ를 높은 온도에서 가열해야 한다.
⑤ ⓕ는 ⓓ, ⓔ보다 수소의 밀도를 낮출 수 있어 수소 저장량이 많다.

3 윗글을 참고하여 〈보기〉의 신문 기사를 읽은 후의 반응으로 적절하지 <u>않은</u> 것은?

┤ 보기 ├

세계 최대 규모 '○○ 수소 타운'

　○○시는 세계 최대 규모의 수소 타운 조성 사업을 완료했다. 지금까지는 수소 에너지를 이용할 때 LNG를 개질한 수소를 연료로 사용하였다. 현재까지 LNG는 전량 수입하였는데 이 때문에 높은 가격과 수급 불안정이 큰 장애로 작용했다. 이와 달리 ○○ 수소 타운에서는 정유 화학제품의 제조 공정이나 발전소 운영 등에서 발생하는 부생 수소를 연료로 활용함으로써 가격 경쟁력을 높였다. 이를 통해 주택 140세대의 연간 전기 요금 약 4,800만 원이 절감되었고, 연간 탄소 배출은 150톤이 절감된 것으로 분석되었다. ○○ 수소 타운은 수소를 기존의 도시가스처럼 배관을 설치해 각 가정에 공급하고, 중앙 모니터링 시스템을 통해 수소 타운에서 가동되고 있는 전 설비의 운전 현황을 철저히 점검하고 있는데, ○○ 수소 타운 조성 이후 수소가 안전하다고 인식하는 비율도 높아졌다고 분석되었다.

－ △△일보

① 수소 타운은 수소 에너지의 제조 원료 비용을 절감했군.
② 수소 타운처럼 수소 에너지를 이용하면 전기료 절약에 도움이 되겠군.
③ 수소 타운의 중앙 모니터링 시스템에서는 수소가 누출되는지 여부를 감지하겠군.
④ 수소 공급 방식이 기존 도시가스와 비슷해서 수소 사용에 대한 불안감이 감소했겠군.
⑤ 수소 에너지 발전은 환경오염 물질을 전혀 발생시키지 않으니 수소 타운은 공기가 매우 좋겠군.

4 다음 중 밑줄 친 부분이 ㉠과 같은 의미로 사용된 것은?

① 그는 생활이 무척 <u>어렵다</u>.
② 석탄을 캐는 일은 <u>어려운</u> 작업이었다.
③ <u>어려운</u> 걸음을 해 주셔서 정말 감사합니다.
④ 그녀는 성미가 <u>어려워</u> 친구들과 어울리지 못한다.
⑤ 나는 선생님이 너무 <u>어려워서</u>, 그 앞에서는 말도 제대로 못한다.

컴퓨터 개발 초기부터 데이터를 안정적으로 보관할 수 있는 장치를 개발하기 위한 노력이 이어졌다. 개발 초창기에는 종이에 일정한 패턴의 구멍을 뚫어 데이터를 기록하는 종이 테이프를 주로 사용했지만, 이들은 많은 용량을 기록하기 어려운데다 보관이 불편하다는 단점이 있었다. 그래서 그 대안으로 제시된 것이 자성 물질로 코팅한 플라스틱 테이프를 이용하는 자기 테이프 기록 장치이다. 이는 비교적 대용량이라는 장점이 있었으나 데이터를 읽어 들이는 속도가 너무 느렸다. 용량이 크면서 속도도 빠른 데이터 저장 장치가 절실히 필요한 상황이었다.

1956년 미국에서 개발된 컴퓨터에는 데이터를 기록하는 판인 플래터를 여러 장 쌓아 올린 구조의 새로운 형태의 저장 장치가 달려 있었다. 이 장치는 당시로서는 매우 큰 용량이었던 4.8MB의 데이터를 저장할 수 있었으며, 기존의 저장 장치에 비해 고속으로 데이터를 읽거나 쓸 수 있어 화제를 불러일으켰다. 이것이 바로 세계 최초의 하드 디스크 드라이브(Hard Disk Drive : HDD)이다. 개발 초기의 하드 디스크 드라이브는 가격이 자동차 몇 대 수준에 달할 정도로 비싸 기업이나 국가 기관용 대형 컴퓨터에만 사용되었다. 또한 장치 전체의 크기가 소형 냉장고와 비슷할 정도로 컸다. 그러나 기술이 점점 개발되면서 가격이 낮아져 일반 대중들도 사용할 수 있도록 널리 보급되었으며, 컴퓨터가 소형화됨에 따라 플래터 지름이 약 4.5cm 규격의 하드디스크 드라이브까지 등장하게 되었다. 용량이나 데이터 처리 속도가 같다면 크기가 작은 규격의 하드 디스크 드라이브일수록 가격이 비싸다. 소형 하드 디스크 드라이브는 내부 공간의 한계 때문에 크기가 작으면서 상대적으로 정밀도가 높은 고가의 부품을 쓰는 경우가 많기 때문이다.

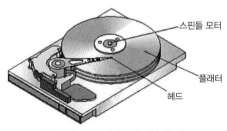

〈하드 디스크 드라이브의 내부 구조〉

스핀들 모터 / 플래터 / 헤드

하드 디스크 드라이브는 자성 물질로 덮인 플래터를 플래터 중심에 위치한 스핀들 모터가 회전시키면, 그 위에 헤드가 접근하여 플래터 표면의 자기(磁氣) 배열을 변경하는 방식으로 데이터를 읽거나 쓴다. 이 때, 헤드는 플래터와 직접 접촉하지 않고 디스크가 회전하면서 생기는 공기 흐름을 이용해 플래터에 떠 있는 상태가 된다. 플래터 표면과 헤드 사이의 여유 공간은 매우 좁아서 하드 디스크 드라이브가 회전하는 도중에 외부 충격이 가해지면 헤드가 플래터의 표면을 긁어 하드 디스크 드라이브가 고장 나기도 한다. 또, 자성 물질로 데이터를 기록하는 플래터의 특성 때문에 하드 디스크 드라이브 주변에 자석 등이 있으면 기록된 데이터가 파괴되기도 한다. 따라서 하드 디스크 드라이브를 내장한

지문 분석 노트
① ② ③

컴퓨터는 되도록 진동이 없는 곳에 설치하는 것이 좋으며, *방자(防磁) 처리가 되어 있지 않은 스피커 등을 주변에 두지 않도록 해야 한다.

㉣ _____

하드 디스크 드라이브의 속도를 결정하는 가장 큰 요인은 플래터의 회전 속도이다. 스핀들 모터의 회전 속도가 높을수록 더 빠르게 데이터를 읽고 쓸 수 있는데, rpm(revolution per minute)은 이 플래터가 1분에 회전하는 횟수를 의미한다. 초기 컴퓨터의 플래터 회전 속도는 1,200rpm인 데 비해, 오늘날 일반적으로 사용하는 데스크탑 컴퓨터용 3.5인치 제품에는 7,200rpm, 노트북 컴퓨터용 2.5인치 제품에는 5,400rpm, 1.8인치 제품에는 4,200rpm으로 회전하는 플래터가 탑재된 경우가 많다. 플래터뿐만 아니라, 하드 디스크 드라이브 내에 탑재된 *버퍼 메모리의 용량도 하드 디스크 드라이브의 성능에 많은 영향을 끼친다. 하드 디스크 드라이브는 반도체 기반의 장치인 CPU나 램에 비해 데이터 처리 속도가 훨씬 느린데, 버퍼 메모리는 CPU나 램에서 플래터로 데이터를 전송할 때, 혹은 그 반대의 경우에 그 중간에 위치하여 양쪽 장치의 속도 차이를 줄여주는 역할을 한다. 다만, 버퍼 메모리의 역할은 어디까지나 외부 장치와의 속도 차이를 줄여주는 것이지 하드 디스크 드라이브 자체의 속도를 빠르게 하는 것은 아니다.

■주제 : _____

Words

• **방자** : 자석의 성질을 차단하는 것 • **버퍼(buffer)** : 동작 속도가 크게 다른 두 장치 사이에 접속되어 속도 차를 조정하기 위하여 이용되는 일시적인 저장 장치. 저속의 단말기와 고속의 중앙 처리 장치 사이에 설치된다.

1 윗글의 내용과 일치하지 않는 것은?

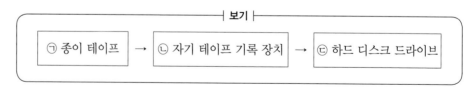

┤ 보기 ├

㉠ 종이 테이프 → ㉡ 자기 테이프 기록 장치 → ㉢ 하드 디스크 드라이브

① ㉠은 저장 용량이 크지 않고 보관이 쉽지 않다는 단점이 있다.
② ㉡은 ㉠의 단점을 어느 정도 보완했으나 속도가 느리다는 단점이 있다.
③ ㉡, ㉢은 ㉠과 달리 자성 물질을 이용하여 저장을 수행한다는 특징이 있다.
④ ㉢이 고장 나는 것을 방지하기 위해서는 진동이 없는 곳에 두는 것이 좋다.
⑤ ㉢은 장치의 크기가 작을수록 용량이 더 크고 데이터를 처리하는 속도가 빠르다.

2 윗글의 내용을 이해한 것으로 적절하지 <u>않은</u> 것은?

① 하드 디스크 드라이브는 반도체 기반 장치가 아니다.
② 하드 디스크 드라이브의 가격은 대중화를 가능하게 한 중요한 요인이다.
③ 스핀들 모터는 플래터 중심에 위치해 있으며, 플래터를 회전시키는 역할을 한다.
④ 데이터는 CPU나 램에서 플래터로 전송되며, 그 반대 방향으로는 전송되지 않는다.
⑤ 버퍼 메모리 용량이 하드 디스크 드라이브 속도에 직접 영향을 미치는 것은 아니다.

3 윗글을 바탕으로 〈보기 1〉과 〈보기 2〉를 이해한 것으로 적절하지 <u>않은</u> 것은?

┤ 보기 1 ├

외장형 하드 디스크 드라이브는 컴퓨터에 사용되는 보조 기억 장치인 하드 디스크 드라이브를 휴대용으로 만든 것을 말하며, 흔히 '외장 하드'라고 줄여 부른다. 외장 하드는 기본적으로 일반적인 내장형 하드 디스크 드라이브에 휴대용 케이스를 씌운 구조이므로, 동작 원리나 데이터 기록 방식은 일반적인 내장형 하드 디스크 드라이브와 다르지 않다.

┤ 보기 2 ├

다음은 외장 하드 두 제품의 용량과 규격을 비교한 것이다.

	A 제품	B 제품
용량	500GB	1,000GB
규격	2.5인치	3.5인치
속도	5,400rpm	7,200rpm

① A 제품에 비해 B 제품은 휴대성이 떨어진다는 단점이 있겠군.
② A 제품은 B 제품보다 크기가 작은 규격이므로 가격이 더 비싸겠군.
③ A 제품과 B 제품은 헤드가 플래터 위를 움직이면서 데이터를 저장하겠군.
④ A 제품에 탑재된 스핀들 모터는 B 제품에 탑재된 것보다 느리게 회전하겠군.
⑤ 한 장 당 용량이 동일한 사진이라면 A 제품보다 B 제품에 더 많이 저장할 수 있겠군.

☑ 지문 분석 노트

① _____

② _____

③ _____

④ _____

  에너지 하베스팅(Energy Harvesting) 기술이란 이름대로 에너지를 '수확'하여 다시 쓸 수 있게 하는 기술이다. 바람, 물, 진동, 태양 광선 등의 자연 에너지를 전기 에너지로 변환하는 것뿐만 아니라, 실내 조명광, 자동차의 *폐열, 방송 전파 등 주변에 버려지는 에너지도 전기 에너지로 변환하여 사용하는 것이다. 원자력 발전이나 수력 발전 등 기존의 에너지 발전 기술이 대규모 전력을 생성하는 발전소로부터 변전소를 거쳐 전기 케이블을 통해 가정 및 회사의 사용자들에게 전기를 공급하는 시스템이었다면, 에너지 하베스팅 기술은 주변에서 일상적으로 발생하는 에너지 발생원으로부터 비교적 간단하게 소량의 에너지를 변환하여 사용하는 시스템이다. 이 때문에 에너지 하베스팅 기술은 사물 인터넷* 시대에 크게 주목을 받고 있다.

  에너지 하베스팅 기술 중 현재 가장 널리 연구·개발 중인 것은 ㉠압전효과(Piezoelectric effect)를 이용하여 주위에 버려지는 운동 에너지를 전기 에너지로 변환하는 것이다. 압전효과란 기계적인 압력을 가하면 전압이 발생하고, 전압을 가하면 소자가 이동하거나 힘이 발생하는 등 기계적인 변형이 생기는 현상이다. 기계적 에너지를 전기 에너지로 변환하는 것을 1차 압전효과라 부르며, 전기 에너지를 기계적 에너지로 변환하는 것을 2차 압전효과 또는 역압전효과라 부른다.

  그러면 압전효과는 어떻게 발생하는 것일까? 자연계 대부분의 물질은 전체적으로 양의 전하량과 음의 전하량이 같기 때문에 전기적으로 중성을 나타낸다. 그러나 결정 구조의 단위로 볼 때는 양의 전하와 음의 전하의 위치가 약간 어긋나 있어, 원자나 분자 단위에서 그 주변에 전기장을 형성하는 경우가 있는데 이를 전기쌍극자라고 한다. 전기쌍극자를 가진 재료에 물리적인 외부 *응력을 주면 결정을 구성하는 분자 간 혹은 이온 간 상태 변화가 발생한다. 재료가 힘을 받아 결정 구조가 찌그러지면서 전기쌍극자의 크기에 변화를 일으켜 주변에 전기력을 미치게 되는 것이다. 이와 같은 원리를 통해 압전 소자에 연결된 전기 회로에는 양 또는 음의 전기가 발생하는데, 이것이 1차 압전효과이다. 또한 이와 반대로 압전 소자 회로에 전압을 가하면 외부의 전기적 인력 혹은 *척력에 의해 전기쌍극자가 변화하게 되는데, 이는 궁극적으로 압전 소자의 물리적인 변형을 불러와 역압전효과를 일으키게 된다.

  압전효과는 수정 등의 천연 결정 외에도 로셸 염, 티탄산 지르코늄 등의 인공 결정 및 압전 재료에 나타나며, 에너지 간 변환을 필요로 하는 분야에서 활발하게 응용되고 있다. 압전효과 이외에도 열전효과*, 광전효과* 등이 에너지 하베스팅 기술에서 활용된다. 자투리 에너지를 모아 전력으로 재활용하는 에너지 하베스팅 기술은 무공해 재생 에너지를 생성한다는 점에서 의의가 있으며, 화석 연료의 고갈 등 에너지 자원 부족 문제에 대응하기 위한 적극적인 에너지 절약의 한 방법이 될 수 있다는 점에서 지속적인 연구가 필요하다.

  * 사물 인터넷 : 생활 속 사물들을 유무선 네트워크로 연결해 정보를 공유하는 환경
  * 열전효과 : 온도가 차이 날 때 전류가 흐르는 현상
  * 광전효과 : 금속 등이 고에너지 전자기파를 흡수할 때 전자를 내보내는 현상

■ 주제 :

Words

• **폐열(廢熱)** : 쓰고 난 열 • **응력(應力)** : 변형력(變形力). 물체가 외부 힘의 작용에 저항하여 원형을 지키려는 힘 • **척력(斥力)** : 같은 종류의 전기나 자기를 가진 두 물체가 서로 밀어내는 힘

1 윗글의 표제와 부제로 가장 적절한 것은?

① 에너지 하베스팅 기술의 원리
　　 – 압전효과를 중심으로
② 압전효과의 발생
　　 – 1차 압전효과와 2차 압전효과를 중심으로
③ 에너지 절약의 적극적 방법
　　 – 에너지 하베스팅 기술을 중심으로
④ 친환경적 에너지 발생 기술의 개발
　　 – 전기쌍극자 활용을 중심으로
⑤ 에너지 변환의 신기술 도입
　　 – 천연 결정과 인공 결정의 차이점을 중심으로

2 윗글의 내용을 이해한 것으로 적절하지 <u>않은</u> 것은?

① 전기쌍극자가 없는 재료로는 압전효과를 발생시킬 수 없다.
② 물리적인 외부 응력 없이도 전기쌍극자를 변화시킬 수 있다.
③ 티탄산 지르코늄은 전압을 가하여 물리적인 변형을 가져올 수 있다.
④ 결정 구조상 전하의 위치가 일치하지 않을 때 전기력이 유발될 수 있다.
⑤ 전기적으로 중성인 물질은 기계적인 압력에 의해 전기가 발생하지 않는다.

3 ㉠의 사례로 가장 적절한 것은?

① 앞면으로는 태양빛을, 뒷면으로는 실내 조명을 흡수해 동시에 전기를 만드는 양면 박막 태양 전지가 개발되었다.

② 전선 주변에 생기는 전자기 유도 현상을 이용하여 소형 기기의 전력원으로 활용하려는 시도가 꾸준히 연구되고 있다.

③ 대기 중에 흩어지는 와이파이(Wi-Fi)의 전파 에너지를 수집하는 안테나를 설치하여 포집한 와이파이 전자기파를 전기로 바꾸려는 신기술이 등장했다.

④ 도쿄에 있는 지하철 역사에서는 개찰구의 바닥을 사람들이 밟고 다닐 때 발생하는 압력을 활용하여 개찰구나 디스플레이에 필요한 전기를 생산하고 있다.

⑤ 입을 수 있는 섬유형 열전 소자를 밴드 형태로 몸에 부착하면 체온과 외부 기온이 17℃ 이상 차이 날 때 반도체 칩을 구동할 수 있는 전력을 생산하는 기술이 개발되었다.

플래시 메모리는 전원이 끊겨도 저장된 정보가 지워지지 않는 비휘발성 메모리로, 디지털 카메라나 스마트폰 등 휴대용 디지털 기기에 가장 많이 사용되는 기억 장치이다. 플래시 메모리는 1•비트의 정보를 기억하는 수많은 스위치들로 구성되며, 각 스위치에 0 또는 1을 저장한다.

셀이라고 불리는 플래시 메모리의 스위치는 〈그림〉과 같은 구조의 트랜지스터* 1개로 이루어져 있다. 평상시에는 소스와 드레인이라고 불리는 두 반도체 사이에 전기가 흐르지 않지만 게이트에 전압을 공급하면 소스에서 드레인으로

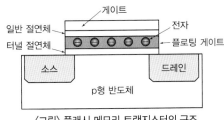

〈그림〉 플래시 메모리 트랜지스터의 구조

전기가 흐른다. 이처럼 소스와 드레인 사이에 전기가 흐르도록 게이트에 공급해야 할 최소한의 전압을 '문턱 전압'이라고 한다. 〈그림〉의 터널 •절연체는 전류 흐름을 항상 차단하는 일반 절연체와는 다르게 일정 이상의 전압이 가해졌을 때는 전자를 통과시킨다. 그러나 여러 번 사용할수록 점차 성능이 저하되어 사용 횟수에 한계가 있다.

플로팅 게이트는 〈그림〉과 같이 절연체를 통과한 전자를 가지고 있을 수도 있고, 전자를 절연체로 다시 내보낼 수도 있다. 이때 플로팅 게이트가 전자를 가지고 있다면 셀의 정보가 '1'이고, 그렇지 않다면 셀의 정보가 '0'이다. 플로팅 게이트가 전자를 가지고 있을 때는 문턱 전압이 높고 전자를 가지고 있지 않을 때는 문턱 전압이 낮다. 만약 두 문턱 전압 중간의 전압을 게이트에 공급하면, 플로팅 게이트에 전자가 있을 때는 전류가 흐르지 않고 반대의 경우에는 전류가 흐른다. 이것으로 셀의 정보가 '1'인지 '0'인지를 판독할 수 있으므로, 이 전압을 '판독 전압'이라고도 한다.

최초의 플래시 메모리에는 하나의 셀에 1비트를 저장할 수 있는 SLC 방식만 있었으나, 이후 플로팅 게이트에 있는 전자의 양을 조절하여 하나의 셀 안에 2비트를 저장할 수 있는 MLC 방식이 개발되었다. SLC 방식은 플로팅 게이트 안에 전자를 가득 채운 상태가 '1', 전자를 완전히 비운 상태가 '0'인 두 가지 상태로 정의하는 반면, MLC 방식은 플로팅 게이트 안에 전자를 가득 채운 상태가 '11', 2/3 채운 상태가 '10', 1/3 채운 상태가 '01', 완전히 비운 상태가 '00'인 네 가지 상태로 정의한다. MLC 방식의 경우 문턱 전압도 플로팅 게이트 안의 전자의 양에 따라 네 가지 단계로 나뉘는데, 각 문턱 전압의 중간 전압인 판독 전압을 차례로 가하면 2비트의 정보를 읽을 수 있다. MLC 방식은 플로팅 게이트 안의 전자의 양을 세밀하게 조절해야 하므로, 데이터를 쓸 때 여러 단계에 걸쳐 기록을 해야 한다. 그렇기 때문에 기록 속도가 상대적으로 느리고 터널 절연체의 사용 횟수의 한계도 SLC 방식의 약 10분의 1 수준으로 떨어지는 단점이 있다.

✔ 지문 분석 노트
①

②

③

④

* 트랜지스터(transistor) : 규소, 게르마늄 따위의 반도체를 이용해서 전기 신호를 증폭하여 발진시키는 반도체 소자. 세 개 이상의 전극이 있다.

Words

• **비트(bit)** : 정보량의 최소 기본 단위. 1비트는 이진수 체계(0, 1)의 한 자리로, 8비트는 1바이트이다. • **절연체** : 전도체나 소자로부터 전기적으로 분리되어 있어 열이나 전기를 잘 전달하지 아니하는 물체

1 윗글을 읽고 이해한 내용으로 적절한 것은?

① SLC 방식은 MLC 방식에 비해 셀 당 저장 용량이 두 배 많다.
② MLC 방식은 SLC 방식에 비해 터널 절연체의 사용 가능 횟수가 많다.
③ 소스와 드레인은 플로팅 게이트의 전류 흐름을 차단하는 역할을 한다.
④ 플로팅 게이트 안에 있는 전자의 양이 많을수록 정보를 많이 저장할 수 있다.
⑤ SLC 방식과 MLC 방식 모두 전기 공급을 차단해도 저장한 정보를 잃지 않는다.

2 〈보기〉는 플로팅 게이트에 전자가 채워진 상태를 도식화한 것이다. SLC 방식에서 나타내는 정보와 MLC 방식에서 나타내는 정보가 일치하지 않는 것은?

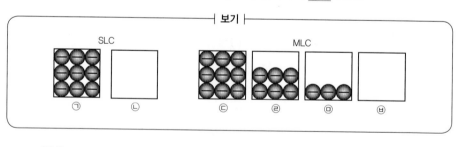

	SLC	MLC
①	㉠㉠㉠㉡	㉢㉣
②	㉠㉠㉡㉡	㉢㉤
③	㉠㉡㉡㉡	㉤㉥
④	㉠㉡㉠㉡	㉣㉣
⑤	㉠㉡㉡㉠	㉣㉤

3 〈보기〉는 어떤 셀의 전압 – 전류의 흐름을 나타내는 그래프이다. 윗글을 참고하여 〈보기〉를 이해한 내용으로 적절하지 <u>않은</u> 것은?

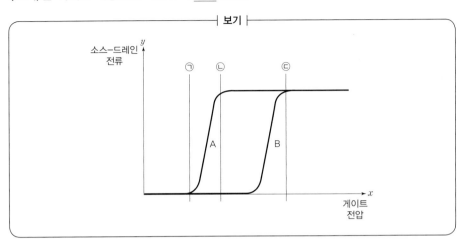

① ㉠은 A에 전류가 흐르도록 하는 최소한의 전압인 문턱 전압이다.

② B는 A보다 문턱 전압이 높으므로, 전자를 저장하고 있는 상태이다.

③ 플로팅 게이트가 비어 있는 경우, 게이트에 ㉡의 전압을 공급하면 전류가 흐른다.

④ A의 게이트에 ㉡의 전압을 공급하면 A의 정보가 '0'인 것을 판독할 수 있다.

⑤ B의 게이트에 ㉢의 전압을 공급하면 B의 정보가 '1'인 것을 판독할 수 있다.

모니터 위에서만 50년 쏘다닌 생쥐 '마우스'

우리는 컴퓨터 전원 버튼을 누르고 부팅이 채 끝나기도 전에 마우스를 쥐고 이리저리 움직인다. 마우스가 없는 컴퓨터는 상상할 수도 없다. 없어서는 안 될 존재이지만 정작 중요성은 크게 느끼지 못하는 마우스.

마우스는 지금은 키보드와 더불어 빼놓을 수 없는 중요한 입력 장치이지만 처음에 선보였을 때는 찬밥 신세를 벗어나지 못했다. 그 당시 컴퓨터 프로그램을 이용하기 위해서는 프로그램 명령어를 직접 입력해야 했기 때문에 커서를 이리저리 끌고 다닐 필요가 없었기 때문이다. 그러나 1990년대 초반, 화면을 움직이며 아이콘을 누르는 것만으로도 프로그램을 실행하는 윈도 운영 체제가 등장하여 인기를 끌면서 마우스는 세상에 자기 존재를 드러냈다.

최초의 마우스는 언제 누가 만들었을까? 세계 최초의 마우스 개발자는 더글라스 엥겔바트(Douglas Engelbart, 1925~2013)로, 그는 1961년에 마우스의 원리를 세상에 공개했다. 당시 스탠퍼드 대학 연구원이기도 했던 더글라스는 많은 도전과 실패의 시간을 보내고, 1968년 샌프란시스코에서 최초의 마우스를 세상에 선보였다. 작은 나무 상자 안에 두 개의 바퀴가 들어있는 이 기계는 '표시 장치용 X-Y 위치 지정기'라는 이름이었지만, 붉은색 버튼과 꼬리처럼 긴 선이 달려 있어 '마우스'란 별명을 얻게 되었다. 시간이 흘러 마우스의 외형과 내부 센서에는 많은 발전이 있었지만, 마우스의 기본 동작 원리는 수십 년이 지난 지금도 그대로 이용되고 있다.

▲ 더글라스가 최초로 디자인한 마우스 시제품

지금은 마우스 시장의 거대 기업이지만 당시에는 작은 기업에 불과했던 로지텍이 1982년 첫 번째 마우스인 'P4'를 선보였다. 네모난 나무로 만들어진 최초의 마우스와는 다르게 잡기 편하도록 만든 동그란 몸체와 3개의 버튼을 지닌 P4는 전문가들 사이에서만 흥미를 끌었다. 1983년 1월, 애플이 GUI(화면 조작 소프트웨어)를 이용한 '애플 리사 컴퓨터'를 발표했지만 큰 성공을 거두지 못하면서 마우스의 상업적인 성공은 뒤로 미루어졌다.

그렇다면 최초로 성공한 상용 마우스는 무엇일까? 마이크로소프트는 1982년 '마이크로소프트 하드웨어 그룹'을 설립하면서 하드웨어 시장에 뛰어들었다. 자사의 프로그램에 맞는 주변 기기를 개발해 더 많은 제품을 파는 것이 목적이었다. 그래서 등장한 것이 1983년 5월에 출시된 '마이크로소프트 마우스'였다. '그린 아이드'라고 불리던 이 마우스는 무려 195달러나 했지만 단순하고 편한 조작법으로 인해 많은 인기를 끌었다.

1990년 마이크로소프트는 GUI아이콘으로 PC를 조작하는 '윈도3.0'을 출시하였다. 윈도의 등장은 마우스 시장의 판도를 흔들었다. 마우스가 필수인 윈도의 등장은 마우스가 성장하는 원동력이 되었기 때문이다. 때맞춰 로지텍은 왼손잡이용 마우스인 '마우스맨'을 선보였고, 처음으로 라디오 주파수 기술을 이용한 '무선 마우스맨'까지 선보이며 마우스 시장의 거성으로 자리를 잡았다. 마이크로소프트도 1993년 인체 공학 마우스인 '마이크로소프트 마우스 2.0'을 출시해 마우스 종류를 늘렸다.

1995년 마이크로소프트가 '윈도95'를 발표하자 수많은 사람들은 앞다투어 윈도를 구입하며 새로운 운영 체제에 열광했다. 아이러니한 것은, 마이크로소프트가 윈도를 출시하며 마우스를 주류로 끌어올렸지만 정작 달콤한 열매는 로지텍이 모두 먹었다고 해도 과언이 아닐 정도로 윈도는 로지텍의 든든한 발판이었다는 사실이다.

이렇게 마우스 시장에서 마이크로소프트와 로지텍은 양대 산맥을 이루며 발전해 왔으며, 지금도 마우스의 진화는 멈추지 않고 있다.

– pc사랑(ilovepc.co.kr)

펜으로 입체 도형을 만든다?

점이 모이면 선이 되고, 선이 모이면 면이 된다. 면이 모이면 무엇이 될까? 답은 입체다. 선은 1차원, 면은 2차원이다. 면이 모이면 우리가 사는 세상, 3차원이 된다. 선을 긋던 펜으로 면을 만들고, 그 면을 모아 입체 도형을 그릴 수 있는 기기가 이미 세상에 존재한다. 바로 '3D프린팅 펜(3D펜)'이다.

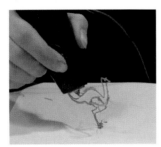

▲ 쓰리두들러

처음 상용화된 3D펜은 '쓰리두들러(3Doodler)'이다. 장난감 개발자 맥스웰 보그와 매사추세츠 공과대학(MIT) 출신 피터 딜워스는 2010년 워블웍스(WobbleWorks)를 세우고 쓰리두들러를 선보였다. 이들이 가지고 나온 아이디어는 간단하다. 3D프린터가 물건을 그리는 방식을 펜으로 옮기자는 것이다. 워블웍스는 사용하던 3D프린터의 오작동으로 인해 쪼개져 나온 결과물을 접붙일 방법이 없을까 고민하다 3D펜이라는 아이디어를 떠올렸다고 밝혔다.

이들은 플라스틱을 녹여 물체를 그려내는 노즐을 따로 떼어내 펜으로 만들기로 마음먹었다. 노즐로 내보낸 플라스틱 막대 재료를 녹여 끈적한 상태로 만든 후, 안에서는 굳지 않도록 일정한 속도로 밀어내면서 노즐 밖으로 내보낸 뒤에는 재료가 바로 식어 굳게 하고자 했다. 그래야 재료를 '쌓아' 입체적인 물체를 만들 수 있기 때문이다.

워블웍스가 만든 쓰리두들러가 복잡한 3D프린터를 간단한 펜으로 옮길 수 있다는 사실을 보여주자 다른 회사들도 개량된 3D펜을 내놓았다.

3D 프린팅 펜 '릭스'는 말 그대로 입체적인 물체를 '그려내는' 펜이다. 기존 펜이 활동하는 영역은 종이이고, 스마트펜의 활용 영역이 스마트폰이나 태블릿PC의 디스플레이 속이라면, 릭스의 영역은 바로 공간이다. 사용법은 간단하다. 보통 350도에서 450도 사이의 열에서 녹는 합성 플라스틱 소재를 릭스 펜 뒤에 삽입한다. 몸통 속에 들어간 소재가 펜촉의 열처리 장치를 통과하며 강한 점성을 띠게 되고, 이 점성을 띤 소재로 그림을 그릴 수 있게 된다. 허공에도 자유자재로 그림을 그릴 수 있는 까닭은 펜촉을 통과해 공기 중으로 나온 소재가 빠른 속도로 굳기 때문이다. 흔히 '글루건'이라고 부르는 고체형 접착제를 쏘는 기기의 원리를 생각하면 이해하기 쉽다. 릭스의 무게는 40그램, 크기는 우리가 보통 쓰는 볼펜 정도이다. 재료로 쓰는 플라스틱 두께도 1.75mm밖에 되지 않는 릭스는 노즐이 작은 만큼 정교하게 작업을 할 수 있고, 전원도 컴퓨터 USB 포트에서 마이크로 USB 포트로 끌어다 써 접근하기 쉽다는 장점이 있다.

플라스틱이 아닌 다른 재료를 쓰는 3D펜도 있다. '크레오팝'이다. 펜에 빛을 비추면 굳는 특수 잉크(포토몰리머)를 담고 이걸 내보내며 자외선을 쏴 굳히는 방식으로, 플라스틱을 녹이지 않아도 되니 350도가 넘는 열을 가하는 부품이 없어 아이들이 쓰기에도 안전하다. 플라스틱이 녹을 때 발생하는 냄새가 나지 않는 것은 물론이다.

3D펜은 평면 속에 그림을 그리던 펜의 영역을 우리가 사는 3차원 세상으로 넓혔다. 하지만 3D프린터처럼 정교한 작업을 하려면 따로 도면을 만들어 평면 위에 모양을 만든 뒤 다시 이어 붙여야 하는 등 아직 부족한 점이 존재한다.

하지만 3D펜만이 가진 장점도 있다. 일단 3D프린터보다 훨씬 친숙하고, 사용법을 익히기도 쉽다. 컴퓨터가 없어도 사용할 수 있기 때문에 컴퓨터 그래픽을 어려워하는 사람도 쓸 수 있다. 가격도 보통 수백만 원대인 3D프린터보다 저렴하다.

3D프린터가 프린터보다 훨씬 큰 가능성을 열어주었듯 3D펜도 모태인 3D프린터보다 더 큰 잠재력을 품고 있을지도 모른다. 소재와 기술이 개발되면 3D프린터만큼 정밀한 작업이 가능해질 수도 있다. 이제 막 세상에 나온 3D펜은 어떤 미래를 그려갈까?

— 안상욱, 「허공에 선을 그어 물건을 만든다 – 3D펜」

날개 없는 선풍기의 원리

무더운 여름, 부채질을 하여 더위를 식히는 것은 우리 몸을 직접 움직이는 일이라 시간이 지나면 다시 열이 나고 힘이 든다. 그래서 사람들은 힘들게 바람을 만드는 대신, 지속적으로 시원한 바람을 만들어 내는 기구인 선풍기나 에어컨을 사용한다.

선풍기의 원형은 큰 부채를 천장에 매달아 시계추처럼 움직이게 한 것이었다. 지금과 같은 날개가 달린 선풍기가 나온 것은 1800년대 중반쯤으로, 태엽을 감아서 선풍기 날개가 돌아가게 했다고 한다. 이후 동력이나 사용의 편리함을 위해 기능이 조금씩 변화하긴 했지만, 선풍기를 떠올리면 풍차나 바람개비와 같은 날개가 회전하면서 바람을 일으키는 모습이 떠오르는 사실에는 큰 변화가 없다.

하지만 인간의 상상력은 언제나 획기적인 발명품을 만들어 낸다. 2009년 영국의 다이슨(Dyson)사는 날개 없는 선풍기를 개발하였다. 날개가 없는데 어떻게 바람이 생기는 것일까? 선풍기 날개는 없어진 것이 아니라 모터와 함께 원기둥 모양의 스탠드에 숨어 있다. 스탠드 안을 들여다보면 비행기의 제트 엔진을 연상시키는 팬과 모터를 발견할 수 있는데, 날개 없는 선풍기는 공기를 끌어들이기 위해 제트 엔진의 원리를 이용한 것이다.

▲ 날개 없는 선풍기의 원리

제트 엔진이 추진력을 얻기 위해 필요한 공기를 팬을 회전시켜 흡입하듯이 날개 없는 선풍기도 스탠드에 내장된 팬과 전기 모터를 작동하여 아래쪽으로 공기를 빨아들인다. 이렇게 빨아 올린 공기를 위쪽 둥근 고리 내부로 밀어 올린다. 이 모터는 1초에 약 5.28갤런(약 20리터) 정도의 공기를 흡입하여 끌어올릴 수 있고 비교적 적은 양의 전력으로 일을 할 수 있기 때문에 에너지 효율도 좋은 편이다.

속이 빈 둥근 고리 내부로 밀려 올라간 공기는 고리의 구조적 특징 때문에 약 88km/h 정도로 유속이 빨라진다. 이 빠른 속력의 공기가 빈 고리 내부의 작은 틈을 통해 빠져나오면서 둥근 고리 안쪽 면의 기압은 낮아지게 된다. 이 때문에 선풍기 고리 주변의 공기는 고리 안쪽으로 유도되어 고리를 통과하는 공기의 강한 흐름을 발생시킨다. 이때 고리를 통과하는 공기의 양은 모터를 통해 아래쪽으로 빨려 들어간 공기의 양보다 15배 정도로 증가하게 되며, 이 고리가 바람을 일으키게 된다.

속이 빈 고리의 단면 위쪽(고리 바깥 면)은 비행기 날개 윗면과 비슷한 곡면이고, 아래쪽(고리 안쪽 면)은 비행기 날개 아랫면처럼 상대적으로 평평하다. 고리를 이루는 바깥 면과 안쪽 면은 약 1.3mm 정도의 작은 틈을 사이에 두고 맞물려 있는데, 고리의 단면은 왜 비행기의 날개 모양을 닮았을까?

비행기가 날기 위해서는 공기가 비행기를 위로 밀어 올리는 힘이 필요하다. 비행기 날개는 윗면이 아랫면보다 볼록한데, 공기가 비행기의 평평한 아랫면보다 볼록한 윗면을 지나갈 때 마치 좁은 관 속을 지나는 것처럼 속도가 더 빨라지게 된다. 공기의 속도가 빠른 윗면은 기압이 낮아지고 상대적으로 평평한 아랫면의 기압은 높아지게 되는 것이다. 공기의 힘은 고기압에서 저기압으로 작용하므로 기압이 높은 아래쪽에서 위로 힘이 작용하게 된다. 날개 없는 선풍기의 고리도 비행기의 날개와 같은 원리를 이용한 것이다. 비행기 날개 모양을 닮은 빈 고리 내부에서 공기의 빠른 흐름이 생기게 되고, 이 공기가 맞물린 작은 틈을 통해 강하게 불어나오며 고리 바깥 주변의 공기가 둥근 고리를 통과하게 되는 일정한 방향의 강한 기류가 생기게 된다.

날개 없는 선풍기는 크기가 작고 구조가 매우 간단하다. 고리와 모터가 있는 부분이 분리되기 때문에 간편하게 보관할 수 있고, 먼지가 쌓일 날개가 없기 때문에 위생적이며 청소도 간편하다. 또한 겉으로 드러나는 날개가 없기 때문에 선풍기의 날개에 손이 다칠 염려도 적다. 게다가 날개 없는 선풍기의 바람은 날개 있는 선풍기의 바람보다 더 부드럽다. 또 날개 있는 선풍기는 바람개비처럼 공기를 비스듬하게 쪼개면서 바람을 만들기 때문에 불규칙한 바람을 일으키고 선풍기 앞에서 소리를 내면 소리가 요동치는 듯한 느낌도 들게 한다. 하지만 날개 없는 선풍기는 바람을 균일하게 불게 한다.

– 강옥경, 「날개가 없어도 바람이 솔솔솔 – 날개 없는 선풍기의 원리」

미래를 생각하는
(주)이룸이앤비

이룸이앤비는 항상 꿈을 갖고 무한한 가능성에 도전하는 수험생 여러분과 함께 할 것을 약속드립니다.
수험생 여러분의 미래를 생각하는 이룸이앤비는 항상 새롭고 특별합니다.

내신·수능 1등급으로 가는 길
이룸이앤비가 함께합니다.

| 이룸이앤비 | |

인터넷 서비스

숨마쿰라우데®

❖ 이룸이앤비의 모든 교재에 대한 자세한 정보
❖ 각 교재에 필요한 듣기 MP3 파일
❖ 교재 관련 내용 문의 및 오류에 대한 수정 파일

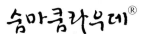

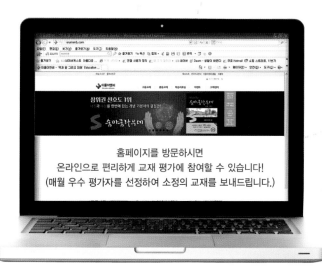

홈페이지를 방문하시면
온라인으로 편리하게 교재 평가에 참여할 수 있습니다!
(매월 우수 평가자를 선정하여 소정의 교재를 보내드립니다.)

굿비
좋은 시작, 좋은 기초

미래로

이룸이앤비 교재는 수험생 여러분의 "부족한 2%"를 채워드립니다.

누구나 자신의 꿈에 대해 깊게 생각하고 그 꿈을 실현하기 위해서는 꾸준한 실천이 필요합니다.
이룸이앤비의 책은 여러분이 꿈을 이루어 나가는 데 힘이 되고자 합니다.

수능 국어 영역 고득점을 위한 국어 교재 시리즈

수능 입문서

굿비 입문 시리즈

한 권으로 수능 기본기를 다지는 개념 기본서
필수 개념과 개념 적용 연습을 통해 수능 국어를 체계적으로 학습한다.
◎ 국어 독서 입문, 국어 문학 입문

내신·수능 기본서

숨마쿰라우데 시리즈

단기간에 약점을 집중 공략하는 국어 고득점 전략서
제재별·영역별·문제 유형별 강화 훈련으로 국어 해결 능력을 기른다.
◎ 고전 시가, 어휘력 강화, 독서 강화[인문·사회], 독서 강화[과학·기술]
  신경향 비문학 워크북

수능 대비서

미래로 수능 기출 총정리 [HOW to 수능1등급] 시리즈

BOOK 1 영역별 독해 총정리 / **BOOK 2** 고난도 실전편 / **BOOK 3** 秘 서브노트
◎ 국어 독서

숨마쿰라우데®
[국어 문제집]

독서 강화

단기간에 제재별 독해를 완성하는 국어 독서 고득점 전략서

과학·기술

秘 서브노트 SUB NOTE

SUB NOTE · 정답 및 해설

제 I 부

과학

전향력의 개념과 원리

이 글은 지구 상에서 운동하는 물체의 운동 방향이 편향되는 현상이 나타나는 원인인 전향력에 대해 설명하고 있다. 전향력은 지구의 자전 속력이 위도에 따라 다르기 때문에 나타난다. 지구가 자전하는 속력은 적도에서 가장 빠르고 고위도로 갈수록 속력이 느려져서 남극과 북극에서는 0이 된다. 이렇게 위도에 따라 속력이 차이가 나기 때문에 물체의 운동 방향이 좌우로 편향되는 정도는 북극과 남극에서 최대가 되고, 적도에서는 0이 된다. 그리고 전향력은 위도가 높을수록, 물체의 이동 속력이 빠를수록 커지며, 운동하는 물체의 진행 방향이 북반구에서는 오른쪽으로, 남반구에서는 왼쪽으로 편향되게 한다.

> 1828년 프랑스의 G. G. 코리올리가 이론적으로 유도하여 '코리올리의 힘'이라고도 한다. 회전하는 운동계에서 운동하는 물체를 관측할 때 나타나는 겉보기의 힘이다.

☑ 지문 분석 노트

1 전향력의 개념과 이로 인한 현상

2 지구의 자전으로 나타나는 전향력

3 전향력의 작용 사례 ① – 적도에서 북위 30도로 물체를 발사했을 경우

4 전향력의 작용 사례 ② – 북위 30도에서 북위 60도로 물체를 발사했을 경우

5 전향력과 물체의 이동 속력과의 관계

■ 주제 : 전향력이 운동하는 물체의 운동 방향에 미치는 영향

우주에서 지구의 북극을 내려다보면 지구는 <u>시계 반대 방향</u>으로 빠르게 자전하고 있지만 우리는 그 사실을 잘 인지하지 못한다. 지구의 자전 때문에 일어나는 현상 중 하나는 지구 상에서 운동하는 물체의 운동 방향이 편향되는 것이다. 이러한 현상의 원인이 되는 가상적인 힘을 전향력이라 한다.
지구의 자전 방향

전향력은 <u>지구가 자전하기 때문</u>에 나타난다. 구 모양인 지구의 둘레는 적도가 가장 길고 위도가 높아질수록 짧아진다. 지구의 자전 주기는 위도와 상관없이 동일하므로 <u>자전하는 속력은 적도에서 가장 빠르고, 고위도로 갈수록 속력이 느려져서 남극과 북극에서는 0이 된다.</u>
전향력이 나타나는 원인
고위도로 갈수록 지구의 둘레가 짧아지므로 지구의 자전 속력은 느려짐.

적도 상의 특정 지점에서 동일한 경도 상에 있는 북위 30도 지점을 목표로 어떤 물체를 발사한다고 하자. 이때 물체에 영향을 주는 마찰력이나 다른 힘은 없다고 가정한다. 적도 상의 발사 지점은 약 1,600km/h의 속력으로 자전하고 있다. 북쪽으로 발사된 물체는 발사 속력 외에 약 1,600km/h로 동쪽으로 진행하는 속력을 동시에 갖게 된다. 한편 북위 30도 지점은 약 1,400km/h의 속력으로 자전하고 있다. 목표 지점은 발사 지점보다 약 200km/h가 더 느리게 동쪽으로 움직이고 있는 것이다. 따라서 발사된 물체는 겨냥했던 목표 지점보다 더 동쪽에 있는 지점에 도달하게 된다. 이때 지구 표면의 발사 지점에서 보면, 발사된 물체의 이동 경로는 처음에 목표로 했던 북쪽 방향의 오른쪽으로 휘어져 나타나게 된다.

이번에는 북위 30도에서 자전 속력이 약 800km/h인 북위 60도의 동일 경도 상에 있는 지점을 목표로 설정하고 같은 실험을 실행한다고 하자. 두 지점의 자전하는 속력의 차이는 약 600km/h이므로 이 물체는 적도에서 북위 30도를 향해 발사했을 때보다 더 오른쪽으로 떨어지게 된다. 이렇게 운동
북위 30도의 자전 속력이 1,400km/h이고, 북위 60도의 자전 속력은 800km/h임.
방향이 좌우로 편향되는 정도는 저위도에서 고위도로 갈수록 더 커진다. 결국 위도에 따른 자전 속력의 차이가 고위도로 갈수록 더 커지기 때문에 좌우로 편향되는 정도는 북극과 남극에서 최대가 되고
전향력의 크기 : 저위도<고위도
<u>적도에서는 0이 된다.</u> 이러한 편향 현상은 북쪽뿐 아니라 다른 방향으로 운동하는 모든 물체에 마찬
적도에서는 운동 방향이 편향되지 않음.
가지로 나타난다.

전향력의 크기는 위도뿐만 아니라 물체의 이동하는 속력과도 관련이 있다. 지표를 기준으로 한 이
전향력은 위도가 높을수록, 물체의 이동 속력이 빠를수록 커짐.
동 속력이 빠를수록 전향력이 커지며, 지표 상에 정지해 있는 물체에는 전향력이 나타나지 않는다. 한편, 전향력은 운동하는 물체의 진행 방향이 북반구에서는 오른쪽으로, 남반구에서는 왼쪽으로 편향되게 한다.

1 세부 정보의 파악

문제 분석 글에 제시된 사실적 정보를 파악하여 이를 바탕으로 내용을 이해하는 문제이다.

정답 풀이 ❸ 2문단에서 지구의 자전 주기는 위도와 상관없이 동일하므로 자전하는 속력은 적도에서 가장 빠르고, 고위도로 갈수록 속력이 느려진다고 하였다. 따라서 남위 50도 지점은 남위 40도 지점보다 고위도이므로 자전 방향으로 움직이는 속력이 더 느리다.

오답 풀이 ① 2문단에서 지구의 자전 주기는 위도와 상관없이 동일하다고 하였으므로, 북위 30도 지점과 북위 60도 지점의 자전 주기는 동일하다.
② 5문단에서 지표 상에 정지해 있는 물체에는 전향력이 나타나지 않는다고 하였으므로, 운동장에 정지해 있는 축구공에는 위도와 상관없이 전향력이 나타나지 않는다.
④ 1문단에서 지구는 시계 반대 방향으로 빠르게 자전한다고 하였고, 3문단에서 북쪽으로 발사된 물체는 발사 속력 외에 동쪽으로 진행하는 속력을 갖게 되면서 목표 지점보다 더 동쪽에 있는 지점에 도달한다고 하였다. 따라서 남위 30도에서 정남쪽의 목표 지점으로 발사한 물체 또한 동쪽으로 진행하는 속력을 갖게 되면서 목표 지점보다 더 동쪽으로 떨어지게 된다.
⑤ 4문단에서 전향력에 의한 편향 현상은 북쪽뿐 아니라 다른 방향으로 운동하는 모든 물체에 나타난다고 하였으므로, 우리나라의 야구장에서 타자가 쳐서 날아가는 공의 이동 방향은 전향력에 의해 영향을 받게 된다.

2 구체적 사례에 적용

문제 분석 제시문을 바탕으로 〈보기〉의 실험 상황을 이해하는 문제이다. 중심 화제에 대한 각 문단의 정보를 파악한 후, 이를 〈보기〉의 사례에 적용한다.

정답 풀이 ❷ 〈보기〉의 실험에서 진자의 진동면이 회전하는 이유는 전향력 때문이다. 4문단에서 위도에 따른 자전 속력의 차이가 고위도로 갈수록 더 커지기 때문에 좌우로 편향되는 정도는 북극과 남극에서 최대가 되고 적도에서는 0이 된다고 하였다. 따라서 파리보다 고위도에서 동일한 실험을 할 경우 파리에서보다 진자는 더 많이 휘고 이에 따라 진자의 진동면의 회전 속도는 더 빨라지게 될 것이다.

오답 풀이 ① 5문단에서 운동하는 물체의 진행 방향이 남반구에서는 전향력에 의해 왼쪽으로 편향된다고 하였다. 따라서 남반구에서 이 실험을 할 경우 진자의 진동면은 시계 반대 방향으로 회전할 것이다.
③ 2문단에서 지구의 자전 속력은 남극과 북극에서는 0이라고 하였고, 4문단에서 물체의 운동 방향이 좌우로 편향되는 정도는 북극과 남극에서 최대가 된다고 하였다. 그러므로 북극과 남극에서는 동일한 크기의 전향력이 작용한다고 추측할 수 있다. 따라서 북극과 남극에서 이 실험을 할 경우 진자가 동일한 정도로 휘어지므로 진자의 진동면의 회전 주기도 동일할 것이다.

④ 4문단에서 물체의 운동 방향이 좌우로 편향되는 정도는 적도에서 0이라고 하였으므로, 적도에서 동서 방향으로 진자를 진동시킬 경우 진자의 진동면은 회전하지 않을 것이다.
⑤ 5문단에서 운동하는 물체의 진행 방향이 전향력에 의해 남반구에서는 왼쪽으로 편향된다고 하였으므로, 남위 60도에서 이 실험을 할 경우 움직이는 추는 이동 방향의 왼쪽으로 편향될 것이다.

Think Plus ➕ '물리' 제재의 문제 풀이 방법

물리 제재의 문제는 제시문의 내용을 정확하게 파악하지 못하면 풀기 어려운 경우가 많다. 특히 운동 방향이나 속력 등과 관련된 제시문은 그림을 그리며 이해하는 것이 효과적이다. 제시문에서 설명하는 개념 및 원리를 이해하고, 이를 문제의 선택지가 요구하는 조건에 적용하여 적절성 여부를 판단해야 한다.

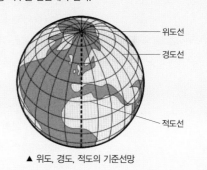

▲ 위도, 경도, 적도의 기준선망

반데르발스 상태 방정식

이 글은 이상 기체 상태 방정식이 반데르발스 상태 방정식으로 보정되는 과정과 반데르발스 상태 방정식의 의의를 설명하고 있다. 이상 기체 상태 방정식은 기체의 상태에 영향을 미치는 압력, 온도, 부피의 상관관계를 표현한 것이다. 이 방정식은 실제 기체에 존재하는 분자 자체의 부피와 분자 간의 상호 작용이 없다고 가정한 것이므로 실제 기체에 적용하면 잘 맞지 않는다. 그래서 실제 기체의 분자 자체 부피와 분자 사이의 인력에 의한 압력 변화를 고려하여 반데르발스 상태 방정식이 등장하였다. 반데르발스 상태 방정식은 자연현상을 정확하게 표현하기 위해 단순한 모형을 정교한 모형으로 수정해 나가는 과학 연구의 절차를 보여 준다는 의의가 있다.

「기체의 온도를 일정하게 하고 부피를 줄이면 압력은 높아진다. 한편 압력을 일정하게 유지할 때 온도를 높이면 부피는 증가한다.」 이와 같이 기체의 상태에 영향을 미치는 압력(P), 온도(T), 부피(V)의 상관관계를 1몰의 기체에 대해 표현하면 $P = \dfrac{RT}{V}$(R : 기체 상수)가 되는데, 이를 ㉠이상 기체 상태 방정식이라 한다. 여기서 이상 기체란 분자 자체의 부피와 분자 간 상호 작용이 없다고 가정한 기체이다. 이 식은 기체에서 세 변수 사이에 발생하는 상관관계를 간명하게 설명할 수 있다.

하지만 실제 기체에 이상 기체 상태 방정식을 적용하면 잘 맞지 않는다. 실제 기체에는 분자 자체의 부피와 분자 간의 상호 작용이 존재하기 때문이다. 분자 간의 상호 작용은 인력과 반발력에 의해 발생하는데, 일반적인 기체 상태에서 분자 간 상호 작용은 대부분 분자 간 인력에 의해 일어난다. 온도를 높이면 기체 분자의 운동 에너지가 증가하여 인력의 영향은 줄어든다. 또한 인력은 분자 사이의 거리가 멀어지면 감소하는데, 어느 정도 이상 멀어지면 그 힘은 무시할 수 있을 정도로 약해진다. 하지만 분자들이 거의 맞닿을 정도가 되면 반발력이 급격하게 증가하여 반발력이 인력을 압도하게 된다. 이러한 반발력 때문에 실제 기체의 부피는 압력을 아무리 높이더라도 이상 기체에서 기대했던 것 만큼 줄지 않는다.

이제 부피가 V인 용기 안에 들어 있는 1몰의 실제 기체를 생각해 보자. 이때 분자의 자체 부피를 b라 하면 기체 분자가 운동할 수 있는 자유 이동 부피는 이상 기체에 비해 b만큼 줄어든 V−b가 된다. 한편 실제 기체는 분자 사이의 인력에 의한 상호 작용으로 분자들이 서로 끌어당기므로 이상 기체보다 압력이 낮아진다. 이때 줄어드는 압력은 기체 부피의 제곱에 반비례하는데, 이것을 비례 상수 a가 포함된 $\dfrac{a}{V^2}$로 나타낼 수 있다. 왜냐하면 기체의 부피가 줄면 분자 간 거리도 줄어 인력이 커지기 때문이다. 즉 실제 기체의 압력은 이상 기체에 비해 $\dfrac{a}{V^2}$만큼 줄게 된다.

이와 같이 실제 기체의 분자 자체 부피와 분자 사이의 인력에 의한 압력 변화를 고려하여 이상 기체 상태 방정식을 보정하면 $P = \dfrac{RT}{V-b} - \dfrac{a}{V^2}$가 된다. 이를 ㉡반데르발스 상태 방정식이라 하는데, 여기서 매개 변수 a와 b는 기체의 종류마다 다른 값을 가진다. 이 방정식은 실제 기체의 압력, 온도, 부피의 상관관계를 이상 기체 상태 방정식보다 잘 표현할 수 있게 해 주었으며, 반데르발스가 1910년 노벨상을 수상하는 계기가 되었다. 이처럼 자연현상을 정확하게 표현하기 위해 단순한 모형을 정교한 모형으로 수정해 나가는 것은 과학 연구에서 매우 중요한 절차 중의 하나이다.

반데르발스(1837~1923) : 네덜란드의 물리학자. 일생을 열역학 연구에 바쳐 모세관 현상의 열학이론, 이온화 현상의 해명, 분자 내 인력 등의 학설을 확립함.

1 세부 정보의 파악

문제 분석　글에 제시된 핵심 정보들을 바탕으로 내용을 이해하여 제시문의 내용과 선택지의 일치 여부를 판단하는 문제이다.

정답 풀이　❺ 2문단에서 실제 기체에서 분자 간 상호 작용은 인력과 반발력에 의해 발생하는데, 인력은 분자 사이의 거리가 멀어지면 감소하고 분자들이 거의 맞닿을 정도가 되면 반발력이 급격하게 증가한다고 하였다. 따라서 실제 기체의 분자 간 상호 작용이 거리에 상관없이 일정하다는 내용은 제시문의 내용과 일치하지 않는다.

오답 풀이　① 1문단에서 기체의 압력을 일정하게 유지할 때 온도를 높이면 부피는 증가한다고 하였다.
② 1문단에서 이상 기체는 분자 자체의 부피와 분자 간 상호 작용이 없다고 가정한 기체라고 하였다.
③ 3문단에서 '한편 실제 기체는 분자 사이의 인력에 의한 상호 작용으로 분자들이 서로 끌어당기므로 이상 기체보다 압력이 낮아진다.'고 하였다. 따라서 실제 기체에서 분자 간 상호 작용은 기체 압력에 영향을 준다는 것을 알 수 있다.
④ 2문단에서 실체 기체의 온도를 높이면 기체 분자의 운동 에너지가 증가하여 인력의 영향은 줄어든다고 하였다.

2 핵심 개념의 비교

문제 분석　제시된 정보들을 바탕으로 서로 다른 두 대상을 비교하는 문제이다.

정답 풀이　❺ 3문단에서 부피가 V인 용기 안에 들어 있는 실제 기체의 분자가 운동할 수 있는 자유 이동 부피는 이상 기체에 비해 b만큼 줄어든 V−b라고 하였다. 따라서 ㉠'이상 기체 상태 방정식'에서 자유 이동 부피는 ㉡'반데르발스 상태 방정식'보다 크다고 할 수 있다.

오답 풀이　① 1문단에서 기체의 압력, 온도, 부피의 상관관계를 1몰의 기체에 대해 표현한 것이 ㉠이라고 하였고, 4문단에서 ㉡이 실제 기체의 압력, 온도, 부피의 상관관계를 ㉠보다 잘 표현할 수 있게 해주었다고 하였다.
② 1문단에서 이상 기체는 기체 분자 간 상호 작용이 없다고 가정한 기체라고 하였으나, 3문단에서 실제 기체는 부피가 줄면 분자 간 거리도 줄어 인력이 커진다고 하였다.
③ 4문단을 통해 ㉡은 단순한 모형인 ㉠을 정교한 모형으로 수정한 것임을 알 수 있다.
④ 3문단에서 분자의 자체 부피를 b라고 하였고, 4문단에서 매개 변수 b는 기체의 종류마다 다른 값을 가진다고 하였다.

3 구체적 사례에 적용

문제 분석　제시문의 내용을 바탕으로 그래프가 의미하는 바를 정확하게 파악하는 문제이다.

정답 풀이　❷ 〈보기〉의 그래프를 보면 압력이 P_1과 P_2 사이일 때 A가 B에 비해 부피가 더 작다는 것을 알 수 있다. 부피가 작다는 것은 분자 사이의 거리가 가깝다는 것이므로, A가 B보다 분자 간의 거리가 더 가깝다고 추측할 수 있다. 2문단에서 분자 사이의 거리가 멀어지면 인력은 감소한다고 하였으므로, A는 B에 비해 인력의 영향을 더 크게 받고 있음을 알 수 있다. 이는 곧 A가 B에 비해 상대적으로 반발력이 작다는 것을 의미한다. 따라서 압력이 P_1과 P_2 사이일 때, A가 B에 비해 반발력보다 인력의 영향을 더 크게 받는다고 볼 수 있다.

오답 풀이　① 2문단에서 일반적인 기체 상태에서 분자 간 상호 작용은 대부분 분자 간 인력에 의해 일어나는데, 인력은 분자 사이의 거리가 멀어지면 감소한다고 하였다. 〈보기〉의 그래프를 보면 압력이 P_1에서 0에 가까워질수록 A와 B는 모두 부피가 증가하고 있음을 알 수 있는데 이는 A와 B는 모두 분자 사이의 거리가 증가한 것으로 볼 수 있다. 따라서 압력이 P_1에서 0에 가까워질수록 분자 간 상호 작용은 감소하게 될 것이다.
③ 〈보기〉의 그래프를 보면 압력이 P_2와 P_3 사이일 때, A는 C에 비해 부피가 작고, B는 C에 비해 부피가 크다. 따라서 A는 반발력보다 인력의 영향을 더 크게 받고, B는 인력보다는 반발력의 영향을 더 크게 받는다고 추측할 수 있다.
④ 〈보기〉의 그래프를 보면 압력이 P_3보다 높을 때, A와 B의 부피는 C보다 크므로 A와 B는 모두 인력보다 반발력의 영향을 더 크게 받고 있음을 알 수 있다. 그러나 A보다 B의 부피가 더 크므로 A가 B에 비해 반발력보다 인력의 영향을 더 크게 받는다고 할 수 있다.
⑤ 2문단에서 반발력 때문에 실제 기체의 부피는 압력을 아무리 높이더라도 이상 기체에서 기대했던 것만큼 줄지 않는다고 하였다. 따라서 이상 기체인 C의 부피는 0이 될 수 있지만 A와 B의 부피는 0이 되지 않을 것이라고 추측할 수 있다.

인간의 후각

이 글은 인간의 후각이 냄새를 탐지하고 인식하는 원리에 대해 설명하고 있다. 인간이 어떤 냄새를 맡을 수 있는 것은 냄새를 일으키는 물질인 '취기재'가 후각 수용기를 자극하기 때문이다. 인간이 냄새의 존재 유무를 탐지할 수 있는 최저 농도를 '탐지 역치'라 하며, 인간이 취기재의 정체를 인식하려면 탐지 역치보다 취기재의 농도가 3배 가량 높아야 한다. 인간이 구별할 수 있는 냄새의 가짓수가 10만 개가 넘어도 그 취기재가 무엇인지 다 인식하지 못하는 이유는 모든 냄새에 대응되는 명명 체계를 갖고 있지 못할 뿐만 아니라 특정한 냄새와 그것에 해당하는 이름을 연결하는 능력이 부족하기 때문이다.

☑ 지문 분석 노트

① 인간의 후각과 냄새 탐지의 원리

② 인간이 동물만큼 후각이 예민하지 않은 이유

③ 탐지 역치에 따른 취기재의 냄새 탐지

④ 정체를 인식하고 냄새의 세기를 구별하기 위한 취기재의 농도

⑤ 인간의 취기재 인식과 관련한 실험 및 그 결과

⑥ 인간이 특정 냄새의 정체를 파악하기 어려운 이유

■ 주제 : 인간이 냄새를 탐지하고 인식하는 원리

음식이 상한 것과 가스가 새는 것을 쉽게 알아차릴 수 있는 것은 우리에게 냄새를 맡을 수 있는 후각이 있기 때문이다. 이처럼 후각은 우리 몸에 해로운 물질을 탐지하는 문지기 역할을 하는 중요한 감각이다. 어떤 냄새를 일으키는 물질을 '취기재(臭氣材)'라 부르는데, 우리가 어떤 냄새가 난다고 탐지할 수 있는 것은 취기재의 분자가 코의 내벽에 있는 후각 수용기를 자극하기 때문이다.

일반적으로 인간은 동물만큼 후각이 예민하지 않다. 물론 인간도 다른 동물과 마찬가지로 취기재의 분자 하나에도 민감하게 반응하는 후각 수용기를 갖고 있다. 하지만 개[犬]가 1억 개에 이르는 후각 수용기를 갖고 있는 것에 비해 인간의 후각 수용기는 1천만 개에 불과하여 인간의 후각이 개의 후각보다 둔한 것이다.

우리가 냄새를 맡으려면 공기 중에 취기재의 분자가 충분히 많아야 한다. 다시 말해, 취기재의 농도가 어느 정도에 이르러야 냄새를 탐지할 수 있다. 이처럼 냄새를 탐지할 수 있는 최저 농도를 '탐지 역치'라 한다. 탐지 역치는 취기재에 따라 차이가 있다. 우리가 메탄올보다 박하 냄새를 더 쉽게 알아챌 수 있는 까닭은 메탄올의 탐지 역치가 박하향에 비해 약 3,500배 가량 높기 때문이다.

취기재의 농도가 탐지 역치 정도의 수준에서는 냄새가 나는지 안 나는지 정도를 탐지할 수는 있지만 그 냄새가 무슨 냄새인지 인식하지 못한다. 즉 ㉠냄새의 존재 유무를 탐지할 수는 있어도 냄새를 풍기는 취기재의 정체를 인식하지는 못하는 상태가 된다. 취기재의 정체를 인식하려면 취기재의 농도가 탐지 역치보다 3배 가량은 높아야 한다. 즉 취기재의 농도가 탐지 역치 수준으로 낮은 상태에서는 그 냄새가 꽃향기인지 비린내인지 알 수 없는 것이다. 한편 같은 취기재들 사이에서는 농도가 평균 11% 정도 차이가 나야 냄새의 세기 차이를 구별할 수 있다고 알려져 있다.

연구에 따르면 인간이 구별할 수 있는 냄새의 가짓수는 10만 개가 넘는다. 하지만 그 취기재가 무엇인지 다 인식해 내지는 못한다. 그 이유는 무엇일까? 한 실험에서 실험 참여자에게 실험에 쓰일 모든 취기재의 이름을 미리 알려 준 다음, 임의로 선택한 취기재의 냄새를 맡게 하고 그 종류를 맞히게 했다. 이때 실험 참여자가 틀린 답을 하면 그때마다 정정해 주었다. 그 결과 취기재의 이름을 알아맞히는 능력이 거의 두 배로 향상되었다.

위의 실험은 특정한 냄새의 정체를 파악하기 어려운 이유가 냄새를 느끼는 능력이 부족하기 때문이 아님을 보여 준다. 그것은 우리가 모든 냄새에 대응되는 명명 체계를 갖고 있지 못할 뿐만 아니라 특정한 냄새와 그것에 해당하는 이름을 연결하는 능력이 부족하기 때문이다. 즉 인간의 후각은 기억과 밀접한 관련이 있는 것이다. 이에 따르면 어떤 냄새를 맡았을 때 그 냄새와 관련된 과거의 경험이나 감정이 떠오르는 일은 매우 자연스러운 현상이다.

1 세부 정보의 파악

문제 분석 글의 세부적 정보와 선택지에 제시된 정보를 비교하여 일치 여부를 확인하는 문제이다.

정답 풀이 ❸ 3문단에서 메탄올의 탐지 역치가 박하향에 비해 약 3,500배 가량 높다고 하였으므로, 박하향의 탐지 역치는 메탄올의 탐지 역치보다 낮다.

오답 풀이 ① 1문단에서 우리가 어떤 냄새가 난다고 탐지할 수 있는 것은 취기재의 분자가 코의 내벽에 있는 후각 수용기를 자극하기 때문이라고 하였다.
② 1문단에서 음식이 상한 것과 가스가 새는 것을 쉽게 알아차릴 수 있는 것은 우리에게 냄새를 맡을 수 있는 후각이 있기 때문이라고 하였다.
④ 2문단에서 개[犬]는 10억 개에 이르는 후각 수용기를 갖고 있지만 인간의 후각 수용기는 1천만 개에 불과하다고 하였다.
⑤ 2문단에서 인간도 다른 동물과 마찬가지로 취기재의 분자 하나에도 민감하게 반응하는 후각 수용기를 갖고 있다고 하였다.

2 세부 내용의 추론

문제 분석 제시된 정보를 이용하여 정보들 간의 관계나 생략된 정보를 추론하는 문제이다. 선택지의 내용이 제시문을 통해 추론할 수 있는 내용인지 여부를 판단해야 한다.

정답 풀이 ❸ 6문단을 통해 취기재의 이름을 알아맞히는 능력이 향상된다는 것은 '냄새에 대응되는 명명 체계'를 더 잘 갖고 있거나 '특정한 냄새와 그것에 해당하는 이름을 연결하는 능력'이 향상된 것임을 알 수 있다. 그런데 3문단에서 탐지 역치는 '냄새를 탐지할 수 있는 취기재의 최저 농도'라고 하였다. 따라서 취기재의 이름을 알아맞히는 능력에 따라 탐지 역치가 변화하는 것이라고 볼 수는 없다.

오답 풀이 ① 6문단에서 어떤 냄새를 맡았을 때 그 냄새와 관련된 과거의 경험이나 감정이 떠오르는 일은 매우 자연스러운 현상이라고 하였으므로, 과거에 경험한 사건이 그와 관련된 냄새를 통해 환기되는 경우가 있다고 추측할 수 있다.
② 5문단에 언급된 실험에서 실험에 쓰일 모든 취기재의 이름을 모두 알려 준 다음, 임의로 취기재의 냄새를 맡게 하고 그 종류를 맞히게 한 후, 틀린 답을 하면 그때마다 정정해 주는 것은 학습의 과정이라고 볼 수 있다. 실험 결과 취기재의 이름을 알아맞히는 능력이 거의 두 배로 향상되었다고 하였는데, 이는 특정한 냄새와 그 명칭을 정확히 연결하는 능력이 향상된 것으로 볼 수 있다. 따라서 특정한 냄새와 그 명칭을 정확히 연결하는 능력은 학습을 통해 향상될 수 있다고 추측할 수 있다.
④ 5문단에서 인간이 구별할 수 있는 냄새의 가짓수는 10만 개가 넘지만 그 취기재가 무엇인지 다 인식해 내지는 못한다고 하였다. 따라서 인간이 구별할 수 있는 냄새의 가짓수는 인간이 인식하는 취기재의 가짓수보다 많다고 추측할 수 있다.
⑤ 4문단에서 같은 취기재들 사이에서는 농도가 평균 11% 정도 차이가

나야 냄새의 세기 차이를 구별할 수 있다고 하였으므로, 농도 차이가 평균 11% 미만이라면 냄새의 세기를 구별하기 어렵다고 추측할 수 있다.

3 구체적 사례에 적용

문제 분석 제시문에서 설명한 조건에 부합하는 경우를 구체적 사례를 통해 찾는 문제이다. 제시문을 통해 탐지 역치와 취기재의 농도의 관계를 파악하여 부합하는 사례를 선택해야 한다.

정답 풀이 ❷ 4문단에서 취기재의 농도가 탐지 역치 수준일 때 냄새의 존재 유무를 탐지할 수는 있어도 취기재의 정체를 인식하지는 못한다고 하였으며, 취기재의 정체를 인식하려면 취기재의 농도가 탐지 역치보다 3배 가량은 높아야 한다고 하였다. 따라서 ㉠에 해당하려면 취기재의 농도가 탐지 역치보다 높기는 하지만, 3배 이상 높아서는 안 된다. ②의 경우 취기재의 농도가 15로 탐지 역치인 10보다 높지만, 탐지 역치의 3배인 30보다 낮으므로 ㉠에 해당한다.

오답 풀이 ①, ④ 취기재의 농도가 탐지 역치보다 낮으므로, 냄새의 존재 유무를 탐지할 수 없는 경우에 해당한다.
③, ⑤ 취기재의 농도가 탐지 역치보다 3배 이상 높으므로, 냄새의 존재 유무와 취기재의 정체를 인식할 수 있는 경우에 해당한다.

태양빛 산란의 원리와 유형

이 글은 태양빛에 포함된 가시광선이 공기 입자, 먼지 미립자, 에어로졸 등과 부딪쳐 흩어지는 산란 현상에 대해 설명하고 있다. 산란은 입자의 직경과 빛의 파장에 따라 구분되며 입자의 직경이 파장의 1/10보다 작을 경우에 일어나는 산란을 레일리(Rayleigh) 산란이라 하고, 파장의 1/10보다 큰 경우에 일어나는 산란을 미(Mie) 산란이라고 한다. 지구에서 파란 하늘과 흰 구름을 볼 수 있는 이유는 바로 이 산란 효과 때문이다.

☑ 지문 분석 노트

① 산란의 개념과 유형

② 레일리 산란의 개념과 원리

③ 미 산란의 개념과 원리

■ 주제 : 태양빛 산란의 원리와 유형

태양빛은 흰색으로 보이지만 실제로는 다양한 파장의 가시광선이 혼합되어 나타난 것이다. 프리즘을 통과시키면 흰색의 가시광선은 파장에 따라 붉은빛부터 보랏빛까지의 무지갯빛으로 분해된다. 가시광선의 파장의 범위는 390~780nm 정도인데 보랏빛이 가장 짧고 붉은빛이 가장 길다. 빛의 진동수는 파장과 반비례하므로 진동수는 보랏빛이 가장 크고 붉은빛이 가장 작다. 태양빛이 대기층에 입사하여 산소나 질소 분자와 같은 공기 입자(직경 0.1~1nm 정도), 먼지 미립자, 에어로졸(직경 1~100,000nm 정도) 등과 부딪치면 여러 방향으로 흩어지는데 이러한 현상을 산란이라 한다. 산란은 입자의 직경과 빛의 파장에 따라 '레일리(Rayleigh) 산란'과 '미(Mie) 산란'으로 구분된다.
하나의 매질(媒質) 속을 지나가는 소리나 빛의 파동이 다른 매질의 경계면에 이르는 일
「 」: 산란의 개념

레일리 산란은 입자의 직경이 파장의 1/10보다 작을 경우에 일어나는 산란을 말하는데 그 세기는 파장의 네제곱에 반비례한다. 대기의 공기 입자는 직경이 매우 작아 가시광선 중 파장이 짧은 빛을 주로 산란시키며, 파장이 짧을수록 산란의 세기가 강하다. 따라서 맑은 날에는 주로 공기 입자에 의한 레일리 산란이 일어나서 보랏빛이나 파란빛이 강하게 산란되는 반면 붉은빛이나 노란빛은 약하게 산란된다. 산란되는 세기로는 보랏빛이 가장 강하겠지만 우리 눈은 보랏빛보다 파란빛을 더 잘 감지하기 때문에 하늘은 파랗게 보이는 것이다. 만약 태양빛이 공기 입자보다 큰 입자에 의해 레일리 산란이 일어나면 공기 입자만으로는 산란이 잘 되지 않던 긴 파장의 빛까지 산란되어 하늘의 파란빛은 상대적으로 엷어진다.
「 」: 레일리 산란의 개념   39~78nm보다 작은 경우
무지갯빛 가운데 보랏빛과 가까운 쪽의 빛
가시광선 중 파장이 짧은 빛   가시광선 중 파장이 긴 빛
하늘이 파랗게 보이는 이유

미 산란은 입자의 직경이 파장의 1/10보다 큰 경우에 일어나는 산란을 말하는데 주로 에어로졸이나 구름 입자 등에 의해 일어난다. 이때 산란의 세기는 파장이나 입자 크기에 따른 차이가 거의 없다. 구름이 흰색으로 보이는 것은 미 산란으로 설명된다. 구름 입자(직경 20,000nm 정도)처럼 입자의 직경이 가시광선의 파장보다 매우 큰 경우에는 모든 파장의 빛이 고루 산란된다. 이 산란된 빛이 동시에 우리 눈에 들어오면 모든 무지갯빛이 혼합되어 구름이 하얗게 보인다. 이처럼 대기가 없는 달과 달리 지구는 산란 효과에 의해 파란 하늘과 흰 구름을 볼 수 있는 것이다.
「 」: 미 산란의 개념   39~78nm보다 큰 경우
레일리 산란과 구별되는 미 산란의 특징
390~780nm
레일리 산란의 영향   미 산란의 영향

1 중심 내용의 파악

문제 분석 각 문단의 중심 내용을 찾고 이를 통하여 글 전체의 중심 내용을 파악하는 문제이다.

정답 풀이 ❶ 1문단에서는 산란의 개념을 제시하고, 산란을 입자의 직경과 빛의 파장에 따라 레일리 산란과 미 산란으로 구분하였다. 그리고 2문단에서는 레일리 산란의 개념과 원리를, 3문단에서는 미 산란의 개념과 원리를 설명하였다. 따라서 이 글의 중심 내용은 '산란의 원리와 유형'이라고 볼 수 있다.

오답 풀이 ② 1문단에서 가시광선을 프리즘에 통과시키면 붉은빛부터 보랏빛까지의 무지갯빛으로 분해된다고 하였다. 이는 지엽적인 내용이며, 글의 핵심어인 '산란'에 대해 언급하지 않았으므로 중심 내용으로는 적절하지 않다.
③ 1문단에서 빛의 진동수는 파장과 반비례한다고 하였으나, 글 전체를 포괄하는 중심 내용으로 보기는 어렵다.
④ 미 산란의 원리와 구름의 색과의 연관성을 3문단에서 언급하고 있으나, 글 전체를 포괄하는 중심 내용으로는 적절하지 않다.
⑤ 가시광선의 종류와 산란의 세기는 2, 3문단에서 언급하고 있으나 글 전체를 포괄하는 중심 내용으로는 적절하지 않다.

2 구체적 사례에 적용

문제 분석 제시문에서 설명하는 개념을 〈보기〉의 주어진 상황에 적용하는 문제이다.

정답 풀이 ❸ 〈보기〉에서 (나)의 B 도시 지표 근처의 대기에서는 직경이 10,000nm 정도의 에어로졸이 균질하게 분포한다고 하였다. 이 에어로졸의 직경은 가시광선 파장 범위의 1/10 (39~78nm)보다 크므로 B 도시 지표 근처의 낮은 하늘에서는 미 산란이 일어날 것이다. 그리고 3문단에서 미 산란에 의해 산란된 빛이 동시에 우리 눈에 들어오면 모든 무지갯빛이 혼합되어 구름이 하얗게 보인다고 하였으므로, B 도시 지표 근처의 낮은 하늘이 뿌연 안개처럼 흰색으로 보인 것은 미 산란 때문임을 알 수 있다.

오답 풀이 ①, ② 〈보기〉에서 A 도시의 비가 오기 전 대기에는 직경 10~20nm의 먼지 미립자들이 균질하게 분포했다고 하였다. 이 먼지 미립자의 직경은 가시광선 파장 범위의 1/10(39~78nm)보다 작으므로 비가 오기 전 A 도시에서는 레일리 산란이 일어날 것이다. 그리고 A 도시에서 비가 온 후에는 먼지 미립자들이 제거되어 직경 0.1~1nm의 공기 입자에 의한 레일리 산란이 일어나서 하늘빛이 더 파랗게 보일 것이다.
④ B 도시의 높은 하늘이 파랗게 보이는 것은 공기 입자에 의한 레일리 산란에 의한 것으로 볼 수 있지만, 낮은 하늘의 구름이 희게 보이는 것은 직경이 10,000nm 정도의 에어로졸 입자가 미 산란을 일으켰기 때문이다.
⑤ 비가 온 후 A 도시의 하늘에서는 공기 입자에 의한 레일리 산란이 일어나고, B 도시의 낮은 하늘에서는 에어로졸 입자에 의한 미 산란이 일어난다.

3 추론의 적절성 파악

문제 분석 글에 제시된 정보를 바탕으로 명시적으로 드러나지 않은 정보를 추론하는 문제이다.

정답 풀이 ❸ 2문단에서 레일리 산란은 파장이 짧을수록 산란의 세기가 강하다고 하였고, 1문단에서 가시광선의 파장은 보랏빛이 가장 짧다고 하였다. 따라서 가시광선 중에서 레일리 산란의 세기가 가장 큰 것은 파란빛이 아니라 보랏빛이다.

오답 풀이 ① 1문단에서 빛의 진동수는 파장과 반비례하므로 진동수는 보랏빛이 가장 크고 붉은빛이 가장 작다고 하였다. 따라서 보랏빛보다 파란빛의 진동수가 작다는 것을 알 수 있다.
② 1문단에서 프리즘을 통과시키면 흰색의 가시광선은 파장에 따라 붉은빛부터 보랏빛까지의 무지갯빛으로 분해된다고 하였고, 3문단에서 산란된 빛이 동시에 우리 눈에 들어오면 모든 무지갯빛이 혼합되어 구름이 하얗게 보인다고 하였다. 따라서 프리즘으로 분해한 태양빛을 다시 모으면 흰색이 된다는 것을 알 수 있다.
④ 1문단에서 빛의 진동수는 파장과 반비례한다고 하였고, 2문단에서 레일리 산란의 세기는 파장의 네제곱에 반비례한다고 하였다. 따라서 빛의 진동수가 2배가 되면 파장은 1/2이 될 것이고, 레일리 산란의 세기는 파장의 네제곱인 1/16에 반비례해야 하므로 16배가 될 것이다.
⑤ 1문단에서 산란이란 태양빛이 대기층에 입사하여 공기 입자, 먼지 미립자, 에어로졸 등과 부딪히면 여러 방향으로 흩어지는 현상이라고 하였다. 3문단에서 달은 대기가 없다고 하였으므로, 달의 하늘에서는 공기 입자에 의한 태양빛의 산란이 일어나지 않는다고 할 수 있다.

지구에 충돌구가 적은 이유 _최변각

이 글은 지구에 소행성이나 혜성 또는 그 파편이 천체 표면에 충돌할 때 만들어지는 충돌구의 수가 크기가 훨씬 작은 달이나 수성에 비해 더 적은 이유를 설명하고 있다. 지구에 충돌구가 적은 첫 번째 이유는 지구 대기 때문에 비교적 크기가 작거나 약한 충돌체가 지표면에 닿기 어렵기 때문이다. 둘째는 풍화 작용, 화산 활동, 판의 이동과 같은 지질 활동 때문에 충돌구가 지워지기 때문이다. 셋째는 지구 표면의 3분의 2를 덮고 있는 바다 때문이라고 그 이유를 밝히고 있다.

☑ 지문 분석 노트

① 충돌구의 개념 및 지구 표면에 충돌구가 적은 이유의 제기

② 지구에 충돌구가 적은 이유 ①
– 지구 대기

③ 지구에 충돌구가 적은 이유 ②
– 지질 활동

④ 지구에 충돌구가 적은 이유 ③
– 바다

■ 주제 : 지구에 충돌구가 적은 이유

충돌구란 소행성이나 혜성 또는 그 파편이 행성, 위성, 소행성 같은 고체 상태의 천체 표면에 충돌할 때의 충격으로 만들어진 구덩이를 말한다. 달이나 수성의 표면에서는 수많은 충돌구를 볼 수 있다. 반면 2000년을 기준으로 지구 표면에 존재하는 것으로 확인된 충돌구의 수는 2백 개를 조금 넘는다. 지구보다 더 작은 천체인 달이나 수성보다 지구 표면의 충돌구의 수가 훨씬 더 적은 이유는 무엇일까?

먼저 지구로 외계의 물체가 진입할 때 지구 대기의 역할을 생각해 보자. 크기가 그리 크지 않은 소행성이나 혜성이 지구의 대기 상층부에서 수평에 가깝게 접근한다면 지구 대기에 의해 튕겨 나가 버린다. 또한 조금 더 큰 각도로 지구로 진입한다면 대기로 진입하면서 마찰에 의해 표면이 녹거나 증발한다. 수 센티미터 정도의 아주 작은 암석이나 얼음 조각들은 대기 상층부 70km 부근에서 모두 타버리고, 혜성과 같은 매우 약한 물체라면 지구 대기와 충돌하는 힘을 이기지 못하고 폭발하기도 하며, 약한 암석은 여러 조각으로 부서진다. 하지만 충돌체의 크기가 커질수록 대기가 할 수 있는 일은 점점 줄어든다. 예를 들어 진입하는 물체가 매우 단단하여 대기에서 부서지지 않을 경우, 크기가 10m 이상인 물체에 대해 지구 대기는 고작 10% 정도 감속하는 역할을 할 뿐이다. 지구의 대기는 우주에서 빠르게 날아오는 물질로부터 지구를 보호하는 역할을 하지만, 이는 비교적 크기가 작거나 약한 물체에 국한된다.

지구에 충돌구가 적은 더 중요한 이유는 지구가 지질학적으로 살아 있는 행성이므로 시간이 지나면서 여러 지질 활동에 의해 충돌구를 지워 버리기 때문이다. 연구에 의하면 태양계에서 충돌의 빈도수는 시간이 지남에 따라 점차 감소하고 있다. 하지만 지구의 충돌구 중 생성 연대를 정확히 알고 있는 것들을 살펴보면 오래된 것보다 젊은 것이 훨씬 더 많다는 것을 알 수 있다. 태양계에서 지구에서만 유일하게 충돌의 빈도수가 증가할 아무런 이유가 없다. 따라서 이러한 현상은 지구에서는 오래된 충돌구들이 지워져 버렸기 때문인 것으로 해석할 수 있다. 지구에서 충돌구를 지우는 지질 활동으로는 비, 바람 등에 의한 풍화, 화산 활동 등이 있으며 가장 중요하게는 판의 이동을 들 수 있다. 지구 표면은 10여 개의 크고 작은 판으로 나뉘어 있다. 지각과 맨틀의 상부를 일부 포함하는 지구의 판들은 서로 다른 방향으로 1년에 평균적으로 수 센티미터를 이동하면서 지구 표면에 여러 가지 지질 현상을 일으킨다. 거대한 규모의 지진, 화산 활동, 산맥과 해구의 형성 등이 대부분 판의 움직임과 관련이 있으며, 오랜 세월이 지나면서 대륙의 모양까지도 변화시킨다. 따라서 지구 표면의 충돌구 역시 예외가 될 수 없다.

지구 표면의 3분의 2를 덮고 있는 바다 역시 충돌구가 적은 원인 중 하나이다. 바다의 역할은 세 가지 측면에서 ⓐ생각해 볼 수 있다. 먼저, 바다는 대기보다도 더 효율적으로 충돌 속도를 감소시켜 충격을 완화할 수 있다. 둘째로 깊은 바다에 형성된 충돌구는 발견하기가 매우 어려울 것이다. 하지만 가장 중요한 원인은 역시 판의 움직임과 관련이 있다. 바다 밑을 형성하는 해양 지각은 중앙 해령이라고 불리는 해저 산맥에서 생성되어 서서히 이동하다가 대륙을 만나면 맨틀 속으로 사라져 버린다. 해양 지각의 수명은 2억 년을 넘는 일이 거의 없기 때문에 이보다 오래된 해양 지각은 충돌구를 간직한 채 사라지게 되는 것이다.

1 논지 전개 방식의 파악

문제 분석 글쓴이는 자신의 생각을 효율적으로 전달하기 위해 다양한 구성 방법을 사용한다. 문단 간의 관계를 이해하고 글의 구성 방식을 파악하는 문제이다.

정답 풀이 ❹ 1문단에서 지구와 다른 천체를 비교하며 지구에 충돌구의 수가 적은 이유에 대해 의문을 제기하고, 이어지는 문단들에서 이에 대한 답을 제시하고 있다.

오답 풀이 ① 지구에 충돌구가 적은 현상의 문제점을 밝히거나 해결책을 제안하지는 않았다.
② 지구에 충돌구가 적은 현상이 변화해 온 과정이나 향후 변화 방향을 예측하지는 않았다.
③ 지구에 충돌구가 적은 현상을 바라보는 대립적인 시각이 소개되거나 절충안을 모색하지는 않았다.
⑤ 지구에 충돌구가 적은 현상에 대한 통념이나 그것의 한계, 그리고 새로운 관점을 소개하지는 않았다.

2 추론의 적절성 평가

문제 분석 글에 제시된 정보를 바탕으로 명시되지 않은 정보를 추론하는 문제이다.

정답 풀이 ❸ 3문단에서 '지구가 지질학적으로 살아 있는 행성'이라고 하였지만, 제시문에서 달과 수성에 비해 생성 연대가 최근이라는 판단을 내릴 근거는 찾을 수 없다. 1문단에서 지구가 달과 수성보다 더 큰 천체라고 했을 뿐이다.

오답 풀이 ① 2문단에서 크기가 그리 크지 않은 소행성이나 혜성이 지구의 대기 상층부에서 수평에 가깝게 접근한다면 튕겨 나가고, 조금 더 큰 각도로 진입한다면 대기와의 마찰에 의해 표면이 녹거나 증발한다고 하였다. '하지만 충돌체의 크기가 커질수록 대기가 할 수 있는 일은 점점 줄어든다.'고 하였으므로, 충돌체의 크기가 클수록 지구 대기에서 튕겨 나가거나 소멸할 가능성이 줄어든다고 추론할 수 있다.
② 4문단에서 '깊은 바다에 형성된 충돌구는 발견하기가 매우 어려울 것'이라고 하였으므로, 깊은 바다 밑을 탐사할 수 있는 기술이 발달한다면 아직 찾지 못한 충돌구를 발견할 가능성이 있다고 추론할 수 있다.
④ 3문단에서 '지구가 지질학적으로 살아 있는 행성이므로 시간이 지나면서 여러 지질 활동에 의해 충돌구를 지워' 버린다고 하였으므로, 현재 발견되는 충돌구는 오랜 세월의 지질 활동에도 그 형체를 유지해 온 것이라고 추론할 수 있다.
⑤ 4문단에서 '해양 지각의 수명은 2억 년을 넘는 일이 거의 없기 때문에 이보다 오래된 해양 지각은 충돌구를 간직한 채 사라지게' 된다고 하였으므로, 2억 년 전에 만들어진 충돌구는 현재에는 발견될 가능성이 거의 없다고 추론할 수 있다.

3 자료를 바탕으로 한 추론의 적절성 판단

문제 분석 〈보기〉에 제시된 정보의 특성을 파악하고, 제시문과 연결지어 내용을 이해할 수 있는지 확인하는 문제이다.

정답 풀이 ❺ 3문단에서 '지구가 지질학적으로 살아 있는 행성이므로 시간이 지나면서 여러 지질 활동에 의해 충돌구를 지워 버리기 때문'에 다른 천체보다 지구의 충돌구가 적고, '지구에서 충돌구를 지우는 지질 활동으로는 비, 바람 등에 의한 풍화, 화산 활동' 등이 있다고 하였다. 그리고 〈보기〉에서 달의 어두운 부분은 약 32~38억 년 전 사이에 달의 표면에 많은 양의 현무암질 용암이 흘러나와 형성된 것이라고 하였다. 따라서 달의 밝은 면보다 어두운 면에 충돌구가 적은 이유는 용암 분출 때문에 이 부분의 표면에 있던 충돌구가 사라졌기 때문이라고 추론할 수 있다.

오답 풀이 ① 달의 어두운 면에 있는 충돌구는 약 32~38억 년 전 사이의 용암 분출 이후에 생성된 것이므로, 약 45억 년 전부터 존재해 온 밝은 면에 있는 충돌구의 평균 연대보다 최근일 것이다.
② 3문단에서 태양계에서 충돌의 빈도수는 시간이 지남에 따라 점차 감소하고 있다고 하였으므로, 달의 표면에 용암이 흘러나와 달의 바다를 형성하기 전인 7~13억 년 사이에 형성된 충돌구의 수가 그 이후 32~38억 년 사이에 형성된 충돌구의 수보다 적다고 볼 수 없다.
③ 지구에서 발생하는 지질 활동과 유사한 현상인 용암 분출은 달의 어두운 면에서 일어났고, 이로 인해 충돌구가 지워져 밝은 면에 비해 충돌구의 수가 적은 것이다.
④ 달의 어두운 면에 있는 충돌구는 용암 분출 이후의 것이므로 최근의 것이 많고, 밝은 면에 있는 것은 오래된 것이 많을 것이다. 그러나 지구의 충돌구의 생성 연대는 제시문에 언급되지 않았으므로 달의 충돌구 생성 연대와 직접 비교하기는 어렵다.

4 다의어의 의미 파악

문제 분석 어휘의 정확한 의미를 파악하는 것은 글을 이해하는 기본이 된다. 문맥을 통해 어휘의 정확한 의미를 파악하는 문제이다.

정답 풀이 ❶ ⓐ의 '생각하다'는 ㉠'사람이 머리를 써서 사물을 헤아리고 판단하다.'는 의미와 가장 가깝다.

T-림프구의 면역 기능_이우성

이 글은 우리 몸의 면역 반응의 중심에 있는 T-림프구의 기능에 대해 설명하고 있다. 체내에 비자기인 항원이 들어오면 대식세포 등의 항원 제시 세포가 이를 삼킨다. 그리고 항원이 항원 제시 세포 안에서 분해되어 그 일부가 세포의 표면으로 나와 주요 조직적합 복합체(MHC)에 결합하면 T-림프구는 이 세포를 비자기로 인식하게 된다. 이렇게 비자기화된 자기를 T-림프구는 직접 죽이거나 다른 세포들에게 공격하라는 신호를 보내는 방식으로 면역 반응을 한다.

왜 사람들 사이의 장기 이식이 어려울까? 그 까닭은 한 사람의 면역계가 미묘한 개체의 차이를 인식하여 조금이라도 다른 비자기(非自己, non-self)를 철저하게 거부하기 때문이다. 이러한 식별이 가능한 이유는 바로 각 사람의 세포 표면에 자기와 비자기를 구분하는 명찰의 역할을 하는 '주요 조직적합 복합체(major histocompatibility complex, MHC)'라는 구조가 있기 때문이다.

이 MHC는 여러 유전자들에 의하여 결정되는 단백질들로 구성된다. 이 MHC 유전자들은 6번 염색체에 모여 있으며 여섯 종류의 단백질을 만들어낸다. 유전자가 같은 ⓐ쌍둥이의 경우를 제외하고 개인 간의 차이로 인하여 이 여섯 종류의 단백질은 개체마다 다르다. 우리 몸의 면역을 담당하는 T-림프구는 자신과 다른 MHC 구조를 가진 세포를 발견하면 다양한 수단으로 공격한다. 직접 달라붙어 ⓑ백병전을 하는 경우도 있고, 인터루킨이라 불리는 화학 물질을 분비하여 다른 세포들에게 침입자를 공격하라는 신호를 보내기도 한다.

결국 면역이란 비자기를 식별하는 것이라고 할 수 있다. 비자기를 식별한다는 것은 결국 '자기'를 인식할 수 있다는 뜻이다. 현대 면역학의 획기적인 발견 중 하나가 바로 T-림프구가 곧바로 비자기를 인식하지 않고 대신 비자기가 자기를 비자기로 변화시킨 '비자기화된 자기'를 인식한다는 것이다. 아메바와 같은 몸놀림으로 T-림프구를 도와주는 백혈구 세포 가운데 하나인 대식세포가 먼저 항원을 삼키고 항원의 조각을 자기의 표면에 제시하여 T-림프구에 침입자의 정체를 알리는 식이다.

㉠계란에 있는 알부민이라는 단백질이 체내로 들어온 경우를 예로 들어보자. 비자기에 해당하는 알부민을 T-림프구가 직접 인식하는 것이 아니고, 알부민은 자기에 해당하는 백혈구 세포의 하나인 대식세포에 잡아먹혀 그 안에서 분해가 된다. 그 결과로 발생한 알부민 분해 산물이 대식세포의 표면으로 나와 대식세포의 표면에 원래 존재하고 있던 자기라는 명찰에 해당하는 MHC 구조에 붙게 된다. 이때 MHC의 구조는 비자기로 변하게 되고(비자기화된 자기) 이 미묘한 변화가 T-림프구에 발각된다. T-림프구는 바로 이 비자기화된 대식세포를 인식하여 면역 반응을 시작한다. 이와 같이 비자기의 항원이 대식세포 표면으로 나오는 것을 항원 제시라고 하며, 이것을 통하여 자기를 비자기화한다. 항원 제시 세포 중 가장 중요한 세포가 대식세포이다.

그러면 대체 T-림프구가 어떻게 비자기를 인식한다는 것일까? T-림프구의 표면에는 비자기를 인식하는 안테나 역할을 하는 항원 수용체가 있어 비자기화된 자기를 인식한다. 항원의 종류가 어마어마한 만큼 항원 수용체의 종류도 그에 버금가는 숫자여야 한다. T-림프구는 골수에서 만들어진 다음 심장 부근에 있는 흉선으로 옮겨져 각기 다른 항원 수용체를 표면에 간직하고 있는 수많은 종류로 분화되고 성숙된다. 자기 이외의 항원과 대항할 수 있는 다양한 종류의 T-림프구는 몸의 여러 곳으로 퍼져 침입자를 감시하고 대응하는 역할을 하는 우리 몸의 ⓒ파수꾼이다.

이렇게 T-림프구는 미생물 등의 침입자를 즉석에서 ⓓ사살하는 세포성 면역을 담당하고 있다. 또한 ⓔ친구인 B-림프구에 신호를 보내 항체라는 물질을 만들어 이를 순환계를 통해 온몸으로 이동시켜 방어를 더욱 강화하도록 하는 면역 반응의 중심에 있는 방어 시스템이다.

1 서술상의 특징 파악

문제 분석 글쓴이는 자신의 생각을 효율적으로 전달하기 위해 다양한 표현 방법을 사용한다. 글의 특징적인 서술 구조와 표현 방법에 대해 파악하는 문제이다.

정답 풀이 ❸ 나. 1문단과 5문단에서 질문을 던지고 이에 대한 답을 하는 형식으로 체내 면역 반응에 대해 설명하고 있다.
다. 4문단에서 T-림프구가 '비자기화된 자기'를 인식하는 과정을 설명하기 위해 알부민이 체내로 들어온 경우를 예로 들었다.

오답 풀이 가. 1문단에서 사람들 사이의 장기 이식이 어려운 현상의 원인은 설명하였지만, 그 원인을 일정한 기준에 따라 분류하지는 않았다.
라. 이 글에서 대비되는 대상과의 비교를 통해 개념의 특징을 설명하는 부분은 찾아볼 수 없다.

2 세부 내용의 파악

문제 분석 글에 제시된 사실적 정보들을 명확하게 파악하였는지 확인하는 문제이다.

정답 풀이 ❷ 5문단에서 T-림프구는 '골수에서 만들어진 다음 심장 부근에 있는 흉선으로 옮겨져~몸의 여러 곳으로 퍼져 침입자를 감시하고 대응하는 역할'을 한다고 하였다. 따라서 T-림프구가 흉선에 머물면서 세포성 면역을 담당한다는 것은 글의 내용과 일치하지 않는다.

오답 풀이 ① 5문단에서 'T-림프구의 표면에는 비자기를 인식하는 안테나 역할을 하는 항원 수용체'가 있다고 하였다.
③ 2문단에서 T-림프구는 자신과 다른 MHC 구조를 가진 세포를 발견하면, 직접 달라붙어 백병전을 벌이거나 인터루킨이라 불리는 화학 물질을 분비하여 다른 세포들에게 침입자를 공격하라는 신호를 보내기도 한다고 하였다.
④ 2문단에서 MHC는 여러 유전자들에 의하여 결정되는 단백질들로 구성되며, 이 MHC 유전자들은 6번 염색체에 모여 있다고 하였다.
⑤ 6문단에서 T-림프구는 B-림프구에 신호를 보내 항체라는 물질을 만들어 이를 순환계를 통해 온몸으로 이동시켜 방어를 더욱 강화하도록 한다고 하였다.

3 시각 자료의 이해와 적용

문제 분석 제시문에 예로 제시된 내용을 〈보기〉의 그림에 적용하여 이해하는 문제이다. 먼저 제시문의 내용을 이해한 후 〈보기〉 그림에 그 원리를 적용해야 한다.

정답 풀이 ❸ 4문단에 의하면 T-림프구는 알부민 조각이 붙은 MHC 구조에서 비자기화된 대식세포를 인식하여 면역 반응을 시작하므로, ⓒ'MHC 자기단백질'을 인식하여 면역 반응을 한다고 이해하는 것은 적절하지 않다. T-림프구는 ⓓ'변화된 MHC'를 인식하여 면역 반응을 시작한다.

오답 풀이 ① ㉠은 알부민이 체내에 들어온 경우라고 하였으므로, ⓐ'침입자'는 알부민에 해당한다.
② 4문단에서 대식세포에 의해 분해된 알부민 분해 산물이 MHC 구조에 붙는다고 하였다. 이를 〈보기〉에 적용하면 ⓑ'침입자 항원'이 ⓒ'MHC 자기단백질'과 결합하는 것으로 이해할 수 있다.
④ 4문단에서 비자기의 항원이 대식세포 표면으로 나오는 것을 '항원 제시'라고 하였으므로, 〈보기〉의 ⓓ'변화된 MHC 구조'의 형태를 '항원 제시'라고 할 수 있다.
⑤ 4문단에서 대식세포는 알부민을 분해하고 그 분해 산물이 MHC 구조에 붙는데, 이때 MHC의 구조는 비자기로 변하게 된다고 하였다. 이를 〈보기〉에 적용하면 대식세포가 알부민을 분해한 후 ⓓ'변화된 MHC 구조'와 같은 구조로 만들어 '비자기화된 자기'가 되는 것으로 이해할 수 있다.

> **Think Plus⊕** 내용을 그림에 적용하기
>
> 과학·기술 분야의 제재는 주어진 정보를 글로만 이해하는 것보다 제시문이나 문제에 제시된 그림과 함께 읽을 때 내용을 이해하는 데 도움이 되는 경우가 많다. 따라서 수능에서도 그림을 〈보기〉로 제시한 문제가 자주 출제된다. 따라서 제시문을 읽기 전에 그림을 확인하고 내용을 예측한 후 제시문을 읽으면서 정확한 정보를 파악하도록 한다.

4 어휘의 비유적 의미 파악

문제 분석 사전적 의미를 바탕으로 어휘의 비유적 의미를 파악하는 문제이다.

정답 풀이 ❶ 문맥상 ㉠'쌍둥이'는 '한 어머니에게서 한꺼번에 태어난 두 아이'라는 사전적 의미 그대로 사용된 것이다.

오답 풀이 ② '백병전'의 사전적 의미는 '칼이나 창, 총검 따위와 같은 무기를 가지고 적과 직접 몸으로 맞붙어서 싸우는 전투'이다. ⓑ는 문맥상 '직접 싸운다'는 비유적인 의미로 사용된 것이다.
③ '파수꾼'의 사전적 의미는 '경계하여 지키는 일을 하는 사람'이다. ⓒ는 문맥상 '우리 몸을 지키는 역할을 하는 기관'이라는 비유적인 의미로 사용된 것이다.
④ '사살'의 사전적 의미는 '활이나 총 따위로 쏘아 죽임'이다. ⓓ는 문맥상 '없애다'라는 비유적인 의미로 사용된 것이다.
⑤ '친구'의 사전적 의미는 '가깝게 오래 사귄 사람'이다. ⓔ는 문맥상 '역할과 기능이 가까운 관계'를 뜻하는 비유적 의미로 사용된 것이다.

라부아지에가 정립한 연소 이론

이 글은 플로지스톤설에 의문을 가진 라부아지에가 정밀 측정 실험을 통해 연소 이론을 새롭게 정립하는 과정을 설명하고 있다. 플로지스톤설의 한계를 언급한 뒤, 프리스틀리의 실험에서 실마리를 얻은 라부아지에가 수행한 주석 연소 실험 과정을 구체적으로 제시함으로써 새로운 연소 이론이 정립되고 산소가 발견되는 과정을 보여 주고 있다.

✔ 지문 분석 노트

1 플로지스톤설의 관점에서 본 연소 현상

2 플로지스톤설에 의문을 가진 라부아지에의 주석 연소 실험

3 프리스틀리의 기체 실험

4 프리스틀리의 실험에서 실마리를 얻어 새로운 연소 이론을 완성한 라부아지에

■ 주제 : 새로운 연소 이론을 정립한 라부아지에

18세기 후반, 플로지스톤설(phlogiston說)은 연소 현상을 잘 설명하는 가설로 받아들여졌다. 플로지스톤설에 의하면 가연성 물질과 금속은 모두 플로지스톤을 가지고 있으며, 연소라는 것은 열에 의해 가연성 물질로부터 플로지스톤이 나가고 재가 남는 현상이다. 나무와 같은 가연성 물질이 타고 나면 재만 남아 마치 무엇인가 빠져나가는 것 같기 때문에 플로지스톤설은 매우 그럴듯해 보인다. 하지만 금속이 연소할 때는 나무가 연소할 때와는 달리 질량이 증가하게 되는데, 플로지스톤설에서는 이러한 현상에 대하여 플로지스톤의 무게가 '음의 무게'를 갖는다고 설명하였다. 당시에는 물질과 무게의 개념이 명확하지 않았고 화학에서 무게를 중요시하지 않았기 때문에 이런 설명이 크게 문제시되지는 않았다.

그러나 화학 실험에서도 정밀 측정의 중요성을 잘 인식하고 있었던 라부아지에는 연소에 대한 보다 정확한 연구를 위해 주석 연소 실험을 하였다. 그는 주석을 용기에 넣고 뚜껑을 닫아 밀폐시킨 상태에서 가열을 하였다. 그 결과 주석의 가열 후 질량은 가열 전 질량보다 증가하나, 용기 전체의 질량은 변화가 없음을 확인했다. 또한, 용기의 뚜껑을 연 뒤 다시 질량을 측정했더니 질량이 증가하는 것을 확인했는데, 증가한 질량은 가열 후 증가한 주석의 질량과 같다는 사실을 발견하게 되었다. 이러한 실험 결과를 통해 그는 주석의 가열 후 질량 증가는 용기 내 공기의 질량 감소와 연관이 있으며, 이에 따라 용기 내에는 부분적인 진공이 만들어졌을 것으로 짐작하였다. 또한 연소에 의해 주석의 질량이 증가하는 것은 주석이 공기 중 그 무엇과 결합했기 때문이라고 생각했다. 그러나 그는 주석이 공기 중의 어떤 성분과 결합하는지에 대해서는 ㉮찾아내지 못했다.

그 때 프리스틀리는 수은재를 가열하는 실험을 하고 있었다. 그는 수은을 공기 중에서 오랫동안 가열하여 만든 붉은색 수은재를 작은 유리그릇에 넣고 렌즈를 이용하여 태양열로 가열하였다. 그랬더니 분말 상태의 적색 수은재가 액체 상태의 은색 수은으로 변하면서 기체가 발생되는 것을 발견하였다. 그는 이 기체를 용기 안에 모은 뒤 촛불을 넣었을 때, 불꽃이 더욱 세차게 타오르는 것을 관찰했다. 플로지스톤설의 신봉자였던 프리스틀리는 이러한 현상을 플로지스톤설을 이용하여 설명했다. 수은재가 공기 중에 있던 플로지스톤을 흡수해서 수은이 되었다는 것이다. 그렇다면 새로 얻어진 기체는 바로 공기에서 플로지스톤이 빠져나가고 남은 부분이 될 것이다. 프리스틀리는 이것을 플로지스톤이 없는 공기라는 의미에서 '탈(脫)플로지스톤 공기'라고 불렀다.

라부아지에는 프리스틀리를 만나 이야기를 하면서 프리스틀리가 한 실험이 자신이 수행한 주석 연소 실험과 정반대 과정이며, 프리스틀리가 발견한 '탈플로지스톤 공기'가 자신이 찾고 있는 공기 성분일지 모른다고 생각하였다. 그래서 라부아지에는 자신의 주석 연소 실험에서 주석 대신 수은을 이용하여, 자신의 실험과 프리스틀리의 실험을 반복적으로 수행하였다. 즉, [A]수은을 직접 만든 장치에 넣고 가열해 붉은 색의 수은재를 얻고, 다시 렌즈로 가열해 수은재를 수은으로 환원시켰다. 이러한 실험을 통해 프리스틀리가 말하는 '탈플로지스톤 공기'는 금속이 연소될 때 결합하는, 자신이 찾던 바로 그 공기 성분이라는 것을 발견하였다. 라부아지에는 이 공기 성분의 이름을 '산소'라고 지었으며, 플로지스톤에 의한 연소설을 부정하고 새로운 연소 이론을 도입하였다.

1 핵심 내용의 파악

문제 분석 글에서 설명하고 있는 핵심 이론의 도출 과정을 이해하고 핵심 내용을 파악하는 문제이다.

정답 풀이 ❹ 4문단에서 라부아지에는 '실험을 통해 프리스틀리가 말하는 '탈플로지스톤 공기'는 금속이 연소될 때 결합하는, 자신이 찾던 바로 그 공기 성분이라는 것을 발견하였다.'고 했다. 또 라부아지에는 '이 공기 성분의 이름을 '산소'라고 지었으며, 플로지스톤에 의한 연소설을 부정하고 새로운 연소 이론을 도입하였다.'고 했다. 따라서 라부아지에의 업적은 실험을 통해 '연소'란 물질이 산소와 결합하는 현상이라는 사실을 밝힌 것이라고 할 수 있다.

오답 풀이 ① 3문단을 보면, 프리스틀리는 수은재의 가열 실험에서 발생한 기체가 촛불의 불꽃을 더욱 세차게 타오르게 하는 것을 관찰했고, 이 기체를 '탈(脫)플로지스톤 공기'라고 불렀다고 하였다. 따라서 '산소'라는 이름을 붙인 것은 라부아지에이지만, 산소를 먼저 발견한 것은 프리스틀리임을 알 수 있다.
② 이 글에 공기 중에서 산소만 따로 포집하는 방법에 대해서는 언급되어 있지 않다.
③ 이 글을 통해 라부아지에가 공기에 산소 외에 다른 성분도 존재한다는 사실을 밝혔는지의 여부는 알 수 없다.
⑤ 1문단을 보면 플로지스톤설이 받아들여졌을 때에도 금속이 연소할 때는 질량이 증가한다는 사실을 알고 있었음을 알 수 있다.

2 관점의 비교

문제 분석 글에 제시된 두 인물의 이론을 비교하는 문제이다. 세부적인 내용의 이해를 통해 각 이론의 핵심을 찾도록 한다.

정답 풀이 ❹ 2문단에서 라부아지에는 주석을 용기에 넣고 뚜껑을 닫아 밀폐시킨 상태에서 가열하는 실험을 한 결과 '주석의 가열 후 질량은 가열 전 질량보다 증가'함을 확인했다고 하였다. 이를 통해서는 밀폐된 용기에서 물질이 연소할 때 공기 중 일부 성분과 결합한다는 사실을 알 수 있을 뿐, 밀폐된 용기 내에서만 질량이 증가한다고 볼 수는 없다.

오답 풀이 ① 3문단을 보면, 프리스틀리는 수은재 가열 실험 결과를 '수은재가 공기 중에 있던 플로지스톤을 흡수해서 수은이 되었다'고 설명하였다.
② 3문단에서 프리스틀리는 수은재가 수은이 될 때 발생하는 기체는 '공기에서 플로지스톤이 빠져나가고 남은 부분'이라 생각하였고, 이 기체의 이름을 '탈플로지스톤 공기'라고 불렀다고 하였다.
③ 2문단에서 라부아지에는 주석 연소 실험 후 '연소에 의해 주석의 질량이 증가하는 것은 주석이 공기 중 그 무엇과 결합했기 때문이라 생각'했다고 하였다. 그리고 4문단에서 이를 활용해 주석 대신 수은을 가열한 실험을 통해 '탈플로지스톤 공기'는 금속이 연소될 때 결합하는 공기 성분이라는 것을 발견했다고 하였다.
⑤ 4문단에서 라부아지에는 '수은을 직접 만든 장치에 넣고 가열해 붉은 색의 수은재를 얻고, 다시 렌즈로 가열해 수은재를 수은으로 환원

시켰다.'고 하였다.

3 구체적 사례에 적용

문제 분석 글의 핵심 내용을 〈보기〉의 구체적인 사례에 적용해 이해하는 문제이다.

정답 풀이 ❺ 2문단에서 라부아지에는 주석 연소 실험을 한 후 '주석의 가열 후 질량 증가는 용기 내 공기의 질량 감소와 연관이 있으며, 이에 따라 용기 내에는 부분적인 진공이 만들어졌을 것으로 짐작'했다고 하였다. 마찬가지로 〈보기〉의 실험에서도 수은의 질량이 증가하고, 공기가 1/6가량 줄었다고 하였으므로, 유리병 속은 부분적으로만 진공 상태가 되었다고 추측할 수 있다.

오답 풀이 ① 2문단에서 '주석을 용기에 넣고 뚜껑을 닫아 밀폐시킨 상태에서 가열'한 결과 '주석의 가열 후 질량은 가열 전 질량보다 증가하나, 용기 전체의 질량은 변화가 없음을 확인했다.'고 한 것에서 추측할 수 있다.
② 2문단에서 라부아지에는 주석 연소 실험 후 '연소에 의해 주석의 질량이 증가하는 것은 주석이 공기 중 그 무엇과 결합했기 때문이라고 생각했다.'고 하였다. 이를 통해 ⓑ에서 공기가 줄어든 것은 ⓐ에서 수은의 질량이 증가한 것과 연관이 있다고 추측할 수 있다.
③ 2문단에서 라부아지에는 '용기의 뚜껑을 연 뒤 다시 질량을 측정했더니 질량이 증가하는 것을 확인'했다고 하였다. 이를 통해 ⓑ에서 뚜껑을 열고 유리병의 질량을 재면 1/6가량 감소했던 공기(산소)만큼 공기가 다시 유입되어 유리병의 질량이 증가할 것이라고 추측할 수 있다.
④ 2문단에서 주석을 가열했을 때 연소에 의해 주석의 질량이 증가하는 것은 주석이 공기 중 그 무엇과 결합했기 때문이라고 하였고, 3문단에서 프리스틀리가 수은재를 가열하는 실험을 했을 때 발생한 기체가 불꽃을 더욱 세차게 타오르게 했다고 하였다. 그리고 〈보기〉의 가열 실험에서 유리병에 남아 있는 공기 속에서는 양초가 타지 않았다고 하였으므로, 유리병 속에서 줄어든 공기의 성분은 양초를 타게 하는 특성이 있음을 추측할 수 있다.

4 어휘의 문맥적 의미 파악

문제 분석 제시문에서 사용된 고유어의 문맥적 의미를 파악한 뒤, 이와 유사한 의미의 한자어를 찾는 문제이다.

정답 풀이 ❹ '발견하다'는 '미처 찾아내지 못하였거나 아직 알려지지 아니한 사물이나 현상, 사실 따위를 찾아내다.'라는 의미로, ㉮의 '찾아내다'와 유사한 의미라고 할 수 있다.

오답 풀이 ① '물색(物色)하다'는 '어떤 기준으로 거기에 알맞은 사람이나 물건, 장소를 고르다.'라는 의미이다.
② '발굴(發掘)하다'는 '땅속이나 큰 덩치의 흙, 돌 더미 따위에 묻혀 있는 것을 찾아서 파내다. 세상에 널리 알려지지 않거나 뛰어난 것을 찾아 밝혀내다.'라는 의미이다.
③ '색출(索出)하다'는 '샅샅이 뒤져서 찾아내다.'라는 의미이다.
⑤ '검출(檢出)하다'는 '화학 분석에서, 시료(試料) 속에 있는 화학종이나 미생물 따위의 존재 유무를 알아내다.'라는 의미이다.

베르누이의 법칙_송은영, 이기영

이 글은 야구에서 변화구의 원리를 규명할 수 있는 베르누이의 법칙에 대해 설명하고 있다. 베르누이의 법칙은 유체 역학에서 절대적인 법칙으로, 유체의 압력과 속도가 반비례한다는 법칙이다. 투수가 야구공을 던질 때 공은 공기 입자들의 저항을 받게 된다. 공의 회전 방향에 따라 공과 공기 입자들 사이의 방향이 같아지거나 달라지면서 속도가 달라지고 압력의 차가 생기게 되는데, 그로 인해 변화구가 가능해진다. 비행기가 뜨거나 태풍이 불 때 지붕이 날아가는 이유도 베르누이의 법칙으로 설명할 수 있다.

☑ 지문 분석 노트

① 베르누이의 법칙으로 설명되는 변화구

② 베르누이의 법칙의 개념과 원리

③ 낙하하는 변화구의 원리

④ 생활 속에서 베르누이의 법칙이 적용되는 사례

■ 주제 : 베르누이의 법칙의 개념과 원리

투수는 타자들의 타격 타이밍을 흩뜨려 놓기 위해 직구 이외의 변화구를 개발한다. 투수가 타자에게 던지는 변화구는 날아가는 방향이 다양한데, 이는 어떻게 가능한 것일까? 이것은 베르누이의 법칙으로 설명할 수 있다.
핵심어

베르누이의 법칙이 없는 유체 역학은 공기가 없는 지구라고 할 정도로 이 법칙은 유체를 다루는 데
베르누이의 법칙을 비유함
있어 떼어 놓고 생각할 수 없는 절대적인 법칙이다. 흐르는 유체에서의 압력은 정지한 유체에서의 경우와는 다르다. 흐르지 않고 정지한 유체에서는 지표면으로부터 같은 높이에 있는 모든 점에서 압력은 같다. 그러나 흐르는 유체에서는 같은 높이에서도 유체의 속력이 증가하면 압력은 낮아진다. 이는
베르누이의 법칙의 원리
압력이 센 곳에서는 유체가 느리게 흐르고, 그렇지 않은 곳에서는 유체가 빠르게 흐른다는 의미이다. 즉 유체의 압력과 속도는 반비례한다는 것으로, 이를 베르누이의 법칙이라고 한다. 그러면 이 간단한
베르누이의 법칙의 개념
법칙이 어떻게 야구공의 절묘한 회전을 설명하는지 살펴보자.

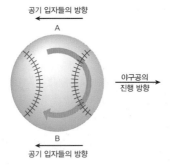

공기 입자들의 방향

A

야구공의 진행 방향

B

공기 입자들의 방향

투수가 야구공을 던지면 공기 입자들이 강하게 저항을 하게 된다. 즉, 공기 입자들이 야구공이 나아가는 방향과 반대쪽으로 거슬러 흐르면서 공의 진행을 방해하는 것이다. 이때 옆의 그림처럼 야구공이 상하로 회전하며 나아가면 공의 위쪽 A와 아래쪽 B에 속도 차이가 생기게 된다. 왜냐하면 두 곳의 속도는 야구공과 공기의 속도를 합한 값인데, 두 속도의 방향이 다르기 때문이다. 그래서 야구공이 시계 방향으로 회
두 지점의 압력 차가 생기는 이유 ①
전하는 경우에는 야구공과 공기의 방향이 반대인 A는 속도가

느려지고, 방향이 같은 B는 속도가 빨라지게 된다. 이 결과는 베르누이의 법칙에 의해 곧바로 압력의
두 지점의 압력 차가 생기는 이유 ②
차이로 이어져 A는 압력이 증가하고 B는 감소하게 된다. 압력이 세다는 것은 내리 누르는 힘이 강하다는 뜻이므로, 공이 위에서 아래로 짓누르는 힘을 받게 되어 뚝 떨어지게 되는 것이다. 이것이 낙하하는 변화구의 비밀이다.

변화구뿐만 아니라 베르누이의 법칙이 우리 생활에 적용되는 사례는 많다. 비행기의 날개 구조를 보면 날개의 아랫부분은 평평하지만 윗부분은 볼록하다. 따라서 날개에 부딪치는 공기 중 위쪽으로 흐르는 공기는 아래쪽을 흐르는 공기보다 더 먼 거리를 빠르게 이동하게 된다. 즉 날개 윗부분의 속력이 더 빠르므로 날개 위쪽의 압력이 아래쪽보다 낮아져 비행기가 위로 뜰 수 있게 되는 것이다. 또 태
베르누이의 법칙이 적용된 사례 ①
풍이 불 때 지붕이 날아가는 것도 지붕 위로 흐르는 바람의 속력이 지붕 아래에 있는 공기에 비해 아
베르누이의 법칙이 적용된 사례 ②
주 빨라 지붕 위와 집안의 압력차가 커짐으로 인해 나타나는 현상이다.

1 글의 내용 전개 방식의 파악

문제 분석 글쓴이가 글의 내용을 효과적으로 전달하기 위해 사용한 내용 전개 방식을 파악하는 문제이다.

정답 풀이 ❸ 이 글에서는 투수가 타자에게 던지는 변화구의 예를 들어 베르누이의 법칙에 대해 설명하고 있다. 또 4문단에서 비행기가 위로 뜨거나 태풍이 불 때 지붕이 날아가는 현상을 예로 들어 베르누이의 법칙을 설명하였다(가). 그리고 1문단에서는 투수가 던지는 변화구가 가능한 이유에 대해서 묻고, 이는 베르누이의 법칙으로 설명이 가능하다고 대답하고 있다(나). 마지막으로 2문단에서 베르누이의 법칙이 없는 유체 역학을 '공기가 없는 지구'에 비유하여 표현하면서 베르누이의 법칙의 중요성에 대해 강조하고 있다(다).

오답 풀이 라. 이 글에서 베르누이의 법칙 이외에 다른 이론은 소개하지 않았다.

2 세부 내용의 파악

문제 분석 글의 세부적 정보와 선택지에 제시된 정보를 비교하며 일치 여부를 확인하는 문제이다.

정답 풀이 ❷ 2문단에서 '흐르는 유체에서의 압력은 정지한 유체에서의 경우와는 다르다.'고 한 것에서 유체의 상태에 따라 동일한 지점이라도 압력이 다르다는 것을 알 수 있다.

오답 풀이 ① 3문단에서 '두 곳(공의 위쪽과 아래쪽)의 속도는 야구공과 공기의 속도를 합한 값'이라고 하였지만, 이를 통해 한 지점에서 물체와 유체의 속도의 합이 늘 일정하다고 판단할 수는 없다.
③ 3문단에서 '야구공과 공기의 방향이 반대인 A는 속도가 느려지고, 방향이 같은 B는 속도가 빨라지게 된다.'고 하였으므로 유체의 속력과 물체의 속도가 반비례 관계라고 말할 수는 없다.
④ 3문단에서 야구공과 공기의 방향이 같은 B는 속도가 빨라지고, 이 결과는 압력의 차이로 이어져 B는 압력이 감소하게 된다고 하였다.
⑤ 2문단에서 '흐르는 유체에서는 같은 높이에서도 유체의 속력이 증가하면 압력은 낮아진다.'고 하였으므로 높이가 다르면 압력도 다르다는 것을 알 수 있다.

3 유사한 상황에 적용

문제 분석 글에서 설명한 핵심 원리를 유사한 다른 상황에 적용하여 이해하는 문제이다.

정답 풀이 ❸ 3문단에서 '압력이 세다는 것은 내리 누르는 힘이 강하다는 뜻'이라고 하였으므로 압력을 받은 물체는 압력이 높은 곳에서 낮은 곳으로 힘을 받아 압력이 낮은 쪽으로 휘게 된다. 〈보기〉에서 공이 왼쪽으로 휘는 이유는 ⓑ 쪽보다 ⓐ 쪽의 압력이 낮기 때문이다.

오답 풀이 ① 3문단에서 '야구공과 공기의 방향이 반대인 A는 속도

가 느려지고, 방향이 같은 B는 속도가 빨라지게 된다.'고 하였다. 〈보기〉의 공은 반시계 방향으로 회전하고 있으며 공기의 저항은 앞쪽에서 오므로, ⓐ 쪽은 공과 공기의 방향이 일치하고 ⓑ 쪽은 공과 공기의 방향이 일치하지 않는다. 따라서 ⓐ 쪽의 속도가 ⓑ 쪽의 속도보다 빠르다는 것을 알 수 있다.
② 3문단에서 '야구공과 공기의 방향이 반대인 A는 속도가 느려지고, 방향이 같은 B는 속도가 빨라지'는데, 이는 '곧바로 압력이 차이로 이어'진다고 하였다. 따라서 공의 회전이 빠르면 그만큼 속도도 빨라져 압력의 차가 커지므로 휘는 각도가 커질 것이라고 추측할 수 있다.
④ 공이 왼쪽으로 휘고 있다는 것은 ⓐ 쪽의 압력이 ⓑ 쪽보다 낮다는 것이므로, 공은 반시계 방향으로 회전하고 있음을 알 수 있다.
⑤ 3문단에서 공의 위쪽과 아래쪽의 속도 차이가 생기는 이유는 '두 속도의 방향이 다르기 때문'이라고 하였다. 따라서 ⓐ 쪽과 ⓑ 쪽에 속도 차이가 생기는 이유는 양쪽의 속도의 방향이 다르기 때문이라고 추측할 수 있다.

0의 발명과 수 체계의 확장_김원기

이 글은 0의 발명이 수학의 발전에 미친 영향을 설명하고 있다. 인도에서 발명된 0은 이전에 생각하지 못했던 수 개념의 확장을 가져왔지만, 0을 포함한 인도의 수 체계가 서구에서 수용되기까지는 오랜 시간이 걸렸다. 이렇듯 수 체계의 발달은 새로운 아이디어에 대한 저항 속에서 이루어졌고, 그것이 극복될 때마다 수학의 범위는 넓어졌다. 수학이 다루는 대상이 추상화된 구조와 패턴이라는 생각을 갖게 되기까지 긴 발전 과정이 필요했는데, 0은 그 과정에서 중요한 위치를 갖는다.

☑ 지문 분석 노트

(가) 고대 그리스 수학의 한계

(나) 인도에서 발명한 0과 위치적 십진 기수법

(다) 0의 발명으로 인한 수 개념의 확장

(라) 인도의 수 체계에 대한 서구의 더딘 수용

(마) 수 체계의 발달에 따른 수학의 대상 변화

∎ **주제** : 0의 발명이 수학의 발전에 미친 영향

(가) 고대 그리스 인들은 수학을 실용성으로부터 해방시켜 학문의 길에 들어서게 했지만 실용성에서 완전히 벗어나지는 못했다. 그들은 기하학을 통해서 수학적 개념을 이해하고 있었는데, 이것은 자연에서 발견될 수 있는 것에 한정되어 있었다. 예를 들어 그리스 인들에게 수는 선분의 길이를 의미하는 것이었기에 그들은 0이라는 수와 음수의 개념을 상상할 수 없었다.

(나) 0은 5세기 경 인도에서 발명했다고 알려져 있지만 사실 그 이전의 고대 마야 문명에서도 비어 있는 자리를 나타내기 위해 기호를 사용하였다. 그런데 왜 인도에서의 0의 발명을 더욱 중요하게 다루는 것일까? 그 이유는 위치적 십진 기수법과 관련이 있다. ㉠위치적 기수법은 수가 놓인 자리에 따라 값이 달라지는 표기 방법인데, 인도에서는 위치적 십진 기수법 체계를 세우고 0을 자릿수를 나타내는 기호로 썼다. 즉, 인도는 오늘날 1~9까지의 숫자와 비슷한 형태를 지닌 아홉 개의 서로 다른 기호로 수를 표기했고, 0을 그것이 놓인 위치의 자릿수에 값이 존재하지 않음을 나타내는 방식으로 사용하였다. 또한 이전의 문명에서와 달리 0이 비어 있는 자리를 나타내기 위한 기호만이 아니라 수학적으로 유의미한 실제 숫자임을 밝혔다.

(다) '1, 2, 3…'으로 시작되는 자연수는 개수를 세는 데서 출발하는 '자연 발생적인 수 개념'이다. 그리고 덧셈, 뺄셈, 곱셈, 나눗셈의 사칙 연산을 통해서 가장 먼저 태어난 것은 자연수와 자연수의 비로 표현되는 유리수였다. 그런데 뺄셈의 개념이 생겨난 후에도 음수의 개념은 탄생하지 않았다가 0의 발명과 더불어 비로소 0을 기준으로 양의 정수와 음의 정수라는 개념을 갖게 된다. 인도에서는 0의 발명과 더불어 음수의 인식이 이루어졌던 것으로 여겨진다. 7세기경의 회계 장부에서 양수를 자산으로, 음수를 부채로 사용한 기록이 남아 있기 때문이다.

(라) 이러한 인도의 수 체계와 기수법은 11세기경 아랍을 거쳐 유럽으로 전해졌지만 그리스의 유산을 이어받은 유럽인들은 이 숫자들을 쉽게 받아들이지 못했다. 서구에서는 16세기에 와서야 0과 음수의 개념을 적극적으로 받아들여 쓰기 시작하는데, 18세기까지도 음수의 존재에 의문을 제기하는 수학자들이 남아 있었다.

(마) 수 체계의 발달은 이렇듯 새로운 아이디어에 대한 저항 속에서 이루어졌고, 이 저항이 극복될 때마다 수학은 기존의 선입견으로부터 자유로워졌다. 자연수로부터 음수로, 유리수에서 무리수로, 실수에서 허수로 수의 개념이 확장되고 수학의 범위가 넓어지면서, 수학이 무엇을 대상으로 하는 학문인가에 대한 인식도 달라졌다. 0을 본격적으로 쓰기 시작한 인도인들조차도 양수를 자산으로, 음수를 빚으로 이해해야 했지만 점차 '수'를 비롯한 수학의 대상을 굳이 다른 어떤 것을 통해서 이해할 필요가 없다는 사실을 알게 되었던 것이다. 학문으로서의 수학은 그리스의 기하학과 더불어 그 첫발을 내디뎠지만, 현재와 같이 수학이 구체적인 대상이 아니라 순수하게 추상화된 패턴이나 구조를 다루는 학문이라는 생각을 갖게 되기까지는 아주 먼 길을 걸어야만 했다. 0의 발명은 그 길을 걷기 위한 중요한 한 걸음이었다.

1 문단의 중심 내용 파악

문제 분석 각 문단의 중심 내용을 파악하는 것은 글의 내용을 이해하는 데 가장 기본이 된다. 문단 내용의 정확한 독해를 통해 각각의 중심 내용을 찾는 문제이다.

정답 풀이 ❹ (라)는 인도의 수 체계와 기수법이 서구에서 수용되는 데 오랜 시간이 걸렸다는 내용이므로 '인도의 수 개념이 서구에서 수용된 이유'는 (라)의 중심 내용으로 적절하지 않다.

오답 풀이 ① (가)는 고대 그리스의 수학이 실용성에서 완전히 벗어나지 못해 0과 음수의 개념을 상상할 수 없었다는 한계를 제시하고 있다.
② (나)는 인도에서 발명한 0의 의미와 위치적 십진 기수법의 개념과 특징에 대해 설명하고 있다.
③ (다)는 0의 발명으로 인해 음수의 개념이 탄생하였다는 수 개념의 확장에 대해 설명하고 있다.
⑤ (마)는 수 체계의 발달에 따라 수학의 대상이 구체적인 대상에서 추상화된 패턴이나 구조로 옮겨 갔음을 설명하고 있다.

2 추론을 통한 내용의 이해

문제 분석 글에 제시된 정보를 재구성하여 새로운 정보를 도출해 내는 문제이다. 선택지의 정보와 글에서 재구성한 정보가 일치하는지 판단해야 한다.

정답 풀이 ❹ (다)에서 '사칙 연산을 통해서 가장 먼저 태어난 것은 자연수와 자연수의 비로 표현되는 유리수'라고 하였다. 또 뺄셈의 개념이 생겨난 후에도 음수의 개념은 탄생하지 않았다고 하였으므로, 유리수의 개념이 음수보다 수학적으로 먼저 인정을 받았다고 추론할 수 있다.

오답 풀이 ① (가)에서 고대 그리스 인들은 기하학을 통해 수학적 개념을 이해했으며, 이것은 자연에서 발견될 수 있는 것에 한정되어 있었다고 하였다. 그러므로 고대 그리스 인들은 자연에 존재하지 않는 것은 수학적으로 의미 있게 다루지 않았다고 추론할 수 있다.
② (라)에서 서구에서는 18세기까지도 음수의 존재에 의문을 제기하는 수학자들이 남아 있었다고 하였다.
③ (나)에서 고대 마야 문명에서도 비어 있는 자리를 나타내기 위해 기호를 사용했다고 하였다.
⑤ (마)를 통해 수의 개념이 확장되고 수학의 범위가 넓어지면서 수학이 무엇을 대상으로 하는 학문인가에 대한 인식이 달라졌고, 현재는 수학이 구체적인 대상이 아니라 순수하게 추상화된 패턴이나 구조를 다루는 학문으로 여겨진다는 것을 알 수 있다. 따라서 수 개념의 확장이 이러한 인식 형성에 영향을 끼쳤다고 할 수 있다.

3 구체적 사례에 적용

문제 분석 글의 핵심 내용을 파악하고, 이를 바탕으로 〈보기〉에 제시된 구체적 사례를 이해하는 문제이다. '위치적 기수법'의 특징을 파악하고 이에 부합하는 사례를 찾아야 한다.

정답 풀이 ❷ (나)에서 ㉠'위치적 기수법'은 수가 놓인 자리에 따라 값이 달라지는 표기 방법이라고 하였다. ㄴ에서 바빌로니아의 수 표기법은 60 이상이 되면 표기는 위치와 관련을 갖게 된다고 하였다. 예를 보면 'Ⅴ'가 첫째 자리에서는 '1'의 값이지만 둘째 자리에 오면 '60'의 값을 가지게 된다는 것을 알 수 있다. 따라서 바빌로니아의 수 표기법은 위치적 기수법을 활용한 것으로 볼 수 있다.

오답 풀이 ㄱ. 로마의 수 표시 방법은 수가 놓인 자리에 따라 값이 달라지지 않는다. 예로 든 'C', 'X', 'V' 등의 기본 수는 어느 자리에 오더라도 항상 같은 값을 가진다.
ㄷ. 중국의 수 표시 방법은 수가 놓인 자리에 따라 값이 달라지지 않는다. '百', '十', '六' 등은 어느 자리에 오더라도 항상 같은 값을 가진다.

탄소의 동소체_황영애

이 글은 탄소의 동소체를 소개하고 그 특징을 설명하고 있다. 한 종류의 원소로 이루어졌으나 성질이 다른 물질이 존재할 때, 그 여러 형태를 동소체라고 부른다. 탄소의 동소체에는 경도가 크고 절연체인 다이아몬드와 경도가 약하고 전도성을 가진 흑연이 있다. 과학자들은 연구와 실험을 통해 탄소의 세 번째 동소체를 밝혀내었는데, 버키볼 또는 풀러렌이라고 불리는 이 동소체는 탄소 60개가 축구공 형태로 이루어졌으며, 안정적이고 경도가 크며 고압에도 잘 견디는 특징이 있다. 그 후 다양한 종류의 버키볼이 발견되어 여러 분야에 쓰일 수 있다고 하였다.

☑ 지문 분석 노트

1 동소체의 개념과 동소체의 성질이 다른 이유

탄소는 숯 같은 무정형의 상태로도, 다이아몬드나 흑연과 같은 결정 구조로도 존재한다. 이렇게 한 종류의 원소로 이루어졌으나 그 성질이 다른 물질이 존재할 때, 이 여러 형태를 '동소체'라고 부른다. _{동소체의 개념} 예를 들어 산소는 일반적으로 O_2로 존재하며 오존인 O_3와 O_4 등의 동소체가 존재한다. 불과 20년 전 _{산소의 동소체} 까지 사람들은 탄소의 동소체는 ㉠흑연과 ㉡다이아몬드뿐이라고 믿었다. 그런데 같은 탄소 원소로 이루어졌음에도 흑연은 검고 잘 부서지며 다이아몬드는 맑고 투명하면서도 단단하다. 이렇게 큰 차이를 보이는 이유는 무엇 때문일까? 그것은 탄소 원자들이 결합하는 모양이 다르기 때문이다. _{동소체의 성질이 다른 이유}

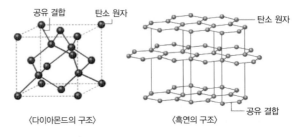

〈다이아몬드의 구조〉　　〈흑연의 구조〉

2 다이아몬드의 결정 구조와 특징

다이아몬드는 각 탄소 원자들이 결정 전체에 걸쳐 같은 거리에 있는 4개의 인접한 탄소와 결합하고 있으며, 그 4개의 결합은 한 평면에 있는 것이 아니라 2개의 결합끼리 만드는 결합각이 109.5°인 정사 _{다이아몬드의 탄소 결정 구조} 면체 모양을 하고 있다. 다이아몬드는 치밀하고 밀접한 결합을 하는 결정 구조 때문에 경도가 매우 커서, 모스 경도계로 굳기를 비교했을 때 표준 광물 중 가장 수치가 높은 10이며, 전기 절연체이다. _{다이아몬드의 특징}

3 흑연의 결정 구조와 특징

반면에 흑연은 6개의 탄소 원자가 벌집 모양의 육각 고리 평면을 이루면서 연속적으로 배열된 겹겹 _{흑연의 탄소 결정 구조} 의 층으로 이루어져 있다. 즉, 한 평면에 있는 각 탄소 원자는 3개의 인접한 탄소와 결합하고 있으며 이들끼리는 강한 결합을 하고 있지만 층간의 결합은 매우 약하다. ⓐ바로 이런 이유로 경도가 다이아 몬드보다 훨씬 약해 1~2밖에 안 된다. 그리고 평면 육각형 고리가 연속되는 구조 때문에 전자의 이동 _{흑연의 특징} 이 용이하여 전기 전도성을 가진다. 동소체는 서로 변환이 가능한데, 흑연이 다이아몬드가 되려면 10만 기압의 높은 압력과 3000℃의 높은 온도가 필요하다. 반면에 다이아몬드는 산소를 차단하고 2000℃ 정도로 가열하면 흑연으로 변하게 된다.

4 풀러렌의 발견 과정과 특징 및 쓰임새

한편 빛의 스펙트럼을 분석하던 과학자들은 200nm의 파장 영역에서 항상 강한 흡수가 일어나는 것을 관찰할 수 있었다. 그들은 이것을 우주를 가로질러 지구로 오던 빛들이 무언가에 의해 강하게 흡수되는 현상으로 이해하였고, 그 물질이 탄소 입자들로 구성되었다고 생각하였다. 그 후 흑연에 레이저를 쪼이고 플라즈마 상태로 만든 후 다시 응축시키는 과정을 반복하여 탄소 입자를 얻어내었는데, _{탄소의 세 번째 동소체를 얻어내는 과정} 그 화합물이 바로 탄소 60개가 축구공 형태로 이루어진 탄소의 세 번째 동소체 C_{60}이었다. 이 물질은 수소, 질소 산화물, 아황산가스 등과 반응하여도 그 구조를 그대로 유지할 만큼 안정적이었다. C_{60}은 _{풀러렌의 특징 ①} 버키볼 혹은 ㉢풀러렌이라고 불리는데, 다이아몬드를 웃도는 경도를 가지며 고압에도 잘 견뎌 나노 _{풀러렌의 특징 ②} 머신의 윤활제로 쓰일 수 있다. 그 후 C_{76}, C_{84} 등 다양한 종류의 버키볼이 발견됨에 따라 그 쓰임새가 다양해져 여러 분야에 광범위하게 응용할 수 있을 것으로 기대하고 있다.

■주제: 탄소의 동소체와 그 특징

1 세부 내용의 파악

문제 분석 사실적 정보들을 바탕으로 글의 내용과 일치하는 선택지를 고르는 문제이다.

정답 풀이 ❶ 4문단에서 '다양한 종류의 버키볼이 발견됨에 따라 그 쓰임새가 다양해져 여러 분야에 광범위하게 응용할 수 있을 것'이라고 하였으나, 버키볼은 모두 탄소를 원소로 가지고 있기 때문에 물질의 쓰임새가 원소의 종류에 의해 결정된다고 볼 수 없다. 같은 원소로 이루어진 동소체들이 다르게 쓰이는 이유는 원자들이 결합하는 모양이 다르기 때문이다.

오답 풀이 ② 3문단에서 '흑연이 다이아몬드가 되려면 10만 기압의 높은 압력과 3000℃의 높은 온도가 필요하다. 반면에 다이아몬드는 산소를 차단하고 2000℃ 정도로 가열하면 흑연으로 변하게 된다.'고 하였다. 따라서 흑연과 다이아몬드는 탄소 원자의 다른 결정 구조를 가지고 있으므로 압력과 온도가 결정 구조를 변화시킨다고 볼 수 있다.
③ 2문단에서 다이아몬드는 '치밀하고 밀접한 결합을 하는 결정 구조' 때문에 경도가 매우 크다고 하였다. 이를 통해 원자들이 이루는 결정 구조는 물질의 경도에 영향을 미친다는 것을 알 수 있다.
④ 3문단에서 흑연은 '평면 육각형 고리가 연속되는 구조 때문에 전자의 이동이 용이'하다고 하였다. 이를 통해 원자들의 결합 구조에 따라 전자 이동의 용이성이 다를 수 있음을 알 수 있다.
⑤ 1문단에서 '한 종류의 원소로 이루어졌으나 그 성질이 다른 물질이 존재할 때, 이 여러 형태를 동소체라고 부른다.'고 하였다.

2 핵심 정보의 파악

문제 분석 글의 사실적 정보들을 바탕으로 핵심 정보의 성격과 정보들 간의 관계를 파악하는 문제이다.

정답 풀이 ❷ 제시문에 따르면 흑연과 다이아몬드, 풀러렌 모두 서로 다른 탄소 원자 결정 구조를 가지고 있을 뿐, 이 중 다른 물질의 기본이 되는 구조가 있는 것은 아니다.

오답 풀이 ① 3문단에서 '동소체는 서로 변환이 가능'하다고 하였다. 따라서 동소체인 흑연과 다이아몬드, 풀러렌은 서로 변환이 가능하다.
③ 다이아몬드는 모스 경도계가 10이라고 하였고, 흑연은 1~2밖에 되지 않는다고 하였다. 그리고 풀러렌은 다이아몬드를 웃도는 경도를 가지고 있다고 하였으므로 가장 경도가 큰 것은 풀러렌임을 알 수 있다.
④ 4문단에서 풀러렌은 과학자들이 흑연에 레이저를 쪼이고 플라즈마 상태로 만든 후 다시 응축시키는 과정을 반복하여 얻어낸 탄소 입자라고 하였으므로 풀러렌은 과학자들이 실험을 통해 발견한 것이다.
⑤ 1문단에서 흑연과 다이아몬드가 동소체임에도 불구하고 다른 성질을 가진 이유는 탄소 원자들이 결합하는 모양이 다르기 때문이라고 하였다. 풀러렌도 탄소의 동소체로서 흑연과 다이아몬드와 결합하는 구조가 다르기 때문에 다른 성질을 가진 것으로 볼 수 있다.

3 핵심 내용의 추론

문제 분석 글의 핵심 개념을 정확하게 이해하고 제시문과 〈보기〉의 정보에서 공통 사항을 추론하는 문제이다.

정답 풀이 ❸ 〈보기〉는 탄소의 네 번째 동소체인 탄소 나노튜브의 결정 구조와 특징에 대해 설명하고 있다. 탄소 나노튜브는 반도체 소자로 쓰일 수 있는데, 실리콘 반도체보다 화학적으로 더 안정적이고 열이나 마찰에도 잘 견딘다고 하였다. 그리고 4문단에서는 탄소의 세 번째 동소체인 C_{60}을 비롯한 다양한 종류의 버키볼이 발견되어 여러 분야에 광범위한 응용이 가능해졌다고 하였으므로 제시문과 〈보기〉를 참고로 하였을 때, 동소체의 발견은 여러 분야의 발전에 영향을 줄 수 있다고 볼 수 있다.

오답 풀이 ① 흑연은 전도성을 가지고 있으며, 다이아몬드는 절연체, 탄소 나노튜브는 반도체라고 하였다. 따라서 동소체의 결합 구조가 복잡할수록 전도체의 성질을 가지는지는 〈보기〉와 이 글을 통해 추론할 수 없다.
② 3문단에서 동소체는 서로 변환이 가능하다고 하였지만, 〈보기〉의 탄소 나노튜브에 대한 설명을 통해 동소체끼리 대체할 수 있다는 내용은 추론할 수는 없다.
④ 4문단에서 풀러렌은 수소, 질소 산화물, 아황산가스 등과 반응하여도 그 구조를 그대로 유지할 만큼 안정적이라고 하였고, 〈보기〉에서는 탄소 나노튜브가 실리콘 반도체보다 화학적으로 더 안정적이라고 하였다. 그러나 이를 통해서 동소체의 크기가 작아지면 그 구조를 유지하려는 경향이 강해지는지는 추론할 수 없다.
⑤ 이 글과 〈보기〉를 통해 새로운 동소체를 발견함에 따라 다양한 분야에 응용할 수 있음을 알 수 있지만, 다른 동소체끼리의 상호 작용에 따라 응용 분야가 달라진다는 내용을 추론할 수는 없다.

4 다의어의 문맥적 의미 파악

문제 분석 여러 가지 뜻으로 쓰이는 다의어의 문맥적 의미를 파악하는 문제이다.

정답 풀이 ❸ ⓐ의 '바로'와 ③의 '바로'는 모두 '다름이 아니라 곧'의 의미로 쓰였다.

오답 풀이 ① '거짓이나 꾸밈이 없는 있는 그대로'의 의미로 쓰였다.
② '다른 것이나 다른 데에 있는 것이 아니라는 뜻으로 특정의 대상을 집어서 가리키는 말'의 의미로 쓰였다.
④ '시간적인 간격을 두지 아니하고 곧'의 의미로 쓰였다.
⑤ '도리, 법식, 규정, 규격 따위에 어긋나지 아니하게'의 의미로 쓰였다.

라식 수술과 라섹 수술

이 글은 대표적인 시력 교정술인 라식 수술과 라섹 수술을 비교하여 설명하고 있다. 시력 교정의 필요성과 방법에 대해 언급한 뒤, 라식 수술과 라섹 수술의 각 과정과 장단점 등을 설명하고 있다. 두 수술 방식의 공통점과 차이점을 분명하게 드러냄으로써 독자의 이해를 돕고 있다.

☑ 지문 분석 노트

① 시력 교정의 필요성과 방법

② 라식 수술의 진행 방법 및 장단점

③ 라섹 수술의 진행 방법 및 라식 수술과의 차이점

④ 라섹 수술의 장단점

■ 주제 : 라식 수술과 라섹 수술의 공통점과 차이점

우리가 어떤 물체를 본다는 것은 그 물체에서 반사된 빛이 우리 눈을 거치면서 굴절되어 망막에 상이 만들어지고, 이 정보가 뇌에 전달되어 그것이 무엇인지를 이해하는 과정을 일컫는다. 이 때 빛의
휘어서 꺾임.
굴절을 담당하는 기관은 각막과 수정체인데, 눈이 정상인 경우에는 각막 및 수정체에서 굴절된 빛이 망막에 정확한 상을 맺게 된다. 그러나 망막에 정확한 상이 맺히지 않고 앞쪽에 맺히거나 뒤쪽에 맺히는 경우가 있는데, 이를 굴절 장애라 한다. 근시, 원시 등의 굴절 장애가 있을 경우 **시력이 떨어지고 눈이 피로하며 시야가**
시력 교정의 필요성
흐려지게 되므로, 시력을 교정하기 위하여 안경이나 콘택트렌즈 등의 보조 기구를 사용한다. 최근에는 수술을 통해 시력을 교정하기도 하는데, 대표적인 것이 라식 수술과 라섹 수술이다.

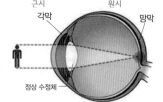

ⓐ<u>라식 수술</u>은 각막 절개도 또는 레이저를 이용하여 각막 상피를 포함한 각막의 실질 일부까지 정
핵심어   *라식 수술에서 각막 절편을 만드는 방법*
해진 두께로 잘라서 각막 절편을 만든다. 그리고 나서 각막 실질에 미리 목표한 양만큼의 레이저를 조사하여 시력을 교정한 뒤, 벗겨낸 각막편을 다시 덮어 주면 수술이 끝난다. 각막 자체의 자연적인 유착력에 의해 각막 절편이 자연히 부착되기 때문에 실로 봉합할 필요는 없다. 이러한 라식 수술은 **통증 및 각막 혼탁을** ⓐ<u>줄이고</u>, 시력 회복 기간을 단축시키는 장점이 있다. 그러나 수술로 인해 각막 두께
라식 수술의 장점
가 얇아져 안압을 견디지 못하는 **각막 확장증이나,** 절편을 만드는 과정에서 안구의 상태를 감지하는
라식 수술로 인해 유발될 수 있는 문제점
신경이 손상되어 눈의 시림, 이물감, 건조감 등을 느끼는 **안구 건조증**이 유발되기도 한다. 이에 각막 표층 기질을 절제하는 수술이 주목 받기 시작하면서, 라섹 수술이 개발되었다.

ⓑ<u>라섹 수술</u>은 **희석된 알코올을 이용**하여 각막 상피편을 얇게 만들어 벗겨낸 후, 라식 수술과 같이
라섹 수술에서 각막 절편을 만드는 방법
각막 실질에 레이저를 조사하여 시력을 교정하는 수술이다. 라섹 수술은 라식 수술과 마찬가지로 **각막 실질 부위에 미리 목표한 양의 레이저를 조사하여 근시, 원시, 난시 등의 굴절 장애를 교정한다는**
라식 수술과 라섹 수술의 공통점
공통점이 있으나, 각막 실질에 레이저를 조사하기 위해 실질 부위를 노출시키는 방법에서 차이가 있다. **라식 수술에서는 각막 상피뿐 아니라 각막 실질의 일부까지 포함하는 상대적으로 두꺼운 각막 절**
라식 수술과 라섹 수술의 차이점
편이 만들어지는 반면, 라섹 수술에서는 알코올을 이용하여 각막 상피만을 포함하는 얇은 각막 절편이 만들어지게 되는 것이다. 또 라식 수술은 각막 실질에 레이저를 조사한 후 각막편을 덮지만, 라섹 수술은 보호 렌즈를 씌워 각막 실질의 표면이 아물게 한다.

라섹 수술은 두꺼운 각막 절편을 만들어야 하는 라식 수술에 비해 **각막편 주름, 불규칙 절편 등의**
라섹 수술의 장점 ①
합병증이 없고, 물리적 충격에 강하다는 장점이 있다. 또한 수술 후 안구 건조증 발생 비율이 라식 수
라섹 수술의 장점 ②
술에 비해 낮은 것으로 알려져 있다. 그러나 라식 수술에 비해 **수술 후 통증의 강도 및 각막 혼탁의 발**
라섹 수술로 인해 유발될 수 있는 문제점
생 가능성이 높고, 시력 회복의 속도가 느린 경우가 많다는 점은 문제점으로 지적된다. 이와 같이 라식 수술과 라섹 수술은 진행 과정의 차이로 인해 각각의 장단점이 다르다. 따라서 자신의 눈 상태와 처한 상황 등을 고려하여 자신에게 적합한 수술 방법을 선택해야 한다.

1 글의 중심 내용 파악

문제 분석 글에서 설명하고 있는 중심 내용을 파악하는 문제이다.

정답 풀이 ❺ 이 글에서는 라섹 수술을 하기 전에 주의해야 하는 사항에 대해서 설명하고 있지 않다.

오답 풀이 ① 2문단에서 라식 수술은 각막 절편을 만든 뒤 각막 실질에 레이저를 조사하여 시력을 교정한 뒤, 벗겨낸 각막 절편을 다시 덮어 주는 것이며, 3문단에서 라섹 수술은 각막 상피편을 얇게 만들어 벗겨낸 후 각막 실질에 레이저를 조사하여 시력을 교정하는 것이라고 각 수술의 원리를 소개하고 있다.
② 3문단에서 라식 수술과 라섹 수술은 각막 실질 부위에 레이저를 조사하여 굴절 장애를 교정한다는 공통점이 있으나, 각막 실질에 레이저를 조사하기 위해 실질 부위를 노출시키는 방법에서 차이가 있다고 하였다.
③ 2문단에서 각막 확장증, 안구 건조증과 같은 라식 수술의 부작용 때문에 각막 표층 기질을 절제하는 수술이 주목 받기 시작하면서 라섹 수술이 개발되었다고 하였다.
④ 2문단에서 라식 수술은 각막 확장증, 안구 건조증 등을 유발할 수 있다고 하였다.

Think Plus❶ 핵심 내용 파악하기 문제는!

글을 읽을 때 '숲을 보고 나무를 보라'는 말이 있다. 숲을 본다는 것은 글의 전체적인 흐름을 파악하는 것을, 나무를 본다는 것은 글의 세부적인 내용을 파악하는 것을 의미한다. 핵심 내용 파악하기 문제를 풀 때에는 '숲을 보는 것'에 가까운 읽기 방법이 요구된다. 즉, 핵심 내용 파악하기 문제를 풀 때에는 세부 내용 파악하기 문제를 풀 때보다 전체적인 내용의 흐름을 파악하며 글을 읽는 것이 중요하다. 문단별 핵심어 및 중심 문장을 찾아보고, 문단이 어떤 식으로 전개되고 있는지를 파악하면 핵심 내용을 쉽게 파악할 수 있다.

2 구체적 사례에 적용

문제 분석 글의 핵심 내용을 구체적인 사례에 적용해 보는 문제이다.

정답 풀이 ❹ 4문단에서 라섹 수술 후 안구 건조증이 발생하는 비율이 라식 수술에 비해 낮다고 하였으므로 ④가 적절한 조언이다.

오답 풀이 ① 4문단에서 라섹 수술은 라식 수술에 비해 통증의 강도가 높다고 하였으므로, 통증을 잘 참지 못한다면 라섹 수술보다는 라식 수술을 선택하는 것이 좋을 것이다.
② 4문단에서 라섹 수술은 라식 수술에 비해 각막편 주름, 불규칙 절편 등의 합병증이 없다고 하였다.
③ 3문단에서 라식 수술에서는 상대적으로 두꺼운 각막 절편이 만들어지는 반면, 라섹 수술에서는 얇은 각막 절편을 만들어진다고 하였다. 따라서 각막 두께가 얇다면 라식 수술보다 라섹 수술을 하는 것이 좋을 것이다.
⑤ 4문단에서 라섹 수술은 라식 수술에 비해 시력 회복의 속도가 느린

경우가 많다는 것이 문제점으로 지적된다고 하였다. 따라서 빠른 시간 내에 시력을 회복하고 싶다면 라섹 수술보다 라식 수술을 하는 것이 좋을 것이다.

3 대상의 원리 파악

문제 분석 글에서 설명하고 있는 수술의 원리를 파악하여 세부 항목을 확인하는 문제이다.

정답 풀이 ❹ 3문단에서 '라식 수술은 각막 실질에 레이저를 조사한 후 각막편을 덮지만, 라섹 수술은 보호 렌즈를 씌워 각막 실질의 표면이 아물게 한다.'고 하였다. 따라서 〈C 단계〉에서 각막편을 다시 덮는 것은 ⓒ'라섹 수술'이 아니라 ⓐ'라식 수술'이다.

오답 풀이 ① 2문단에서 라식 수술은 각막 절개도 또는 레이저를 이용하여 각막 절편을 만든다고 하였고, 3문단에서 라섹 수술은 희석된 알코올을 이용하여 각막 상피편을 얇게 만들어 벗겨낸다고 하였다.
② 2문단에서 라식 수술은 각막 상피를 포함한 각막의 실질 일부까지 잘라 각막 절편을 만든다고 하였고, 3문단에서 라섹 수술은 각막 상피편을 얇게 만들어 벗겨낸다고 하였으므로 각막 절편의 두께는 ⓐ보다 ⓒ에서 더 얇을 것이다.
③ 3문단에서 '라섹 수술은 라식 수술과 마찬가지로 각막 실질 부위에 미리 목표한 양의 레이저를 조사하여 근시, 원시, 난시 등의 굴절 장애를 교정한다는 공통점이 있'다고 하였다.
⑤ 4문단에서 '라섹 수술은 두꺼운 각막 절편을 만들어야 하는 라식 수술에 비해 각막편 주름, 불규칙 절편 등의 합병증이 없'다고 하였다.

4 어휘의 의미 파악

문제 분석 글에 사용된 고유어의 문맥적 의미를 파악한 뒤, 이와 유사한 의미의 한자어를 찾는 문제이다.

정답 풀이 ❶ '감소(減少)'는 '양이나 수치가 줆. 또는 양이나 수치를 줄임.'의 의미이므로, ⓐ'줄이고'와 바꾸어 쓸 수 있다.

오답 풀이 ② '감량(減量)'은 '수량이나 무게를 줄임.'의 의미이다.
③ '삭감(削減)'은 '깎아서 줄임.'의 의미이다.
④ '압축(壓縮)'은 '물질 따위에 압력을 가하여 그 부피를 줄임.'의 의미이다.
⑤ '축소(縮小)'는 '모양이나 규모 따위를 줄여서 작게 함.'의 의미이다.

열역학 법칙의 확립

이 글은 열역학 제1법칙과 열역학 제2법칙을 설명하고 있다. 카르노의 열기관 효율에 대한 연구에 힘입어 외부와 에너지나 물질의 교환이 없는 고립계 내에서 에너지의 총합은 불변이라는 열역학 제1법칙이 정립되었다. 그리고 카르노의 이론을 발전시켜 클라우지우스는 열은 고온의 물체에서 저온의 물체 쪽으로 흘러가고 스스로 저온에서 고온으로 흐르지 않는다는 열역학 제2법칙을 발표하였다.

☑ 지문 분석 노트

1 카르노의 열기관 효율 연구에 힘입은 열역학 제1법칙의 발견

2 카르노 기관의 열역학 원리

3 열역학 제2법칙의 정립과 개념

4 열역학 제2법칙의 엔트로피 증가 논리

열역학이 발전하게 된 직접적인 계기는 오늘날 '열역학 제1법칙'이라고 불리는 에너지 보존 법칙, 즉 열을 포함하여 모든 에너지는 서로 다른 형태의 에너지 간에 교환이 가능하며, 외부와 에너지나 물질의 교환이 없는 고립계 내에서 에너지의 총합은 불변이라는 원리의 발견이었다. 이는 프랑스의 카르노가 앞서 행한 열기관의 효율에 대한 연구에 힘입은 바가 크다. 카르노는 '열기관의 효율을 얼마까지 높일 수 있는가'에 관심을 가졌고, 결국 1824년에 주어진 열을 일로 전환시키는 열기관의 효율에는 궁극적인 한계가 있음을 논증하였다.

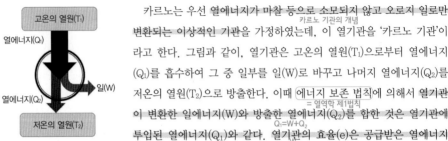

카르노는 우선 열에너지가 마찰 등으로 소모되지 않고 오로지 일로만 변환되는 이상적인 기관을 가정하였는데, 이 열기관을 '카르노 기관'이라고 한다. 그림과 같이, 열기관은 고온의 열원(T_1)으로부터 열에너지(Q_1)를 흡수하여 그 중 일부를 일(W)로 바꾸고 나머지 열에너지(Q_2)를 저온의 열원(T_2)으로 방출한다. 이때 에너지 보존 법칙에 의해서 열기관이 변환한 일에너지(W)와 방출한 열에너지(Q_2)를 합한 것은 열기관에 투입된 열에너지(Q_1)와 같다. 열기관의 효율(e)은 공급받은 열에너지(Q_1)와 열기관이 한 일(W)의 비율로 정의할 수 있다. 즉 이상적인 열기관이라고 하더라도 100%의 효율($e=1$)을 달성하기 위해서는 저온의 열원(T_2)이 절대영도($0K$)에 도달해야만 하는 것이다.

카르노의 이론을 발전시켜 '열역학 제2법칙'을 정식화한 클라우지우스는 열은 고온의 물체에서 저온의 물체 쪽으로 흘러가고 스스로 저온에서 고온으로 흐르지 않는다는 법칙을 발표했다. 낮은 열을 가진 차가운 물체의 원자는 상대적으로 질서 있게 제자리를 지키지만, 높은 열을 가진 뜨거운 물체의 원자는 더 많이 돌아다니는 편이다. 즉, 열은 무질서의 정도를 알려주는 척도이고, 물리학자들은 '엔트로피'라는 개념을 통해 무질서도를 정량적으로 측정한다. 따라서 엔트로피는 온도와 직접적으로 관련이 있다. 열은 자발적으로 온도가 낮은 곳에서 높은 곳으로 이동하는 법이 없으므로, 어떤 계의 엔트로피는 반드시 증가하는 방향으로만 변하게 될 것이다. 그리고 최종적으로는 계 내의 엔트로피가 극대화되어 일을 할 만한 에너지가 하나도 남지 않은 '평형 상태'에 이르게 될 것이다. 에너지의 형태 중에서 엔트로피가 가장 높은 것은 열에너지이기 때문에 모든 에너지는 궁극적으로 열에너지가 된다는 것이다. 그런데 열역학적 관점에서 보면 열은 에너지 중 일을 하기 위한 효율이 가장 떨어지는 에너지이다. 결국 엔트로피란 하나의 물질계 속에서 얼마나 많은 양의 에너지가 일을 하는 데 쓰이지 못했는지를 나타내는 물리량으로, 열은 고온 쪽에서 저온 쪽으로만 흘러간다는 열역학 제2법칙은 고립계가 할 수 있는 일에는 한계가 있음을 알려 주는 것이기도 하다.

그런데 열역학 제2법칙은 한편으로 열린계, 즉 다른 계와 에너지나 물질의 교환이 가능한 계에서는 ㉠엔트로피가 감소할 수도 있다는 것을 말해 준다. 예를 들어 냉장고에 오렌지 주스를 넣어두면 주스가 차갑게 식는다. 주스의 온기를 다른 곳으로 옮기지 못한다면 불가능한 일이 아닌가? 제2법칙의 대답은, 특수한 조건에서는 그런 일이 가능하다는 것이다. 냉장고는 내용물을 식히는 대가로 다른 곳에서 많은 열을 만들어내는데, 냉장고 뒷면에 손을 대보면 밖으로 열을 방출한다는 것을 금방 알 수 있

다. 따라서 냉장고와 주변 환경을 함께 고려한 고립계 내에서는 여전히 총 엔트로피가 열역학 제2법칙에 따라 증가한다.

과학 12 정답 01 ② 02 ④ 03 ② 04 ③

1 내용의 논리적 추론

문제 분석 핵심 개념을 바탕으로 사실적 정보들을 명확하게 파악하고, 이를 바탕으로 글에 표면적으로 드러나지 않은 내용을 추론하는 문제이다.

정답 풀이 ❷ 3문단에서 '낮은 열을 가진 차가운 물체의 원자는 상대적으로 질서 있게 제자리를 지키지만, 높은 열을 가진 뜨거운 물체의 원자는 더 많이 돌아다니는 편이다.'라고 하였다. 따라서 저온의 물체는 고온의 물체에 비해 원자 배열이 규칙적이라고 할 수 있다.

오답 풀이 ① 1문단에서 '열역학 제1법칙'은 '외부와 에너지나 물질의 교환이 없는 고립계 내에서 에너지의 총합은 불변이라는 원리'라고 하였다. 따라서 고립계 내에서는 에너지의 총합이 항상 보존된다.
③ 3문단에서 '어떤 계의 엔트로피는 반드시 증가하는 방향으로만 변하게 될 것이다.'라고 하였지만, 4문단에서 '다른 계와 에너지나 물질의 교환이 가능한 계에서는 엔트로피가 감소할 수도 있다'고 하였다. 따라서 어떤 계의 엔트로피를 감소시키기 위해서는 다른 계와의 에너지 교환이 필요하다고 할 수 있다.
④ 3문단에서 어떤 계의 엔트로피는 증가하는 방향으로만 변하다가 '최종적으로는 계 내의 엔트로피가 극대화되어 일을 할 만한 에너지가 하나도 남지 않은 평형 상태에 이르게' 된다고 하였다. '엔트로피'란 무질서도를 정량적으로 측정하는 개념이므로, 고립계가 한번 평형 상태에 도달하면 계 내의 무질서도는 더 이상 증가하지 않을 것이다.
⑤ 3문단에서 '열은 자발적으로 온도가 낮은 곳에서 높은 곳으로 이동하는 법이 없'다고 하였다. 따라서 4문단의 예에서 알 수 있듯이 외부에서 에너지를 가하는 경우에만 열을 이동시킬 수 있을 것이다.

2 핵심 개념의 파악

문제 분석 글에 제시된 핵심 개념을 파악하고, 대상의 특성과 기능을 파악하는 문제이다.

정답 풀이 ❹ 2문단에서 카르노 기관에 대해 설명하면서 열이 고온의 열원에서 저온의 열원으로 이동하는 것으로 가정하였다. 따라서 카르노 기관을 통해 에너지의 흐름이 양방향적이 아니라 일방향적이라는 것을 알 수 있다.

오답 풀이 ①, ② 2문단에서 '에너지 보존 법칙에 의해서 열기관이 변환한 일에너지(W)와 방출한 열에너지(Q_2)를 합한 것은 열기관에 투입된 열에너지(Q_1)와 같다.'고 하였으므로, 열기관이 방출한 열(Q_2)은 항상 투입된 열(Q_1)보다 작다. 또한 열기관이 외부에 한 일(W)은 열기관에 투입된 열에너지(Q_1)에서 열기관이 방출한 열에너지(Q_2)를 뺀 값과 같다.($W = Q_1 - Q_2$)
③ 2문단에 의하면 카르노 기관은 마찰 등으로 소모되는 에너지가 없음에도 불구하고 투입한 열에너지가 100% 일로 전환될 수 없다는 것을 보여 주는 것으로, 저온의 열원(T_2)이 절대영도(0K)에 도달하지 않는 한 100% 효율을 달성할 수 없다. 1문단에서 카르노는 주어진 열을 일로 전환시키는 열기관의 효율에는 궁극적인 한계가 있음을 논증했다고 하였다.
⑤ 열기관의 효율(e)은 공급받은 열에너지(Q_1)와 열기관이 한 일(W)의 비율로 정의할 수 있으므로, 효율(e)을 높이려면 고온의 열원(T_1)에서 저온의 열원(T_2)을 뺀 값, 즉 고온의 열원과 저온의 열원의 온도 차를 크게 해야 한다.

3 구체적 사례에 적용

문제 분석 글에서 설명한 원리를 구체적 실험이나 사례에 적용하는 문제이다.

정답 풀이 ❷ 더운 사무실에서 냉방기를 가동하면 사무실 내 온도가 고온에서 저온으로 떨어진다. 그러나 냉방기가 밖으로 열을 방출하므로 주변 환경을 함께 고려하면 여전히 엔트로피 증가의 법칙이 지켜지겠지만, 사무실이라는 계 내로 한정해서 본다면 엔트로피는 감소한 것으로 볼 수 있다.

오답 풀이 ①, ③, ④, ⑤ 모두 엔트로피(무질서도)가 증가하고 있는 사례에 해당한다.

4 다른 사례에 적용

문제 분석 글에서 설명한 원리를 심화하여 다른 사례에 적용하는 문제이다. 제시문과 〈보기〉의 내용에 적합한 진술을 찾도록 한다.

정답 풀이 ❸ ㄱ. 열역학 제1법칙에 따라 고립계 내의 에너지의 총합은 불변이므로, 에너지 고갈에 대한 대안 없이 한 번의 에너지 공급으로 영원히 움직이며 일을 할 수 있는 제1종 영구 기관은 불가능하다.
ㄴ. 열역학 제2법칙에 따라 고립계 내의 엔트로피는 항상 증가하는 방향으로만 변하게 된다. 제2종 영구 기관에서 엔트로피가 높은 열에너지를 모두 일로 바꾼다는 것은 엔트로피를 감소시킨다는 것이므로 이는 불가능하다.
ㄹ. 어떤 동력 기관이 계 내의 에너지의 총합은 불변이라는 에너지 보존 법칙(열역학 제1법칙)을 만족시키더라도, 열역학 제2법칙에 따라 계 내의 엔트로피가 계속 증가하므로, 계 내의 에너지는 외부에 일을 할 수 있는 에너지에서 엔트로피가 높은 열에너지로 계속 전환된다. 따라서 한 번의 에너지 공급으로 외부에 영원히 일을 할 수 있는 영구 기관은 존재할 수 없다.

오답 풀이 ㄷ. 3문단에서 계 내의 엔트로피가 극대화되어 일을 할 만한 에너지가 하나도 남지 않은 상태를 평형 상태라고 하였으므로, 순환 과정의 동력으로 활용할 수 없음을 알 수 있다. 또한 제2종 영구 기관에서 엔트로피가 높은 열에너지를 일로 바꾸려는 것은 엔트로피를 떨어뜨리는 것이므로, 제2종 영구 기관의 개념과도 맞지 않는 진술이다.

생각줍기...
Cartoon Allegory

때 모르고
빳빳한 것은
'겸손'이 아닌
지식의 쭉정이로
채웠기 때문이다...

온누리 지식의 무게를 더해도 한 줌 '지혜'보다 무거울까...

kimyh@hani.co.kr

SUB NOTE · 정답 및 해설

제 Ⅱ 부

기술

사람의 청각 체계의 음원 위치 파악 원리

이 글은 사람의 청각 체계에서 여러 가지 작용에 의해 음원의 위치를 파악하는 원리에 대해 설명하고 있다. 사람의 청각 체계는 두 귀 사이 그리고 각 귀와 머리 측면 사이의 상호 작용에 의한 단서를 이용해 음원의 위치를 지각한다. 우선 음원이 청자의 오른쪽으로 치우치면 도착 순서와 시간 차이가 나타나서 음원의 수평 방향을 가늠하게 된다. 또 고주파음의 경우 머리 때문에 '소리 그늘' 현상이 나타나 음원의 수평 방향을 알아내는 데 활용된다. 마지막으로 머리 측면과 귓바퀴의 굴곡의 상호 작용으로 인해 소리의 간섭 현상이 나타나 주파수 분포의 변형이 생기는데, 이는 수평 방향과 수직 방향의 차이에 영향을 준다고 하였다.

☑ 지문 분석 노트

1 이어폰으로 음악을 들을 때 공간감을 느끼는 원리에 대한 의문

2 사람의 청각 체계가 음원의 위치를 파악하는 원리

3 음원의 위치 파악 단서 ①
– 소리의 도착 순서와 시간 차이

4 음원의 위치 파악 단서 ②
– 소리 그늘 현상

5 음원의 위치 파악 단서 ③
– 머리 측면과 귓바퀴 굴곡의 상호 작용

■ 주제 : 사람의 청각 체계가 음원의 위치를 파악하는 원리

이어폰으로 스테레오 음악을 ㉠들으면 두 귀에 약간 차이가 나는 소리가 들어와서 자기 앞에 공연장이 펼쳐진 것 같은 공간감을 느낄 수 있다. 이러한 효과는 어떤 원리가 적용되어 나타난 것일까?
질문을 통해 독자의 호기심 환기

사람의 귀는 주파수 분포를 감지하여 음원의 종류를 알아내지만, 음원의 위치를 알아낼 수 있는 직접적인 정보는 감지하지 못한다. 하지만 사람의 청각 체계는 두 귀 사이 그리고 각 귀와 머리 측면 사이의 상호 작용에 의한 단서들을 이용하여 음원의 위치를 알아낼 수 있다. 「음원의 위치는 소리가 오는
『 』: 음원의 위치 파악 원리
수평·수직 방향과 음원까지의 거리를 이용하여 지각하는데, 그 정확도는 음원의 위치와 종류에 따라 다르며 개인차도 크다. 음원까지의 거리는 목소리 같은 익숙한 소리의 크기와 거리의 상관관계를 이용하여 추정한다.」

음원이 청자의 정면 정중앙에 있다면 음원에서 두 귀까지의 거리가 같으므로 소리가 두 귀에 도착하는 시간 차이는 없다. 반면 음원이 청자의 오른쪽으로 ㉡치우치면 소리는 오른쪽 귀에 먼저 도착하므로, 두 귀 사이에 도착하는 시간 차이가 생긴다. 이때 치우친 정도가 클수록 시간 차이도 커진다. 도착 순서와 시간 차이는 음원의 수평 방향을 ㉢알아내는 중요한 단서가 된다.
음원의 위치 파악 단서 ①

음원이 청자의 오른쪽 귀 높이에 있다면 머리 때문에 왼쪽 귀에는 소리가 작게 들린다. 이러한 현상을 '소리 그늘'이라고 하는데, 주로 고주파 대역에서 ㉣일어난다. 고주파의 경우 소리가 진행하다가
소리 그늘 현상의 개념 *음원의 위치 파악 단서 ②*
머리에 막혀 왼쪽 귀에 잘 도달하지 않는 데 비해, 저주파의 경우 머리를 넘어 왼쪽 귀까지 잘 도달하기 때문이다. 소리 그늘 효과는 주파수가 1,000Hz 이상인 고음에서는 잘 나타나지만, 그 이하의 저음에서는 거의 나타나지 않는다. 이 현상은 고주파 음원의 수평 방향을 알아내는 데 특히 중요한 단서가 된다.

한편, 소리는 귓구멍에 도달하기 전에 머리 측면과 귓바퀴의 굴곡의 상호 작용에 의해 여러 방향으로 반사되고, 반사된 소리들은 서로 간섭을 일으킨다. 같은 소리라도 소리가 귀에 도달하는 방향에 따라 상호 작용의 효과가 달라지는데, 수평 방향뿐만 아니라 수직 방향의 차이도 영향을 준다. 이러한 상호 작용에 의해 주파수 분포의 변형이 생기는데, 이는 간섭에 의해 어떤 주파수의 소리는 ㉤작아지고 어떤 주파수의 소리는 커지기 때문이다. 이 또한 음원의 방향을 알아낼 수 있는 중요한 단서가 된다.
소리의 간섭 현상으로 인한 주파수 분포의 변형

1 세부 정보의 파악

문제 분석　글 속의 사실적 정보를 파악하여 이를 바탕으로 내용을 이해하는 문제이다.

정답 풀이　❸ 2문단에서 '음원의 위치는 소리가 오는 수평 · 수직 방향과 음원까지의 거리를 이용하여 지각하는데, 그 정확도는 음원의 위치와 종류에 따라 다르'다고 하였다. 따라서 음원의 위치를 지각하는 것은 소리가 오는 방향에 따라 달라짐을 알 수 있다.

오답 풀이　① 2문단에서 '사람의 귀는 주파수 분포를 감지하여 음원의 종류를 알아'낸다고 하였다.
② 2문단에서 '사람의 청각 체계는 두 귀 사이 그리고 각 귀와 머리 측면 사이의 상호 작용에 의한 단서들을 이용하여 음원의 위치를 알아낼 수 있다.'고 하였다.
④ 4문단에서 음원이 청자의 오른쪽 귀 높이에 있을 때 머리 때문에 왼쪽 귀에는 소리가 작게 들리는 현상을 '소리 그늘'이라 한다고 하였다.
⑤ 5문단에서 머리 측면과 귓바퀴의 굴곡의 상호 작용에 의해 반사된 소리들은 서로 간섭을 일으키고, 이러한 상호 작용에 의해 주파수 분포의 변형이 생긴다고 하였다.

2 핵심 정보의 파악

문제 분석　글에 제시된 정보들을 바탕으로 핵심 개념을 명확하게 파악하는 문제이다.

정답 풀이　❺ 4문단에서 '소리 그늘 효과는 주파수가 1,000Hz 이상인 고음에서는 잘 나타나지만, 그 이하의 저음에서는 거의 나타나지 않는다. 그래서 이 현상은 고주파 음원의 수평 방향을 알아내는 데 특히 중요한 단서가 된다.'고 하였다. 따라서 소리의 주파수에 따라 소리 그늘을 활용하는 정도가 달라진다고 할 수 있다.

오답 풀이　① 2문단에서 '음원까지의 거리는 목소리 같은 익숙한 소리의 크기와 거리의 상관관계를 이용하여 추정한다.'고 하였다. 그리고 3문단에서 '도착 순서와 시간 차이는 음원의 수평 방향을 알아내는 중요한 단서'라고 하였다. 따라서 소리의 도착 순서와 시간 차이를 통해 알 수 있는 것은 음원까지의 거리가 아니라 음원의 수평 방향이다.
② 1문단을 보면 공간감을 느끼기 위해서는 크기와 주파수 분포가 같은 소리가 아니라, 두 귀에 약간 차이가 나는 소리가 들어와야 함을 알 수 있다.
③ 소리의 울림이 음원의 위치를 감지하는 데 어떤 영향을 미치는지에 대해서는 제시문에 명확하게 언급되지 않았다. 그러나 소리가 울려서 귀에 도달하는 시간이 다양해지면 음원의 방향을 찾아내기가 오히려 더 어려워질 것이다.
④ 귓바퀴의 굴곡이 음원의 방향을 파악하는 단서가 되기는 하지만, 소리의 도착 순서와 시간 차이, 소리 그늘 현상 등을 활용하면 음원의 수평 방향을 지각할 수 있다.

3 구체적 사례에 적용

문제 분석　제시문에서 설명하는 원리를 〈보기〉의 주어진 상황에 적용하는 문제이다.

정답 풀이　❸ 3문단에서 음원이 청자의 정면 정중앙에 있다면 소리가 두 귀에 도착하는 시간 차이는 없다고 하였다. 그런데 ⓒ '발 바로 아래에서 나는 마루 삐걱거리는 소리'는 은영이의 정중앙 아래에서 들리는 소리이기 때문에, 이 소리가 두 귀에 시간 차이를 두고 들리는 소리라고 볼 수는 없다.

오답 풀이　① 2문단을 보면 음원까지의 거리는 소리의 크기와 관련이 있음을 알 수 있다.
② 5문단에서 소리는 머리 측면과 귓바퀴의 굴곡의 상호 작용에 의해 여러 방향으로 반사되고 서로 간섭을 일으킨다고 하였다. 또한 같은 소리라도 소리가 귀에 도달하는 방향에 따라 상호 작용의 효과가 달라지는데, 수평 방향뿐만 아니라 수직 방향의 차이도 영향을 준다고 하였다.
④ 3문단에서 음원이 청자의 오른쪽으로 치우치면 오른쪽 귀에 먼저 도착한다고 하였으므로, 저음의 북소리는 오른쪽 귀에 먼저 들리게 하였을 것이다.
⑤ 4문단을 통해 왼쪽에서 나는 고음의 유리잔 깨지는 소리는 소리 그늘 효과로 인해 오른쪽 귀에서는 작게 들리게 됨을 알 수 있다.

4 한자어의 의미 파악

문제 분석　어휘의 정확한 의미를 파악하여 적절한 한자어로 바꾸는 문제이다.

정답 풀이　❷ ⓛ의 '치우치다'는 '균형을 잃고 한쪽으로 쏠리다.'라는 의미이다. 그런데 ②의 '치중(置重)하다'는 '어떠한 것에 특히 중점을 두다.'라는 의미이므로 ⓛ과 바꾸어 쓸 수 없다.

오답 풀이　① '청취(聽取)하다'가 '듣다'의 뜻이므로 바꾸어 쓸 수 있다.
③ '파악(把握)하다'가 '어떤 대상의 내용이나 본질을 알아내다.'의 뜻이므로 바꾸어 쓸 수 있다.
④ '발생(發生)하다'가 '어떤 일이나 사물이 생겨나다.'의 뜻이므로 바꾸어 쓸 수 있다.
⑤ '감소(減少)하다'가 '양이나 수치가 줄다.'의 뜻이므로 바꾸어 쓸 수 있다.

디지털 피아노의 작동 원리

이 글은 디지털 피아노의 작동 원리와 건반의 소리가 디지털 데이터로 저장되는 과정에 대해 설명하고 있다. 디지털 피아노는 건반마다 설치된 3개의 센서로 건반의 움직임을 감지해 내고 내장 컴퓨터에 저장된 디지털 데이터를 이용하여 피아노 소리를 재현해 낸다. 각 건반의 소리는 소리 파동을 일정하게 나눈 구간마다 파동의 크기를 측정하여 수치화한 샘플링과, 이 샘플링으로 얻어진 측정값을 양자화 표를 이용해 디지털 부호로 바꾸는 양자화 과정을 거쳐 디지털 데이터로 바뀐다고 하였다.

☑ 지문 분석 노트

① 디지털 피아노의 개념과 소리 저장 원리

② 3개의 센서로 감지되는 건반의 움직임

③ 디지털 피아노의 작동 원리

④ 건반의 소리 저장 과정 ①-샘플링

⑤ 건반의 소리 저장 과정 ②-양자화

■ **주제** : 디지털 피아노의 작동 원리와 건반 소리의 저장 과정

디지털 ㉮피아노는 ㉯건반의 움직임에 따라 내장 컴퓨터가 해당 건반의 소리를 재생하는 ㉰악기이다. 각 건반의 소리는 디지털 데이터 형태로 녹음되어 내장 컴퓨터의 저장 장치에 저장되어 있다.

건반의 움직임은 일반적으로 각 건반마다 설치된 3개의 센서가 감지한다. 각 센서는 정해진 순서대로 작동하는데, 가장 먼저 작동하는 센서는 건반의 눌림 동작을 감지하고, 나머지 둘은 건반을 누르는 세기를 감지한다. 첫 센서에 의해 건반의 움직임이 감지되면 내장 컴퓨터의 중앙 처리 장치(CPU)가 해당 건반에 대응하는 소리 데이터를 저장 장치로부터 읽어 온다.

건반을 누르는 세기에 따라 음의 크기가 달라지도록 해 주어야 하는데, 이를 위해서는 나머지 두 센서를 이용한다. 강하게 누르면 건반이 움직이는 속도가 빨라져 두 번째와 세 번째 센서가 작동하는 시간 간격이 줄어든다. CPU는 두 센서가 작동하는 시간의 차이가 줄어드는 만큼 음의 크기가 커지도록 소리 데이터를 처리한다. 이렇게 처리가 끝난 소리 데이터는 디지털-아날로그 신호 변환 장치(DAC)를 거쳐 아날로그 신호로 바뀌고 앰프와 스피커를 통해 피아노 소리로 재현된다.

『그렇다면 저장 장치에 저장되어 있는 각 건반의 소리는 어떤 과정을 거쳐 디지털 데이터로 바뀐 것일까?』 ㉠각 건반의 소리는 샘플링과 양자화 과정을 거쳐 디지털 데이터의 형태로 녹음된다. 샘플링은 『시간에 따라 지속적으로 변하는 소리 파동의 모양에 대한 정보를 얻기 위해 파동을 일정한 시간 간격으로 나누고, 매 구간마다 파동의 크기를 측정하여 수치화한 샘플을 얻는 것이다.』 이때의 시간

<small>『 』: 질문을 통해 독자의 관심을 환기</small>
<small>『 』: 샘플링의 개념</small>

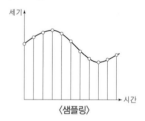

〈샘플링〉

간격을 샘플링 주기라고 하는데, 이 주기를 짧게 설정할수록 음질이 좋아진다. 하지만 각 주기마다 데이터가 하나씩 생성되기 때문에 샘플링 주기가 짧아지면 단위 시간당 생성되는 데이터도 많아진다.
<small>① 품질이 좋아짐. ② 데이터 양의 증가</small>

양자화는 샘플링을 통해 얻어진 측정값을 양자화 표를 이용해 디지털 부호로 바꾸는 것이다. 양자화 표는 일반 피아노가 낼 수 있는 소리의 최대 변화 폭을 일정한 수의 구간으로 나눈 다음, 각 구간에 이진수로 표현되는 부호를 일대일로 대응시켜 할당한 표이다. 양자화 구간의 개수는 부호에 사용되는 이진수의 자릿수에 의해 결정된다. 가령, 하나의 부호를 3자리의 이진수로 나타낸다면 양자화 구간의 개수는 000~111까지의 부호가 할당된 8개가 된다. 즉 가장 작은 소리부터 가장 큰 소리까지 8단계로 구분하여 나타낼 수 있다. 만일 자릿수가 늘어나면 양자화 구간의 간격이 좁아져 소리를 세밀하게 표현할 수 있지만 전체 데이터의 양은 커진다. 이렇게 건반의 소리는 샘플링과 양자화 과정을 통해 변환된 부호의 형태로 저장 장치에 저장된다.
<small>자릿수 ↑ → 전체 데이터 양 ↑</small>

1 세부 정보의 파악

문제 분석 글의 세부적 정보와 선택지에 제시된 정보를 비교하며 일치 여부를 확인하는 문제이다.

정답 풀이 ❸ 2문단에서 각 건반마다 설치된 3개의 '센서는 정해진 순서대로 작동하는데, 가장 먼저 작동하는 센서는 건반의 눌림 동작을 감지하고, 나머지 둘은 건반을 누르는 세기를 감지한다.'고 하였다.

오답 풀이 ① 1문단에서 '각 건반의 소리는 디지털 데이터 형태로 녹음되어 내장 컴퓨터의 저장 장치에 저장되어 있다.'고 하였다.
② 2문단에서 '건반의 움직임은 일반적으로 각 건반마다 설치된 3개의 센서가 감지한다.'고 하였다.
④ 4문단에서 '샘플링은 시간에 따라 지속적으로 변하는 소리 파동의 모양에 대한 정보를 얻기 위해 파동을 일정한 시간 간격으로' 나눈다고 하였다.
⑤ 5문단에서 '양자화 표는 일반 피아노가 낼 수 있는 소리의 최대 변화 폭을 일정한 수의 구간으로 나눈 다음, 각 구간에 이진수로 표현되는 부호를 일대일로 대응'시킨다고 하였다. 따라서 양자화 구간마다 할당된 이진수 부호가 다르다는 것을 알 수 있다.

2 도식화를 통한 원리 파악

문제 분석 제시문의 핵심 내용을 도식화한 〈보기〉를 이해하는 문제이다.

정답 풀이 ❷ 2문단에서 '첫 센서에 의해 건반의 움직임이 감지되면 내장 컴퓨터의 중앙 처리 장치(CPU)가 해당 건반에 대응하는 소리 데이터를 저장 장치로부터 읽어 온다.'고 하였다. 따라서 ⓑ에는 '센서가 감지한 건반의 움직임'이 들어가야 한다.

오답 풀이 ① 2문단에서 각 건반마다 설치된 3개의 센서가 건반의 눌림 동작과 건반을 누르는 세기를 감지한다고 하였다. 그리고 3문단을 보면 건반을 누르는 세기는 건반이 움직이는 속도와 관련이 있음을 알 수 있다. 따라서 ⓐ는 '건반의 눌림과 움직이는 속도'에 해당한다.
③ 2문단에서 '건반의 움직임이 감지되면 내장 컴퓨터의 중앙 처리 장치(CPU)가 해당 건반에 대응하는 소리 데이터를 저장 장치로부터 읽어 온다.'고 하였다.
④, ⑤ 3문단에서 '처리가 끝난 소리 데이터는 디지털-아날로그 신호 변환 장치(DAC)를 거쳐 아날로그 신호로 바뀌고 앰프와 스피커를 통해 피아노 소리로 재현된다.'고 하였다.

3 정보 이해의 적절성 파악

문제 분석 제시문의 핵심 정보를 명확하게 파악하여 이해하는 문제이다.

정답 풀이 ❶ 4문단에서 샘플링 '주기마다 데이터가 하나씩 생성되기 때문에 샘플링 주기가 짧아지면 단위 시간당 생성되는 데이터도 많아진다.'고 하였다. 따라서 생성되는 데이터의 개수를

결정하는 것은 '소리 파동의 모양'이 아니라, '샘플링 주기'임을 알 수 있다.

오답 풀이 ② 5문단에서 자릿수가 늘어나면 양자화 구간의 간격이 좁아져 소리를 세밀하게 표현할 수 있다고 하였다.
③ 5문단에서 '양자화 구간의 개수는 부호에 사용되는 이진수의 자릿수에 의해 결정된다.'고 하였다.
④ 5문단에서 양자화는 샘플링을 통해 얻어진 측정값을 양자화 표를 이용해 디지털 부호로 바꾸는 것이라고 하였다.
⑤ 4문단에서 샘플링 주기를 짧게 설정할수록 음질이 좋아진다고 하였다.

4 어휘 간의 관계 파악

문제 분석 어휘의 의미를 이해하고 그 어휘 간의 관계를 파악하여 다른 어휘에 적용하는 문제이다.

정답 풀이 ❷ '건반'은 '피아노'의 구성 요소이므로, A는 전체와 부분의 관계이다. 그리고 '피아노'는 '악기'의 하위어이므로, B는 상하 관계이다. 마찬가지로 ②의 '비행기 : 날개'는 전체와 부분의 관계이고, '복숭아 : 과일'은 상하 관계이다.

진공관과 트랜지스터

이 글은 2극 진공관과 3극 진공관에 대해 설명하고, 진공관의 문제점을 극복한 트랜지스터의 구조 및 원리에 대해 설명하고 있다. 2극 진공관은 유리관, 필라멘트, 금속판으로 구성되어 금속판에 (+)전압 또는 (−)전압을 걸어 전류가 흐르게 하거나 흐르지 않게 한다. 이러한 2극 진공관과 달리 3극 진공관은 전류를 증폭시키는 그리드라는 전극을 추가하였다. 그런데 진공관은 부피가 크고, 유리관은 깨지기 쉬우며, 필라멘트는 예열이 필요하고 끊어지기 쉬운 문제점이 있기 때문에 트랜지스터가 개발되었다. 트랜지스터는 잉여 전자를 이용하는 n형 반도체와 정공을 이용하는 p형 반도체로 이루어져 있다고 하였다.

✔ 지문 분석 노트

1 진공관의 구조와 개발 과정

1883년 백열전구를 개발하고 있던 에디슨은 우연히 진공에서 전류가 흐르는 현상을 발견했다. 이것은 플레밍이 2극 진공관을 발명하는 ㉠토대가 되었다. 2극 진공관은 진공 상태의 유리관과 그 속에 들어 있는 필라멘트와 금속판으로 이루어져 있다. 진공관 내부의 필라멘트는 고온으로 가열되면 표면에서 전자(−)가 방출된다. 이때 금속판에 (+)전압을 걸어 주면 전류가 흐르고, 반대로 금속판에 (−)전압을 걸어 주면 전류가 흐르지 않게 된다. 이렇게 전류를 한 방향으로만 흐르게 하는 작용을 정류라 한다. 이후 개발된 3극 진공관은 2극 진공관의 필라멘트와 금속판 사이에 '그리드'라는 전극을 추가한 것으로, 그리드의 전압을 약간만 변화시켜도 필라멘트와 금속판 사이의 전류를 큰 폭으로 변화시킬 수 있었다. 이것이 3극 진공관의 증폭 기능이다.

2 진공관의 문제점 해결 과정과 n형 반도체 개발

진공관의 개발은 라디오, 텔레비전, 컴퓨터의 출현 및 발전에 지대한 역할을 하였으나 진공관 자체는 문제가 많았다. 진공관은 부피가 컸으며, 유리관은 깨지기 쉬웠고, 필라멘트는 예열이 필요하고 끊어지기도 쉬웠다. 그러다가 1940년대에 이르러 게르마늄(Ge)과 규소(Si)에 불순물을 첨가하면 전류가 잘 흐르게 된다는 사실을 과학자들이 발견하게 되면서 문제 해결의 계기가 마련되었다. 순수한 규소는 원자의 결합에 관여하는 전자인 최외각 전자가 4개이며 최외각 전자들은 원자에 속박되어 있어 전류가 흐르기 힘들다. 그러나 그림 (가)와 같이 최외각 전자가 5개인 비소(As)를 규소에 소량 첨가하면 결합에 참여하지 않는 1개의 잉여 전자가 전류를 더 잘 흐르게 해 준다. 이를 n형 반도체라고 한다.

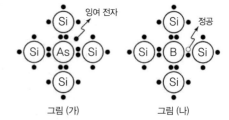

그림 (가)   그림 (나)

3 p형 반도체 개발

한편 그림 (나)와 같이 규소에 최외각 전자가 3개인 붕소(B)를 소량 첨가하면 빈자리인 정공(+)이 생기게 된다. 이 정공은 자유롭게 움직일 수 있어 전류를 더 잘 흐르게 해 준다. 이를 p형 반도체라고 한다.

4 트랜지스터의 개발과 의의

p형과 n형 반도체를 각각 하나씩 접합하여 pn 접합 소자를 만들면 이 소자는 정류 기능을 할 수 있다. 즉 p형에 (+)전압을, n형에 (−)전압을 걸어 주면 전류가 흐르는 반면, 이와 반대로 전압을 걸어 주면 전류가 거의 흐르지 않는다. 한편 n형이나 p형을 3개 접합하면 트랜지스터라 불리는 pnp 혹은 npn 접합 소자를 만들 수 있다. 이때 가운데 위치한 반도체가 진공관의 그리드와 같은 역할을 하여 트랜지스터는 증폭 기능을 한다. 이렇듯 반도체 소자는 진공을 만들거나 필라멘트를 가열하지 않고도 진공관의 기능을 대체했을 뿐 아니라 소형화도 이룰 수 있었다. 이로써 전자 공학 기술의 비약적 발전이 가능해졌다.

■ 주제 : 진공관과 트랜지스터의 구조 및 원리

1 세부 정보의 파악

문제 분석 글의 세부적 정보와 선택지에 제시된 정보를 비교하며 일치 여부를 확인하는 문제이다.

정답 풀이 ❶ 4문단에서 'n형이나 p형을 3개 접합하면 트랜지스터라 불리는 pnp 혹은 npn 접합 소자를 만들 수 있다. 이때 가운데 위치한 반도체가 진공관의 그리드와 같은 역할'을 한다고 하였다. 따라서 pnp 접합 소자에서는 그리드가 아니라 반도체를 사용하여 전류를 증폭함을 알 수 있다.

오답 풀이 ② 2문단에서 '진공관의 개발은 라디오, 텔레비전, 컴퓨터의 출현 및 발전에 지대한 역할'을 했다고 하였다.
③ 1문단에서 에디슨이 진공에서 전류가 흐르는 현상을 발견한 것을 토대로 플레밍이 2극 진공관을 발명하였고, 3극 진공관은 2극 진공관이 발명된 이후에 개발되었다고 하였다.
④ 4문단에서 pn 접합 소자는 정류 기능을 할 수 있다고 하였다.
⑤ 1문단에서 '진공관 내부의 필라멘트는 고온으로 가열되면 표면에서 전자(−)가 방출된다.'고 하였다.

2 자료 해석의 적절성 판단

문제 분석 글의 내용을 이해하고 제시된 자료를 적절히 해석할 수 있는지 판단하는 문제이다.

정답 풀이 ❹ 2문단과 3문단을 통해 (가)는 잉여 전자가 있으므로 n형 반도체에 해당하고, (나)는 정공이 있으므로 p형 반도체에 해당함을 알 수 있다. 따라서 (가), (나), (가)를 차례로 접합하면 npn 접합 소자가 된다. 4문단에서 npn 접합 소자는 '가운데 위치한 반도체가 진공관의 그리드와 같은 역할을 하여 트랜지스터가 증폭 기능을 한다.'고 하였다.

오답 풀이 ① 2문단을 보면 (가)에서 잉여 전자는 결합에 참여하지는 않지만 전류를 더 잘 흐르게 해 준다고 하였다.
② 2문단에서 '순수한 규소는 원자의 결합에 관여하는 전자인 최외각 전자가 4개이며 최외각 전자들은 원자에 속박되어 있어 전류가 흐르기 힘들다.'고 하였다.
③ 2문단을 보면 (가)는 최외각 전자가 5개인 비소를 규소에 소량 첨가하여 만든 n형 반도체라는 것을 알 수 있다.
⑤ 4문단을 보면 (가)와 (나)를 접합한 후 n형 반도체인 (가)에 (−)전압을, p형 반도체인 (나)에 (+)전압을 걸어 주면 전류가 흐른다는 것을 알 수 있다.

3 구체적 사례에 적용

문제 분석 제시문의 내용을 〈보기〉의 구체적 사례에 적용하는 문제이다.

정답 풀이 ❹ 2문단에서 '진공관은 부피가 컸으며, 유리관은 깨지기 쉬웠고, 필라멘트는 예열이 필요하고 끊어지기도 쉬웠다.'고 하였다. 4문단을 통해 이러한 문제점을 극복한 것이 n형과 p

형 반도체를 접합한 반도체 소자임을 알 수 있다. 따라서 진공관을 사용한 보청기의 문제점을 극복한 것이 반도체 소자를 적용한 보청기라고 볼 수 있다. 내부를 진공으로 만드는 것은 진공관을 사용한 보청기에서 찾아볼 수 있는 특징으로, 진공관이기 때문에 내구성이 약할 수밖에 없다.

오답 풀이 ① 반도체는 필라멘트가 없으므로 예열이 필요 없다.
② 반도체 소자를 적용한 보청기는 부피가 크다는 진공관의 문제점을 해결한 것이므로, 진공관을 사용한 보청기에 비해 부피가 작다.
③ 트랜지스터의 가운데 위치한 반도체가 진공관의 그리드와 같은 역할을 하므로 트랜지스터는 증폭 기능을 한다.
⑤ 반도체는 규소나 게르마늄에 불순물, 즉 비소(As)나 붕소(B)를 첨가해야 만들 수 있다.

4 어휘의 문맥적 의미 이해

문제 분석 어휘의 문맥적 의미를 정확하게 파악하는 문제이다.

정답 풀이 ❶ ㉠의 '토대'는 '어떤 사물이나 사업의 밑바탕이 되는 기초와 밑천을 비유적으로 이르는 말'이다. 따라서 '토대'와 바꿔 쓸 수 있는 말로 '기초, 기틀, 바탕, 발판' 등은 적절하지만 '기준'은 적절하지 않다.

장비의 신뢰도 분석의 기본 개념과 원리

이 글은 복잡한 장비의 신뢰도를 분석할 때 사용하는 직렬 구조와 병렬 구조, n 중 k 구조의 원리를 설명하고, 신뢰도 구조와 물리적 구조를 구분하여, 장비의 신뢰도를 높이기 위해 활용하는 중복 설계를 소개하고 있다. 또 대규모 장비의 신뢰 분석은 힘들기 때문에 주어진 장비의 구조 및 운용 조건을 충분히 이해해야 한다고 하였다.

☑ 지문 분석 노트

1 신뢰도의 개념과 장비의 하부 구조

어떤 장비의 '신뢰도'란 ㉠주어진 운용 조건하에서 의도하는 사용 기간 중에 의도한 목적에 맞게 작동할 확률을 말한다. 복잡한 장비의 신뢰도는 한 번에 분석하기가 힘든 경우가 많으므로, 장비를 분해하여 몇 개의 하부 시스템으로 나누어서 생각하는 것이 합리적인 접근 방법이다. 직렬과 병렬 구조는 하부 시스템에 자주 나타나는 구조로서, 그 결과를 통합한다면 복잡한 장비의 신뢰도를 구할 수 있다.

2 직렬 구조의 신뢰도 분석

A와 같은 직렬 구조는 원인에서 결과에 이르는 경로가 하나인 가장 간단한 신뢰도 구조이다. 직렬 구조에서 시스템이 정상 가동하기 위해서는 모든 부품이 다 정상 작동해야 한다. 어떤 하나의 부품이 고장 나면 형성된 경로가 차단되므로 시스템이 고장 나게 된다. 만약「어떤 부품의 고장이 다른 부품의 수명에 영향을 주지 않는다면 A의 신뢰도는 부품 1의 신뢰도($r=0.9$)와 부품 2의 신뢰도($r=0.8$)를 곱한 0.72로 계산되며, 이것은 100번 ⓐ가운데 72번은 고장 없이 작동한다는 것을 의미한다.」고장 없이 영원히 작동하는 부품은 없기 때문에 직렬 구조의 신뢰도는 항상 가장 약한 부품의 신뢰도보다도 낮을 수밖에 없다.

3 병렬 구조의 신뢰도 분석

한편, B와 같은 병렬 구조는 원인에서 결과에 이르는 여러 개의 경로가 있고, 그중에 몇 개가 차단되어도 나머지 경로를 통해 결과에 이를 수 있는 구조이다. 병렬 구조에서는 부품이 모두 고장이어야 시스템이 고장이므로「시스템이 작동한다는 의미의 값인 1에서 두 개의 부품이 모두 고장 날 확률($0.1 \times 0.2 = 0.02$)을 빼서 얻은 0.98이 B의 신뢰도가 된다. 한 부품의 고장이 다른 부품의 신뢰도에 영향을 준다면 이 값 역시 달라진다.」

4 물리적 구조와 구분되는 신뢰도 구조

이러한 신뢰도 구조는 물리적 구조와 구분된다. 자동차의 네 바퀴는 물리적 구조상 병렬로 설치되어 있지만, 그중 하나라도 고장 나면 자동차가 정상적으로 운행될 수 없으므로 신뢰도 구조상으로 직렬 구조인 것이다.

5 장비의 신뢰도를 높이기 위해 활용하는 중복 설계

[가] 종종 장비의 신뢰도를 높이기 위해 중복 설계(重複設計)를 활용하기도 한다. 가령, 순간적인 과전류로부터 섬세한 전자 기구를 보호하는 회로 차단기를 설치할 때에 그 안전도를 높이기 위해 2개를 물리적 구조상 직렬로 연결해야 하는데, 이때 차단기 2개 중 1개라도 정상 작동하면 전자 기구를 보호할 수 있다. 이것은 물리적으로 직렬 구조이지만 신뢰도 구조상으로 병렬 구조인 것이다.

6 'n 중 k' 구조의 신뢰도 분석

신뢰도 문제에서 직렬이나 병렬의 구조로 분석할 수 없는 'n 중 k' 구조도 나타난다. 이 구조에서는 모두 n개의 부품 중에 k개만 작동하면 시스템이 정상 가동된다. n겹의 쇠줄로 움직이는 승강기에서 최대 하중을 견디는 데 k겹이 필요한 경우가 그 예이다. 이 구조에서도 부품 간의 상호 작용에 따라 신뢰도가 달라진다.

7 신뢰도 분석을 위해 필수적인 장비의 구조 · 운영 조건의 이해

실제로 대규모 장비에 대한 신뢰도 분석은 대단히 힘들기 때문에 많은 경우 적절한 판단과 근삿값 계산을 필요로 한다. 따라서 주어진 장비의 구조 및 운용 조건을 충분히 이해하는 것이 필수적이다.

■ 주제 : 장비의 신뢰도 분석의 개념과 원리

1 추론의 적절성 파악

[문제 분석] 제시문의 정보들을 바탕으로 내용을 이해하여 명시적으로 드러나지 않은 내용을 추론하는 문제이다.

[정답 풀이] ❸ 6문단에서 'n 중 k' 구조는 n개의 부품 중에서 k개만 작동하면 시스템이 정상 가동된다고 하였다. 만약 $k=n$이 된다면 'n개의 부품 중에 n개', 즉 모든 부품이 작동해야 정상 가동된다. 2문단에서 직렬 구조에서 시스템이 정상 가동하기 위해서는 모든 부품이 정상 작동해야 한다고 하였으므로, $k=n$일 때 'n 중 k' 구조의 신뢰도는 직렬 구조와 같아진다.

[오답 풀이] ① 2문단에서 직렬 구조는 모든 부품이 다 정상 작동해야 시스템이 정상적으로 가동된다고 하였으므로 부품 수가 많아질수록 신뢰도는 낮아질 것이다.
② 2문단에서 직렬 구조인 A의 신뢰도는 어떤 부품의 고장이 다른 부품의 수명에 영향을 주지 않는다는 조건하에서 구한 것이므로, 부품 간의 상호 작용이 있다면 신뢰도는 달라질 수 있다. 그리고 3문단에서 병렬 구조인 B의 신뢰도 역시 한 부품의 고장이 다른 부품의 신뢰도에 영향을 준다면 달라진다고 하였다. 또한 6문단에서 'n 중 k' 구조에서는 부품 간의 상호 작용에 따라 신뢰도가 달라진다고 하였다.
④ 2문단에서 직렬 구조는 경로가 하나인 가장 간단한 신뢰도 구조라고 하였고, 3문단에서 병렬 구조는 원인에서 결과에 이르는 여러 개의 경로가 있다고 하였다. 따라서 2개의 부품이 만드는 경로의 수도 직렬 구조보다 병렬 구조에서 더 많다고 할 수 있다.
⑤ 2문단에서 0.72의 신뢰도란 100번 가운데 72번이 고장 없이 작동한다는 것이라 하였으므로, 신뢰도 0.98은 100번 가운데 98번이 고장 없이 작동할 수 있음을 의미한다.

2 구체적 상황에 적용

[문제 분석] 글의 중심 내용을 구체적 상황에 적용하는 문제이다.

[정답 풀이] ❺ 〈보기〉는 ㉠을 고려한 카메라 사용 시 주의 사항으로, 신뢰도에 영향을 주는 요소들을 중심으로 작성된 것이다. 신뢰도는 카메라가 작동할 확률과 연관된 것이어야 하는데, ㉢는 카메라의 고장으로 인한 결과일 뿐이므로 신뢰도에 영향을 주는 요소라고 볼 수 없다.

[오답 풀이] ① 카메라가 1년이라는 기간 동안 신뢰도만큼 작동하지 않을 때는 무상으로 보증한다는 내용으로, ㉠의 '의도하는 사용 기간 중에'에 해당한다.
② 카메라가 정상적으로 작동하는 온도 조건을 벗어나면 신뢰도만큼 작동하지 않을 수 있다는 내용으로, ㉠의 '주어진 운용 조건하'에 해당한다.
③, ④ 카메라가 피해야 할 조건하에서 카메라를 사용하면 신뢰도를 보장할 수 없다는 내용으로, ㉠의 '주어진 운용 조건하'에 해당한다.

3 구체적 사례에 적용

[문제 분석] 제시문의 핵심 내용을 구체적 사례에 적용하는 문제이다.

[정답 풀이] ❹ 2문단에서 직렬 구조는 하나의 부품이 고장이면 시스템이 고장 나게 되는 구조라고 하였다. 그러므로 직렬 구조에서는 모든 부품이 정상이어야 시스템이 정상적으로 작동한다. 그러나 3문단에서 병렬 구조는 하나의 부품이 고장나더라도 나머지 경로를 통해 결과에 이를 수 있는 구조라고 하였다. 따라서 ④의 건전지 4개를 모두 넣어야 작동하는 탁상시계는 직렬 구조이다.

[오답 풀이] ① 가로등 1개가 고장 났지만 나머지 가로등은 켜져 있으므로 하나의 부품이 시스템에 영향을 주지 않는 병렬 구조이다.
② 퓨즈 2개가 모두 끊어졌을 때 작동을 멈추었다고 하였고, 퓨즈를 1개만 넣어도 작동한다고 하였으므로 병렬 구조이다.
③ 교실 형광등 4개 가운데 1개만 고장 났고, 이것을 빼내도 나머지 3개가 켜져 있었다고 하였으므로 병렬 구조이다.
⑤ 승용차의 제동 장치 하나가 고장 났지만 다른 제동 장치가 작동을 해서 차량이 정지하였으므로 병렬 구조이다.

4 세부 내용의 이해 및 적용

[문제 분석] 제시문의 내용을 정확하게 이해하여 해당되는 부분을 구조화하는 문제이다.

[정답 풀이] ❶ [가]는 물리적으로는 직렬 구조이지만 신뢰도 구조상으로는 병렬 구조인 중복 설계에 대해 설명하고 있다. [가]에 근거한다면 일단 〈보기〉의 배수펌프 설계의 물리적인 구조는 직렬 구조여야 하므로, 선택지의 ①~③이 이에 해당한다. ①~③ 중 신뢰도 구조상으로는 펌프에서 배출된 물이 역류하는 것을 막기 위해 하나가 고장 나도 다른 하나가 작동하면 역류를 막을 수 있는 병렬 구조를 찾아야 한다. 따라서 물의 흐름을 고려할 때, 펌프 쪽으로 물이 역류하지 않게 하려면 밸브는 화살표 방향을 따라 펌프의 오른쪽에 나란히 두 개가 설치되어야 하므로 ①이 적절하다.

5 어휘의 문맥적 의미 파악

[문제 분석] 어휘의 문맥적 의미를 정확하게 파악하는 문제이다.

[정답 풀이] ❶ ⓐ는 '여럿으로 이루어진 일정한 범위의 안'의 의미이다. ①에 쓰인 '가운데'가 이와 가장 가까운 의미로 사용되었다.

[오답 풀이] ② '양쪽의 사이'라는 의미로 사용되었다.
③ '어떤 일이나 상태가 이루어지는 범위의 안'이라는 의미로 사용되었다.
④ '순서에서, 처음이나 마지막이 아닌 중간'이라는 의미로 사용되었다.
⑤ '일정한 공간이나 길이를 갖는 사물에서, 한쪽으로 치우치지 않고 양 끝에서 거의 같은 거리가 떨어져 있는 부분'이라는 의미로 사용되었다.

무선 전력 전송 기술

이 글은 전기 에너지를 전자기파 형태로 변환하여 전송선 없이 무선으로 에너지를 전달하는 기술인 무선 전력 전송 기술에 대해 설명하고 있다. 근거리 무선 전력 전송 기술은 전자기 유도 원리를 이용한 방식과 공진 현상을 이용한 방식으로 나누어지는데, 각각 전송 가능 거리와 크기 상의 특징으로 인한 장단점이 있다. 안테나를 이용한 원거리 무선 전력 전송 기술은 주파수가 매우 높은 전자파를 활용하는데, 전송 효율이 낮고 인체에 주는 전자파의 영향 때문에 가정용으로는 취약하다는 단점이 있다. 그러나 송전탑을 대체하거나 우주 태양광 발전에 활용하기 위한 연구가 진행 중이다.

☑ 지문 분석 노트

1 무선 전력 전송 기술의 개념과 종류

2 자기 유도 방식 무선 전력 전송의 특징

3 자기 공진 방식 무선 전력 전송의 특징

4 전자파 방식 무선 전력 전송의 특징

최근 전 세계적으로 각종 전자 기기에 전선이 없어도 편리하게 전원을 공급하거나 충전할 수 있는 방법인 무선 전력 전송 기술에 대한 연구가 활발히 진행되고 있다. 무선 전력 전송 기술은 전기 에너지를 전자기파 형태로 변환하여 전송선 없이 무선으로 에너지를 전달하는 기술이다. 이 기술은 자기장을 이용하는 근거리 무선 전력 전송 기술과 안테나를 이용한 원거리 무선 전력 전송 기술로 구분할 수 있다.

근거리 무선 전력 전송 기술은 에너지를 전송하는 방식과 전송 가능 거리에 따라 크게 두 가지로 구분된다. 첫 번째는 전력 송신부 코일에서 자기장을 발생시키면, 그 자기장의 영향으로 수신부 코일에서 전기가 유도되는 전자기 유도 원리를 이용한 방식이다. 〈그림1〉과 같이 1차 코일에 흐르는 전류로부터 발생하는 자기장의 대부분이 2차 코일을 통과하면서 2차 코일에 유도 전류가 흘러 부하로 에너지를 공급하게 된다. 이러한 ㉠자기 유도 방식의 특징은 각 코일의 고유 공진 주파수가 실제 에너지를 전달하는 전송 주파수와 다르다는 점에 있다. 이는 코일의 소형화를 가능하게 하지만 코일의 크기가 줄어듦에 따라 전송 가능한 거리 또한 줄어들기 때문에 보통 사용 가능한 전송 거리는 약 10cm 정도에 불과하다. 송신 코일과 수신 코일의 거리가 10cm 이상 떨어지거나 두 코일의 중심이 정확하게 일치하지 않으면 전력 전송 효율이 급격히 저하된다.

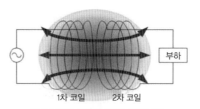

〈그림1〉 자기 유도 방식 무선 전력 전송

두 번째 방식은 〈그림2〉와 같이 코일 사이의 공진 현상을 이용하여 에너지를 전송하는 ㉡자기 공진 방식이다. 다양한 소리굽쇠 중에 하나를 두드리면 동일 고유 진동수를 가진 소리굽쇠만 함께 진동하는 물리적 현상에서 착안했다. 이 방식은 송신부 코일에서 공진 주파수로 진동하는 자기장을 생성해 동일한 공진 주파수로 설계된 수신부 코일에만 에너지가 집중적으로 전달되도록 한 기술이다. 자기 공진 방식은 1차 코일에 흐르는 전류로부터 발생하는 자기장들이 2차 코일을 통과하여 유도 전류가 발생한다는 점에서 자기 유도 방식과 유사하다. 하지만 1차 코일의 공진 주파수와 2차 코일의 공진 주파수가 모두 동일하게 제작되었다는 점에서 차이가 있다. 자기 유도 방식보다 먼 거리까지 에너지를 전송할 수 있지만 전송 효율을 높게 하기 위해서는 각 코일의 크기가 자기 유도 방식에 비해 크게 제작되어야 한다는 단점이 있다.

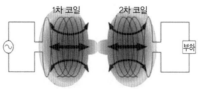

〈그림2〉 자기 공진 방식 무선 전력 전송

안테나를 이용한 원거리 무선 전력 전송 기술은 주파수가 매우 높은 전자파를 활용하기 때문에 전자파 방식 무선 전력 전송 기술이라고도 불린다. 송전 측에서는 고출력 전자파 발진기를 사용하여 직류 전원을 전자파로 변환시키는데, 이러한 전자파를 전파 에너지 빔으로 모아주는 빔 안테나를 통해 수신 측의 공간으로 전송하게 된다. 수신 측에서는 수신 안테나로 전자파를 받아 다시 직류

[A] 전원으로 변환시켜 주는 정류용 반도체 다이오드를 연결해 필요한 전력을 얻게 된다.」 수신 측의 안테나는 정류용 다이오드와 결합되었다는 의미에서 렉테나(Rectenna)라고 부른다. 이 방식은 수십 km 이상 멀리 떨어진 곳에도 수십kW 이상의 높은 전력을 송신할 수 있다. 그러나 전력 상당 부분이 전송되는 도중 사방으로 사라져 효율이 매우 낮고 전자파가 인체에 해로운 영향을 끼칠 수 있으므로 가정용으로는 취약하다는 단점이 있다. 현재 전자파 방식 원거리 무선 전력 전송 기술을 송전탑 대체 또는 우주 태양광 발전 등에 활용하기 위한 연구가 진행 중이다.

정류기(Rectifier)+안테나(Antenna)
전자파 방식의 장점
전자파 방식의 단점 ①
전자파 방식의 단점 ②

■ 주제 : 무선 전력 전송 기술의 종류별 작동 원리

기술 05 | **정답** 01 ④ 02 ⑤ 03 ④

1 서술상의 특징 파악

[문제 분석] 글쓴이는 자신의 생각을 효율적으로 전달하기 위해 다양한 표현 방법과 전개 방식을 사용한다. 글에 사용된 서술상의 특징을 파악하는 문제이다.

[정답 풀이] ❹ 1문단에서 무선 전력 전송 기술의 개념을 소개하고 이를 이용하는 수단과 전송 거리에 따라 구분한 뒤, 2, 3문단에서 근거리 무선 전력 전송 기술을 작동 원리에 따라 두 가지로 나누어 설명하였고, 4문단에서는 원거리(전자파) 무선 전력 전송 기술의 작동 원리에 대해 설명하였다.

[오답 풀이] ① 2~4문단에서 각각의 방식이 갖고 있는 단점을 제시하고 있지만, 새로운 방식의 필요성을 제기하지는 않았다.
② 무선 전력 전송 기술의 작동 원리를 밝히고 있지만, 한계를 보완할 방법은 제시하지 않았다.
③ 이 글에서 무선 전력 전송 기술이 발전해 온 과정은 소개하지 않았으며, 4문단에서 전자파 방식 무선 전력 전송 기술의 전망에 대해서만 언급하고 있다.
⑤ 4문단에서 원거리 무선 전력 전송 기술이 활용될 수 있는 분야에 대해 언급하였지만, 이를 분석하거나 응용 방법을 제안하지는 않았다.

2 핵심 정보의 특징 파악

[문제 분석] 글에 제시된 핵심 정보의 개념을 명확하게 파악하는 문제이다. 서로 다른 두 대상을 비교하는 형태의 문제이므로 두 대상의 공통점과 차이점을 정확하게 파악해야 한다.

[정답 풀이] ❺ 2문단에서 ㉠'자기 유도 방식'은 각 코일의 고유 공진 주파수가 실제 에너지를 전달하는 전송 주파수와 다르다고 하였다. 그리고 3문단에서 ㉡'자기 공진 방식'은 1차 코일의 공진 주파수와 2차 코일의 공진 주파수가 모두 동일하게 제작되었다는 점에서 자기 유도 방식과 차이를 보인다고 하였다. 따라서 ㉡만이 1차 코일의 공진 주파수와 2차 코일의 공진 주파수가 동일하다고 할 수 있다.

[오답 풀이] ① 2문단에서 자기 유도 방식은 두 코일의 중심이 정확하게 일치하지 않으면 전력 전송 효율이 급격히 저하된다고 하였으므로, 송신 코일과 수신 코일의 중심이 일치해야 전송 효율이 높아짐을 알 수 있다.
② 3문단에서 근거리 무선 전력 전송 기술의 하나인 자기 공진 방식은

코일 사이의 공진 현상을 이용하여 에너지를 전송하는 방식이라고 하였다.
③ 2문단에서 자기 유도 방식은 보통 사용 가능한 전송 거리가 약 10cm 정도에 불과하다고 하였고, 3문단에서 자기 공진 방식은 자기 유도 방식보다 먼 거리까지 에너지를 전송할 수 있다고 하였다.
④ 3문단에서 자기 공진 방식은 전송 효율을 높게 하기 위해서는 각 코일의 크기가 자기 유도 방식에 비해 크게 제작되어야 한다고 하였다.

3 시각 자료를 통한 내용의 이해

[문제 분석] 글에 제시된 정보를 〈보기〉의 그림에 적용하여 이해하는 문제이다. 제시문을 통해 전자파 방식 무선 전력 전송 시스템의 작동 과정을 파악하고 그림으로 제시된 구조에 적용하여 각각의 기능을 이해해야 한다.

[정답 풀이] ❹ [A]에서 '수신 측에서는 수신 안테나로 전자파를 받아 다시 직류 전원으로 변환시켜 주는 정류용 반도체 다이오드를 연결해 필요한 전력을 얻게 된다.'고 하였으므로, 정류 회로에서 반도체 다이오드가 전자파를 전력이 필요한 곳으로 전송한다는 내용은 잘못 이해한 것이다.

[오답 풀이] ① [A]에서 송전 측에서는 고출력 전자파 발진기를 사용하여 직류 전원을 전자파로 변환시킨다고 하였으므로, 〈보기〉의 발진기에서 전기 에너지가 전자파로 변환된다고 이해하는 것은 적절하다.
② [A]에서 송전 측에서는 직류 전원을 전자파로 변환한 후 전자파를 전파 에너지 빔으로 모아주는 빔 안테나를 통해 수신 측의 공간으로 전송한다고 하였으므로, 〈보기〉의 송신 안테나가 그 역할을 한다고 이해하는 것은 적절하다.
③ [A]에서 수신 측에서는 수신 안테나로 전자파를 받아 직류 전원으로 변환시켜 주는 정류용 반도체 다이오드를 연결해 필요한 전력을 얻는다고 하였고, 수신 측의 안테나를 정류용 다이오드와 결합되었다는 의미에서 '렉테나'라고 부른다고 하였다. 따라서 렉테나가 전자파를 받아 직류 전원으로 변환하는 역할을 한다고 이해하는 것은 적절하다.
⑤ [A]에서 전자파 방식 무선 전력 전송 기술은 전력 상당 부분이 전송되는 도중 사방으로 사라져 효율이 매우 낮다고 하였다. 따라서 송신 안테나에서 전송된 전자파가 전송되는 도중 없어질 가능성이 높다고 이해하는 것은 적절하다.

BCI 기술_조호현, 전성찬

이 글은 BCI 기술의 개념 및 작동 원리와 종류에 대해 설명하고 있다. BCI 기술은 사람과 컴퓨터의 의사소통 수단으로, 뇌의 활동을 직접적으로 반영하는 것인데 인식된 뇌파를 신호화하여 그 특징을 추출해 컴퓨터가 인식할 수 있게 하여 컴퓨터를 제어하는 원리로 작동된다. BCI 기술은 뇌파를 측정하는 부위에 따라 침습형과 비침습형, 활용 뇌파의 특징에 따라 뇌파 유도형과 뇌파 인식형으로 나눌 수 있다. BCI 기술은 의료 분야 외에도 다양한 분야에서 활용될 수 있다고 하였다.

☑ 지문 분석 노트

(가) BCI 기술의 개념

(나) BCI 기술의 작동 원리 및 연결 장치로서의 뇌파의 장단점

(다) 뇌파의 측정 부위에 따른 BCI 기술의 종류

(라) 활용 뇌파의 특징에 따른 BCI 기술의 종류

(마) BCI 기술의 발전 가능성과 의의

■ 주제 : BCI 기술의 개념 및 작동 원리와 종류

(가) 영화에서 괴수와 싸우는 로봇을 뇌파로 조종하는 모습을 볼 때가 있다. 이런 뇌파 조종을 BCI(Brain Computer Interface)라고 하는데, 최근에 상용화 가능성이 높아지며 크게 주목을 받고 있다. BCI 기술은 사람과 컴퓨터의 의사소통 수단으로 뇌의 활동을 직접적으로 반영하는 사용자 인터페이스이다. BCI 기술은 사용자의 뇌 활동에 담겨 있는 의도나 상태를 컴퓨터에 전달해서 사용자가 물리적인 움직임 없이도 컴퓨터에 명령할 수 있게 하거나 컴퓨터가 사용자의 상태를 파악하고 그에 맞는 정보를 제공해 주는 것을 가능하게 한다.

(나) BCI 기술이 작동하기 위해서는 뇌파를 인식하는 장치가 필요하다. 인식된 뇌파를 신호화하여 가져와 그 특징을 추출하게 되는데, 이때 뇌 신호 데이터에서 두드러진 특징을 추출하기 위해서 불필요한 데이터를 제거하는 전처리(Preprocessing) 과정이 필요하다. 이후, 뇌 신호를 분류하고 분류된 결과를 명령어로 입력하여 컴퓨터가 기계를 움직일 수 있게 된다. 뇌파는 컴퓨터 연결 장치로서 여러 장점들을 가지고 있다. 우선 뇌파는 우리의 생체에서 직접 발생하는 신호이기 때문에 특정한 동작 없이도 컴퓨터를 작동시킬 수 있다. 그리고 뇌파 정보를 실시간으로 제공 받아 사용할 수 있어 응답 속도의 차이를 줄일 수 있다. 물론 장점만 있는 것은 아니다. 뇌파가 컴퓨터로 전송되는 과정에서 뇌파 정보의 손실이 발생할 수 있고, 이 때문에 정보 분석이 어려울 수 있다.

(다) BCI 기술은 뇌파를 측정하는 부위에 따라 ㉠침습형 방식과 ㉡비침습형 방식으로 나눌 수 있다. 침습형은 뇌에 직접 센서를 심어 신경 세포의 전기 신호를 모으는 방법으로, 뇌수술이 필요해 외과적 부작용이 있을 수 있다. 하지만 정확한 측정이 가능하여 인간의 의지를 정확하게 전달할 수 있다. 비침습형은 수술을 하지 않고 두피에 센서를 붙이거나 헬멧이나 헤드셋 형태의 장비로 뇌파를 측정하는 방식이다. 전기 신호가 약해 인식률이 떨어지고 외부 전파와 같은 요인으로 인해 오류가 발생할 수도 있다. 하지만 사용이 간편해 대학이나 연구 기관의 실험실에서 주로 사용된다.

(라) BCI 기술은 활용 뇌파의 특징에 따라 뇌파 유도형과 뇌파 인식형으로 구분할 수 있다. 뇌파 유도 방식은 특정한 뇌파의 출현을 유도해 응용하는 방법으로, 사용자의 실제 의도와 뇌파의 출현이 일치하지 않기 때문에 특정 뇌파를 만들어내기 위해서는 훈련이 필요하다. 뇌파 인식 방식은 뇌파를 분석하여 간단한 의사나 동작을 인식하고, 사용자의 의도를 컴퓨터나 기계에 그대로 전달하는 방식이다.

(마) BCI 기술이 처음 세상에 소개된 후 중증 신체 장애인을 대상으로 중점적인 연구가 시작되었다. 하지만 지금은 BCI 기술이 의료 분야 외에도 게임, 전기, 전자 등 다양한 분야에서 무궁무진하게 활용될 수 있을 것으로 예상된다. 따라서 이 기술의 발전은 어려움을 겪는 사람들에게 편리함과 유익함을 제공할 수 있다는 측면에서 그 의미가 크다.

1 문단의 중심 화제 파악

문제 분석 각 문단의 중심 화제를 파악하는 문제이다. 보통 (가)~(마) 등으로 문단이 구분된 경우의 제시문에서는 각 문단별로 중심 화제를 찾는 문제가 출제된다.

정답 풀이 ❶ (가)에서는 사람과 컴퓨터의 의사소통 수단으로 뇌의 활동을 직접적으로 반영하는 BCI 기술의 개념에 대해서만 다루고 있을 뿐, BCI 기술의 등장 배경에 대해서는 언급하지 않았다.

오답 풀이 ② (나)에서는 뇌파의 신호를 인식한 후, 그 특징을 추출하여 컴퓨터가 기계를 움직일 수 있게 한다는 BCI 기술의 작동 원리와 컴퓨터 연결 장치로서의 뇌파의 장단점에 대해 소개하고 있다.
③ (다)에서는 BCI 기술을 뇌파를 측정하는 부위에 따라 침습형 방식과 비침습형 방식으로 나누어 각각의 장단점을 설명하고 있다.
④ (라)에서는 BCI 기술을 활용 뇌파의 특징에 따라 뇌파 유도형과 뇌파 인식형으로 나누어 설명하고 있다.
⑤ (마)에서는 BCI 기술의 활용 분야가 무궁무진할 것이라는 앞으로의 전망과 BCI 기술의 발전이 어려움을 겪는 사람을 도와줄 수 있다는 의의에 대해 언급하고 있다.

2 세부 내용의 파악

문제 분석 글의 세부적 정보와 선택지에 제시된 정보를 비교하며 일치 여부를 확인하는 문제이다.

정답 풀이 ❺ (나)에서 '뇌파가 컴퓨터로 전송되는 과정에서 뇌파 정보의 손실이 발생할 수 있'다고 하였으나, 뇌파의 응답 속도와 정보 손실 발생률의 연관성에 대해서는 언급하지 않았다.

오답 풀이 ① (가)에서 'BCI 기술은 사용자의 뇌 활동에 담겨 있는 의도나 상태를 컴퓨터에 전달해서 사용자가 물리적인 움직임 없이도 컴퓨터에 명령할 수 있게' 한다고 하였다.
② (라)에서 뇌파 유도 방식은 '사용자의 실제 의도와 뇌파의 출현이 일치하지 않기 때문에 특정 뇌파를 만들어내기 위해서는 훈련이 필요하다.'고 하였다.
③ (마)에서 'BCI 기술이 처음 세상에 소개된 후 중증 신체 장애인을 대상으로 중점적인 연구가 시작되었다.'고 하였으므로, 초창기에는 몸이 불편한 사람들을 위해 연구되었다는 것을 알 수 있다.
④ (마)에서 'BCI 기술이 의료 분야 외에도 게임, 전기, 전자 등 다양한 분야에서 무궁무진하게 활용될 수 있을 것으로 예상된다.'고 하였다.

3 핵심 정보의 비교 파악

문제 분석 글에 제시된 핵심 정보의 개념을 명확하게 파악하는 문제이다. 서로 다른 두 대상을 비교하는 형태의 문제로, 두 대상의 차이점을 정확하게 파악할 수 있어야 한다.

정답 풀이 ❸ (다)에서 ⓒ'비침습형 방식'이 사용이 간편해 대학이나 연구 기관의 실험실에서 주로 사용된다고 하였다.

오답 풀이 ① (다)에서 침습형 방식은 '정확한 측정이 가능하여 인간의 의지를 정확하게 전달할 수 있다.'고 하였고, 비침습형 방식은 '전기 신호가 약해 인식률이 떨어'진다고 하였으므로, 침습형 방식이 비침습형 방식에 비해 정확한 측정이 가능하다고 할 수 있다.
② (다)에서 '뇌파를 측정하는 부위에 따라 침습형 방식과 비침습형 방식으로 나눌 수 있다.'고 하였으므로, 침습형 방식과 비침습형 방식을 나누는 기준은 뇌파를 측정하는 부위라고 할 수 있다.
④ (다)에서 침습형 방식은 '뇌에 직접 센서를 심어 신경 세포의 전기 신호를 모으는 방법으로, 뇌수술이 필요해 외과적 부작용이 있을 수 있다.'고 하였다. 비침습형 방식은 '수술을 하지 않고 두피에 센서를 붙이거나 헬멧이나 헤드셋 형태의 장비로 뇌파를 측정'한다고 하였다.
⑤ (다)에서 비침습형 방식은 '전기 신호가 약해 인식률이 떨어지고 외부 전파와 같은 요인으로 인해 오류가 발생할 수도 있다.'고 하였다.

4 자료를 통한 원리의 이해

문제 분석 글에 설명된 내용을 바탕으로 〈보기〉의 작동 원리와 과정을 이해하는 문제이다.

정답 풀이 ❹ (나)에서 추출된 뇌 신호를 분류하고, 분류된 결과를 명령어로 입력하여 컴퓨터가 기계를 움직일 수 있게 된다고 하였을 뿐, 뇌 신호를 세분화한다는 내용은 언급되지 않았다. 또한 이를 통해 기계 작동이 빨라지는지에 대해서도 이 글에 언급되지 않았다.

오답 풀이 ① (나)에서 BCI 기술이 작동하기 위해서는 뇌파를 인식하는 장치가 필요하며, 인식된 뇌파를 신호화하여 가져와 그 특징을 추출하게 된다고 하였다.
② (나)에서 뇌 신호 데이터에서 두드러진 특징을 추출하기 위해서는 불필요한 데이터를 제거하는 전처리(Preprocessing) 과정이 필요하다고 하였다.
③ (나)에서 인식된 뇌파를 신호화하여 가져와 그 특징을 추출할 때, 뇌 신호 데이터에서 두드러진 특징을 추출한다고 하였다.
⑤ (나)에서 추출된 뇌 신호를 분류하고 분류된 결과를 명령어로 입력하여 컴퓨터가 기계를 움직일 수 있게 된다고 하였다.

OLED 기술

이 글은 유기 재료에 전압을 공급하면 빛이 방출되는 소자인 유기 발광 다이오드(OLED)의 구조 및 구동 과정에 대해 설명하고 있다. OLED는 양극과 음극 사이에 기능성 박막 형태의 유기물층이 삽입되어 있어, 전자와 정공이 발광층까지 이동하며 빛을 낸다. OLED는 스스로 빛을 내는 특성 등을 갖고 있어 디스플레이 등에서 광범위하게 활용될 것으로 예측된다고 하였다.

☑ 지문 분석 노트

(가) OLED의 개념 및 활용 범위

(가) OLED는 유기 재료에 전압을 공급하면 빛이 방출되는 소자인 유기 발광 다이오드(Organic Light Emitting Diode)의 줄임말이다. OLED는 빛을 발생시키는 발광 소자이기 때문에 디스플레이나 키패드용 광원, LCD 백라이트 같은 IT 기기의 광원, 조명 등 응용 범위가 넓어 여러 산업에 광범위하게 활용되고 있다.

(나) OLED의 구조

(나) OLED는 양극과 음극 사이에 기능성 박막 형태의 유기물층이 삽입되어 있는 구조로 이루어져 있다. OLED의 유기물층은 〈그림〉과 같이 정공 주입층, 정공 수송층, 전자 주입층, 전자 수송층, 발광층으로 구성되어 있어서 효율 및 수명을 향상시킨다. 정공 주입층과 정공 수송층은 양극으로부터의 정공 유입 및 수송을 용이하게 하는 층이다. 발광층은 주입된 전자와 정공이 결합하여 빨강, 초록, 파랑 등의 빛을 내는 층으로, 발광층을 구성하는 유기 물질의 종류에 따라 색상이 결정된다. 전자 주입층은 음극으로부터의 전자 주입을 용이하게 한다. 전자 수송층은 음극으로부터 공급받은 전자를 발광층으로 원활히 수송하고 발광층에서 결합하지 못한 정공의 이동을 억제하여 발광층 내의 재결합 기회를 증가시키는 층으로, 전자 친화도와 음극 전극과의 접착성이 우수해야 한다.

기판
양극
정공 주입층
정공 수송층
발광층
전자 수송층
전자 주입층
음극

〈그림〉

(다) OLED의 구동 과정 ①

(다) OLED 발광 소자가 구동하는 과정은 전극에서 유기물로 전하가 주입되는 과정, 유기물 내에서 전하가 발광층까지 수송되는 과정, 발광층에서 전자와 정공이 만나 재결합하고 여기자(勵起子, exciton)를 형성하는 과정의 세 단계로 나눌 수 있다. 여기자는 원자핵의 바깥쪽을 도는 전자가 평소의 안정된 상태보다 더 높은 에너지를 가지고 있는 상태인 '들뜬 상태'일 때의 전자와 정공의 쌍을 말한다. 여기자는 불안정하므로 낮은 에너지를 가진 안정 상태로 옮아가게 되는데 이 과정에서 빛이 방출된다. 이 현상을 발광이라 하며 이 현상을 기반으로 OLED의 기본 설계가 진행된다.

(라) OLED의 구동 과정 ②

(라) 전원이 공급되면「음극에서는 전자가 전자 수송층의 도움을 받아 발광층으로 이동하고, 반대편 양극에서는 정공이 정공 수송층의 도움을 받아 발광층으로 이동하여 발광층에서 전자와 정공이 재결합하면서 여기자를 형성한다. 여기자는 낮은 에너지 상태로 떨어지게 되고 이 과정에서 에너지가 방출되면서 특정한 파장의 빛이 발생하게 된다.」이때 발생하는 빛은 양극을 통해 방출된다.
「」: OLED의 구동 원리

(마) OLED 디스플레이의 장점

(마) 이와 같은 원리로 구동하는 OLED는 스스로 빛을 내는 특성을 갖고 있기 때문에 디스플레이로 활용될 때 백라이트 등의 보조 광원이 불필요하며, 그로 인해 아주 얇은 디스플레이로 제작할 수 있다. 또한 정상적인 화면을 볼 수 있는 최대한의 각도를 의미하는 시야각이 넓고, 응답 속도가 마이크로초(μs) 이하로 아주 빠르며, 유기 소재를 활용하므로 최근에 각광받고 있는 휘어지는 디스플레이를 제작하기에 적합하다는 장점이 있다.

■ 주제 : OLED의 작동 원리와 특징

1 문단의 중심 화제 파악

문제 분석   문단의 중심 화제를 파악하는 것은 글의 내용을 이해하는 가장 기본이 된다. 글 전체의 중심 화제인 OLED에 대해 각 문단에서 다루고 있는 내용을 파악해야 한다.

정답 풀이   ❹ (라)에서는 (다)에서 설명한 OLED의 구동 과정을 부연 설명하고 있으므로, (라)의 중심 화제는 'OLED의 종류'가 아니라 'OLED의 구동 과정'이라고 볼 수 있다.

오답 풀이   ① (가)에서는 OLED의 개념을 밝히고 OLED가 디스플레이나 조명 등 여러 산업에 광범위하게 활용되고 있다고 언급하고 있다.
② (나)에서는 양극과 음극 사이에 기능성 박막 형태의 유기물층이 삽입되어 있는 OLED의 구조에 대해 설명하고 있다.
③ (다)에서는 OLED가 구동하는 과정을 전극에서 유기물로 전하가 주입되는 과정, 유기물 내에서 전하가 발광층까지 수송되는 과정, 발광층에서 전자와 정공이 만나 재결합하고 여기자를 형성하는 과정의 세 단계로 나누어 설명하고 있다.
⑤ (마)에서는 OLED가 디스플레이로 활용될 때의 장점들을 열거하며 설명하고 있다.

2 시각 자료를 통한 내용의 이해

문제 분석   글에 제시된 정보를 〈보기〉의 주어진 그림에 적용하여 이해하는 문제이다. 글을 통해 OLED 구조의 각 층의 특성과 역할을 파악하고, 이를 그림에 적용해 보아야 한다.

정답 풀이   ❺ (나)의 내용을 참고하면 〈보기〉의 ⓐ는 정공 수송층, ⓑ는 발광층, ⓒ는 전자 수송층이라고 볼 수 있다. (나)에서 전자 수송층은 '발광층에서 결합하지 못한 정공의 이동을 억제하여 발광층 내의 재결합 기회를 증가시키는 층'이라고 하였을 뿐, 전자 수송층 내에서 전자와 정공이 재결합한다는 근거는 찾을 수 없다.

오답 풀이   ① (나)에서 정공 수송층은 정공 주입층과 더불어 '양극으로부터의 정공 유입 및 수송을 용이하게 하는 층'이라고 하였다.
② (나)와 (다)에 따르면 발광층에서 전자와 정공이 결합하여 여기자를 형성함을 알 수 있다. (다)에서 여기자는 전자가 평소의 안정된 상태보다 더 높은 에너지를 가진 불안정한 '들뜬 상태'의 전자와 정공의 쌍이라고 하였다.
③ (라)에서 발광층에서 형성된 여기자는 낮은 에너지 상태로 떨어지게 되고 이 과정에서 에너지가 방출되면서 특정한 파장의 빛이 발생하게 되는데, 이때 발생하는 빛은 양극을 통해 방출된다고 하였다.
④ (나)에서 전자 수송층은 전자 친화도와 음극 전극과의 접착성이 우수해야 한다고 하였다.

3 유사한 사례에 적용

문제 분석   제시문과 〈보기〉에 주어진 정보 간의 공통점을 파악하는 문제이다. 발문에서 자연과 과학 기술의 유사성을 제시하고 있으므로, 제시문

에서 설명한 기술과 〈보기〉의 자연 현상 간의 유사점을 찾아야 한다.

정답 풀이   ❸ 〈보기〉에서 반딧불이는 몸속의 발광 물질인 루시페린 단백질이 아데노신 3인산(ATP)과 결합하여 불안정한 상태의 고에너지 물질로 바뀌었다가 이것이 루시페라제의 작용으로 안정된 물질로 변화하면서 발생하는 에너지 차이로 인해 빛을 내게 된다고 하였다. 이는 이 글에서 설명하는 OLED의 발광 원리인 높은 에너지를 가진 불안정한 여기자가 안정된 상태로 변하며 빛이 방출되는 과정과 유사하다.

오답 풀이   ① OLED의 발광 과정에서 촉매 역할을 하는 효소가 필요하다는 내용은 이 글에 제시되지 않았다.
② 이 글에 OLED가 산화 과정을 통해 빛을 방출한다는 내용은 제시되지 않았다.
④ OLED의 발광 과정에서 아데노신 3인산이 반드시 필요하다는 근거를 이 글에서 찾을 수 없다.
⑤ 고에너지 물질이 저에너지 물질로 변할 때 빛을 낸다는 것은 반딧불이와 OLED 발광 원리의 공통점이다. 그러나 노란색 또는 황록색 빛을 내는 것은 반딧불이이고, (나)에서 OLED는 발광층을 구성하는 유기 물질의 종류에 따라 빨강, 초록, 파랑 등의 빛을 낸다고 하였다.

태양 전지를 이용한 태양광 발전_손재익, 강용혁

이 글은 태양 에너지의 대표적인 이용 기술인 태양 전지에 대해 설명하고 있다. 태양 에너지 이용 기술에는 태양광을 직접 전기 에너지로 변환시키는 태양광 발전과 태양 광선의 파동 성질을 이용하는 태양열 발전이 있다. 태양광 발전의 핵심 소자인 태양 전지는 반도체의 pn 접합으로 만들어지며, 태양광의 입사를 통해 생성된 기전력을 통해 전류를 흐르게 할 수 있다. 태양 전지를 이용한 태양광 발전은 환경 친화적이며 환경오염을 유발하지 않고 에너지원이 무한하여 앞으로 기대가 큰 분야라고 하였다.

✔ 지문 분석 노트

1 태양 에너지와 태양 전지의 활용

2 태양 에너지 이용 기술 – 태양열 발전과 태양광 발전

태양 에너지가 미래 에너지로 등장한 것은 이미 1970년대 말부터였다. 이미 그때부터 구체적인 모델이 제시되었던 태양 에너지와 대표적인 적용 기술인 태양 전지의 활용은 어디까지 진행되었을까?
`핵심어`

일반적으로 태양 에너지 이용 기술은 태양열과 태양광을 이용하는 두 가지로 나뉜다. 우선 태양열 발전은 태양 광선의 파동 성질을 이용하는 분야로, 태양열의 흡수, 저장, 열 변환 과정 등을 건물의 냉
`태양 에너지 이용 기술 ①`
난방 및 급탕 등에 활용하는 기술이다. 또 하나는 태양광 발전으로, 태양광을 직접 전기 에너지로 변
`태양 에너지 이용 기술 ②`
환시키는 기술이다. 태양광 발전은 햇빛을 받으면 생기는 광전효과에 의해 전기를 발생시키는 발전 방식으로, 태양광 발전 시스템은 태양 전지로 구성된 모듈과 축전지 및 전력 변환 장치로 구성된다.
`태양광 발전 시스템의 구성 장치`
태양광 발전 기술은 최근 국내외적으로 큰 주목을 받고 있는데, 그 핵심 소자인 태양 전지는 1839년 프랑스 과학자 베크렐(1852~1908)이 전해질 속에 담겨진 두 개의 금속 전극으로부터 발생하는 전력이 빛에 노출됐을 때 세기가 증가하는 광기전력 효과를 발견한 것으로부터 그 역사가 시작되었다.

3 태양 전지의 작동 원리

[A]
태양 전지는 태양광을 직접 전기로 변환시키는 태양광 발전의 핵심 소자이다. 반도체의 pn 접합으로 만든 태양 전지에 반도체의 금지대 폭보다 큰 에너지를 가진 태양광이 입사되면 전자–정공 쌍이 생성된다. 이들 전자–정공이 pn 접합부에 형성된 전기장에 의해 전자는 n층으로, 정공은 p층으로 모이게 됨에 따라 pn 간에 기전력이 발생하게 된다. 이때 양쪽 끝의 전극에 전기 부하를 연결하면 전류가 흐르게 되는 것이 태양 전지의 작동 원리이다.

4 태양 전지의 종류 및 필요 장치

태양 전지는 크게 실리콘 반도체를 재료로 사용하는 것과 화합물 반도체를 재료로 사용하는 것으로
`태양 전지의 종류 ①`　　`태양 전지의 종류 ②`
나눌 수 있다. 실리콘계 태양 전지는 다시 결정계와 박막계로 분류되는데, 결정계는 에너지 변환 효율이 좋은 반면, 박막계는 에너지 및 자원 절약성이 높다. 이러한 태양 전지는 필요에 따라 직렬과 병렬로 연결하여 장기간 자연환경 및 외부 충격에 견딜 수 있는 구조로 만들어 사용하게 되는데, 그 최소 단위를 태양광 모듈이라고 한다. 이 모듈을 실제 사용 부하에 맞추어 여러 개로 조합한 판(어레이,
`태양 전지 필요 장치 ①`
Array) 형태로 구성하여 설치하게 되는데, 태양광 판과 태양 전지로부터 생성되는 직류 전기를 교류로 변환시키는 인버터, 비나 눈이 며칠간 계속되는 경우를 대비한 축전지 등 주변 장치를 갖추어야 태
`태양 전지 필요 장치 ②`　　　　　　`태양 전지 필요 장치 ③`
양 전지가 작동하게 된다.

5 태양 전지 시장의 확대와 발전 가능성

태양 전지를 이용한 태양광 발전은 환경 친화적으로, 화석 연료를 사용하는 다른 발전 방식과 같은 대기 오염이나 소음의 발생이 없고, 에너지원이 무한하다는 것이 장점이다. 이런 장점 때문에 태양 전
`태양 전지를 이용한 태양광 발전의 장점`
지 시장은 매년 급팽창하고 있으며, 관련 산업도 성장을 거듭하고 있다. 최근에는 기상, 통신 분야에
`태양 전지를 이용하는 분야 ①`
까지 사용되고 있으며, 태양 전지로 구동되는 자동차, 비행기도 주목을 받고 있다.
`태양 전지를 이용하는 분야 ②`

■ 주제 : 태양 전지의 작동 원리와 특징

1 세부 내용의 파악

문제 분석 사실적 정보들을 바탕으로 글의 내용을 명확하게 파악하는 문제이다. 비슷한 용어에 헷갈리지 않도록 주의한다.

정답 풀이 ❸ 4문단에서 태양 전지를 사용하기 위해서는 태양광 판과 인버터, 축전지 등의 주변 장치를 갖추어야 한다고 하였다. 태양 전지는 태양광 발전 기술을 이용한 것이므로, 축전지 등 주변 장치가 필요한 것은 태양열 에너지가 아니라 태양광 에너지를 이용할 때이다.

오답 풀이 ① 5문단에서 '태양 전지 시장은 매년 급팽창하고 있으며, 관련 산업도 성장을 거듭하고 있다.'고 하였다.
② 3문단에서 '태양 전지는 태양광을 직접 전기로 변환시키는 태양광 발전의 핵심 소자'라고 하였다.
④ 4문단에서 태양 전지는 '모듈을 실제 사용 부하에 맞추어 여러 개로 조합한 판(어레이, Array) 형태로 구성하여 설치하게 된다.'고 하였다.
⑤ 5문단에서 '태양광 발전은 환경 친화적으로, 화석 연료를 사용하는 다른 발전 방식과 같은 대기 오염이나 소음의 발생이 없고, 에너지원이 무한하다'고 하였다.

2 핵심 내용의 파악

문제 분석 글의 핵심 개념과 그에 대한 정보들을 정확하게 이해하고 있는지를 확인하는 문제이다.

정답 풀이 ❹ 4문단에서 '태양 전지는 크게 실리콘 반도체를 재료로 사용하는 것과 화합물 반도체를 재료로 사용하는 것으로 나눌 수 있다.'고 하였다. 따라서 ⓔ'실리콘계'와 ⓜ'화합물계'를 나누는 기준은 사용하는 반도체의 종류이지, 반도체의 사용 유무가 아니다.

오답 풀이 ① 2문단에서 ㉠'태양열 발전'은 열 변환 과정 등을 활용하는 기술이라고 하였고, ㉡'태양광 발전'을 하기 위한 시스템은 전력 변환 장치가 필요하다고 하였다. 그러므로 ㉠과 ㉡ 모두 태양 에너지를 변환하는 과정을 거쳐 사용된다고 볼 수 있다.
② 2문단에서 ㉠'태양열 발전'은 태양 광선의 파동 성질을 이용한다고 하였고, ㉡'태양광 발전'은 광전효과에 의해 전기를 발생시키는 발전 방식이라고 하였다.
③ 2문단에서 ㉢'태양 전지'는 프랑스 과학자 베크렐이 '전해질 속에 담겨진 두 개의 금속 전극으로부터 발생하는 전력이 빛에 노출됐을 때 세기가 증가하는 광기전력 효과를 발견한 것으로부터 그 역사가 시작되었다.'고 하였다.
⑤ 4문단에서 실리콘계 태양 전지 중 ⓑ'결정계'는 에너지 변환 효율이 좋다고 하였다.

3 시각 자료를 통한 내용의 이해

문제 분석 글에 제시된 정보를 〈보기〉로 주어진 그림에 적용하여 이해

하는 문제이다. 태양 전지의 구조를 이해하고 글에서 설명한 작동 원리를 적용해 보아야 한다.

정답 풀이 ❺ [A]에서 전자는 n층으로, 정공은 p층으로 모이게 됨에 따라 pn 간에 기전력이 발생하게 되면 양쪽 끝의 전극에 전기 부하를 연결하여 전류를 흐르게 하는 것이 태양 전지의 작동 원리라고 하였다. ⓐ는 양쪽 끝의 전극에 연결한 전기 부하이므로, ⓐ에서 기전력이 발생된다는 것은 적절하지 않은 설명이다.

오답 풀이 ① '태양 전지에 반도체의 금지대 폭보다 큰 에너지를 가진 태양광이 입사되면 전자 – 정공 쌍이 생성된다'고 하였다.
② 'pn 접합부에 형성된 전기장에 의해 전자는 n층으로, 정공은 p층으로 모이게' 된다고 하였으므로, ⓓ'pn 접합부'에는 전기장이 형성되어 있다고 볼 수 있다.
③ '전자는 n층으로, 정공은 p층으로 모이게' 된다고 하였으므로 전자가 모이는 ⓑ의 위쪽이 n층, 정공이 모이는 ⓑ의 아래쪽이 p층임을 알 수 있다.
④ '양쪽 끝의 전극에 전기 부하를 연결하면 전류가 흐르게' 된다고 하였으므로 ⓐ를 연결하게 되면 전류가 흐를 것임을 알 수 있다.

수소 에너지

이 글은 주원료인 물의 풍부함과 경제적 효율성, 공해 물질의 적은 발생으로 꿈의 에너지로 평가받는 수소 에너지의 생산 방식과 저장 방식 등을 소개하고 있다. 수소를 생산하는 방식에는 화석 연료를 이용하는 방식과 비화석 연료를 이용하는 방식이 있는데, 둘 다 환경 문제를 완전히 해결하지 못한다는 한계를 갖고 있다. 생산된 수소를 저장하는 다양한 방법 중 수소 저장 합금은 많은 수소를 안전하게 저장할 수 있지만, 무겁고 수소를 추출하려면 높은 온도로 가열해야 한다는 단점이 있다. 수소 에너지 활용은 비용과 안전성 면에서 여전히 해결해야 할 과제들을 갖고 있다.

☑ 지문 분석 노트

① 수소 에너지의 개념과 특징

수소 에너지란 수소 형태로 에너지를 저장하고 사용하는 에너지를 의미한다. 수소 에너지의 주원료가 되는 물은 지구상에 풍부하게 존재하며, 생산 방식에 따라 공해 물질이 전혀 발생되지 않을 수도 있다. 또한 수소 1kg을 산소와 결합시키면 35,000kcal의 에너지가 방출되는데, 이는 같은 질량의 부탄, 휘발유, 프로판가스, 등유, 경유 등의 연료가 생산하는 에너지의 거의 3배에 달한다. 그렇기 때문에 수소 에너지는 꿈의 에너지로 평가된다.

② 수소 에너지의 생산 방식

수소를 생산하는 방식에는 화석 연료를 이용하는 방식과 비화석 연료를 이용하는 방식이 있다. 세계적으로 사용되는 수소는 대부분 천연 가스, LPG, 나프타 같은 화석 연료의 개질에 의해 생산되고 있다. 그러나 이 방법은 1kg의 수소를 생산하는 과정에서 7kg 이상의 이산화탄소를 배출한다는 점에서 환경 문제를 완전히 해결하지 못한다는 한계가 있다. 한편, 비화석 연료를 이용하여 수소를 제조하는 방법에는 물을 원료로 하고 수력, 원자력, 태양열, 태양광 등을 에너지원으로 한 전기 분해, 열화학적 분해, 광화학적 분해 방법이 있으며, 바이오매스를 원료로 하고 태양광, 미생물 등을 에너지원으로 한 생물학적 분해 방법이 있다. 이 중에서 물 전기 분해는 가장 오래전에 실용화된 수소 제조 기술인데, 전력 소모가 많아 고순도의 수소를 소규모로 생산할 때 주로 이용된다. 물(H_2O)을 두 전극 사이에 넣고 전기를 흘리면 양극(+)에서는 산소(O_2)가 발생하고 음극(−)에서는 수소(H_2)가 발생하는 원리를 이용한 것이다. 이 방법은 이산화탄소가 전혀 발생하지 않는다는 점에서 이상적인 수소 생산 방법이지만, 전기를 생산하기 위해서 화석 연료 또는 폐기물이나 방사능 문제를 초래할 수 있는 원자력 에너지를 이용해야 한다는 한계를 갖고 있다.

③ 수소 에너지의 저장 방법

생산된 수소는 고압가스, 액체 등 다양한 형태로 저장할 수 있다. 그런데 수소는 가볍지만 끓는점이 매우 낮고 폭발력이 강하며 액화시키기 ㉠어렵다는 문제가 있다. 이러한 점을 고려하여 수소를 안전하게 저장하기 위해 개발된 것이 수소 저장 합금으로, 금속 원자 사이의 빈 공간에 수소를 저장해 두었다가 필요할 때 가열하여 사용하는 원리이다. 이렇게 수소를 저장할 경우, 고압가스나 액체 수소에 비해 수소의 밀도를 높일 수 있어 많은 수소를 저장할 수 있으며, 금속이 수소와 반응하여 생성된 금속 수소화물이므로 액화시킬 필요가 없다는 장점이 있다. 그러나 수소 저장 합금은 무겁고, 수소를 추출하려면 높은 온도로 가열해야 한다는 단점이 있다.

④ 수소 에너지의 한계와 기술 개발의 필요성

수소 에너지를 활용하는 데 있어 가장 큰 문제점은 비용이다. 물 전기 분해를 이용해 수소를 생산하는 경우, 화석 연료를 사용하여 전기를 생산하는 것보다 약 3배가량 비용이 더 들며, 수소 이용 기기의 비용도 화석 연료 이용 기기에 비해 약 4배가량 비싸다. 그러므로 체계적인 연구 개발을 통하여 수소 생산 및 이용 기기의 가격을 낮추는 것이 수소 에너지 보급 활성화에 필수적인 요소이다. 생산 기술 개발뿐만 아니라, 사회적 위험을 수용할 수 있는 수준의 안전성 확보도 무엇보다 중요하다. 수소 가스는 확산 속도가 매우 빠르기 때문에 부취제가 주입되어도 부취제의 냄새를 인지하기 전에 화재나 폭발 사고가 발생하게 될 가능성이 높다. 따라서 사고 피해를 방지하기 위해 수소 누출 감지 시스템의 신뢰성을 높이는 등 수소 에너지의 안전한 보급을 위한 안전 관리 기술 개발도 꾸준히 이루어져야 할 것이다.

■ 주제 : 대체 에너지로서의 수소 에너지

1 내용 전개 방식의 파악

문제 분석 내용을 효과적으로 전달하기 위해 사용하고 있는 글의 내용 전개 방식을 파악하는 문제이다.

정답 풀이 ❹ 4문단에서 수소 에너지를 활용하는 데 있어 비용이 비싸다는 점과 화재나 폭발 사고의 발생 가능성이 높다는 안전성의 문제를 밝히며 수소 에너지의 한계를 제시하고 있다. 또 이런 한계를 극복하기 위해 체계적인 연구 개발을 통해 수소 생산 및 이용 기기의 가격을 낮춰야 하고, 안전 관리 기술 개발도 꾸준히 해야 한다는 해결 방안을 제시하고 있다.

오답 풀이 ① 시간의 흐름에 따른 통시적 관점에서 수소 에너지의 변화 과정을 고찰하고 있지는 않다.
② 통념이란 일반적으로 널리 통하는 개념을 의미하는데, 이 글에서 수소 에너지에 대한 통념을 제시한 부분은 찾아볼 수 없다.
③ 이 글에서 수소 에너지의 필요성을 나타내는 구체적 사례가 언급된 부분은 찾아볼 수 없다.
⑤ 이 글에서 수소 에너지가 발생하게 된 배경에 대해 다양한 측면에서 분석한 부분은 찾아볼 수 없다.

2 도식화를 통한 세부 정보의 이해

문제 분석 글에서 설명하고 있는 세부 정보를 정리된 도식화를 통해 이해하는 문제이다.

정답 풀이 ❺ 3문단에서 ⓕ'수소 저장 합금'은 ⓓ'고압가스'나 ⓔ'액체 수소'에 비해 수소의 밀도를 높일 수 있어 많은 수소를 저장할 수 있다고 하였다.

오답 풀이 ① 4문단에서 '물 전기 분해를 이용해 수소를 생산하는 경우, 화석 연료를 사용하여 전기를 생산하는 것보다 약 3배가량 비용이 더 들며, 수소 이용 기기의 비용도 화석 연료 이용 기기에 비해 약 4배가량 비싸다.'고 하였다. 이를 통해 ⓐ'화석 연료'보다 ⓑ'비화석 연료'를 사용한 생산 과정에서 더 많은 비용이 든다는 것을 알 수 있다.
② 2문단에서 '세계적으로 사용되는 수소는 대부분~화석 연료의 개질에 의해 생산되고 있다.'고 하였다.
③ 2문단에서 ⓑ'비화석 연료'를 이용하여 수소를 제조하는 공정에는 전기 분해, 열화학적 분해, 광화학적 분해, 생물학적 분해 방법 등이 있다고 하였다.
④ 3문단에서 ⓕ'수소 저장 합금'에 저장된 ⓒ'수소'를 추출하려면 높은 온도로 가열해야 한다는 단점이 있다고 하였다.

Think Plus➕ 도식화 문제

과학·기술 제재에서 세부 내용을 파악하는 문제는 도식화 형태로 종종 출제된다. 보통 도식화를 통해 글의 내용을 한눈에 알아보기 쉽게 정리해 놓은 경우가 많으므로, 제시문을 읽기 전에 먼저 살펴보면 글의 흐름과 내용을 파악하는 데 도움을 얻을 수도 있다.

3 구체적 사례에 적용

문제 분석 글의 핵심 내용을 구체적인 사례에 적용할 수 있는지를 묻는 문제이다.

정답 풀이 ❺ 〈보기〉에 따르면 ○○ 수소 타운에서는 정유 화학제품의 제조 공정이나 발전소 운영 등에서 발생하는 부생 수소를 연료로 활용한다고 하였다. 제시문과 〈보기〉에서 정유 화학제품의 제조 공정이나 발전소 운영 등이 환경오염 물질을 전혀 발생시키지 않는다고 판단할 근거를 찾을 수 없으므로 ⑤는 적절하지 않은 반응이다.

오답 풀이 ① 〈보기〉에서 '수소 타운에서는 정유 화학제품의 제조 공정이나 발전소 운영 등에서 발생하는 부생 수소를 연료로 활용함으로써 가격 경쟁력을 높였다.'고 하였다.
② 〈보기〉에서 수소 타운에서는 수소 에너지를 사용한 후 주택 140세대의 연간 전기 요금으로 약 4,800만 원을 절감하였다고 하였다.
③ 〈보기〉에서는 중앙 모니터링 시스템을 통해 수소 타운에서 가동되고 있는 전 설비의 운전 현황을 철저히 점검한다고 하였다. 그리고 4문단에서 수소 가스는 확산 속도가 매우 빨라 화재나 폭발 사고가 발생하게 될 가능성이 높으므로, 수소 누출 감지 시스템의 신뢰성을 높여야 한다고 하였다. 이를 종합하면 수소 타운의 중앙 모니터링 시스템에서는 수소가 누출되는지 여부를 감지할 것이라고 판단할 수 있다.
④ 〈보기〉에서 수소를 기존의 도시가스처럼 배관을 설치해 각 가정에 공급하는 ○○ 수소 타운 조성 이후 수소가 안전하다고 인식하는 비율이 높아졌다고 하였다.

4 유의어 찾기

문제 분석 제시문에서 사용된 고유어의 문맥적 의미를 파악한 뒤, 이와 유사한 의미로 사용된 단어를 찾는 문제이다.

정답 풀이 ❷ ㉠'어렵다'는 '하기가 까다로워 힘에 겹다.'라는 의미로 사용되었다. ②의 '어려운' 역시 이와 같은 의미로 쓰였다.

오답 풀이 ① '가난하여 살아가기가 고생스럽다.'는 뜻으로 쓰였다.
③ '어려운 걸음(을) 하다'는 관용구로, '일이 바쁘거나 너무 멀어서 좀처럼 가기 힘든 곳을 가거나 오다.'라는 의미로 쓰였다.
④ '성미가 맞추기 힘들 만큼 까다롭다.'는 뜻으로 쓰였다.
⑤ '상대가 되는 사람이 거리감이 있어 행동하기가 조심스럽고 거북하다.'는 뜻으로 쓰였다.

하드 디스크 드라이브

이 글은 데이터 저장 장치의 발전 과정과 하드 디스크 드라이브의 작동 원리에 대해 설명하고 있다. 하드 디스크 드라이브의 저장 용량, 가격, 크기 등의 변화 및 하드 디스크 드라이브의 작동 원리와 성능에 영향을 미치는 요인 등을 구체적으로 제시하였다.

☑ 지문 분석 노트

1 초기 컴퓨터의 데이터 저장 장치

2 하드 디스크 드라이브의 기술 발전 양상

3 하드 디스크 드라이브의 작동 원리

4 하드 디스크 드라이브의 성능에 영향을 미치는 요인

컴퓨터 개발 초기부터 데이터를 안정적으로 보관할 수 있는 장치를 개발하기 위한 노력이 이어졌다. 개발 초창기에는 종이에 일정한 패턴의 구멍을 뚫어 데이터를 기록하는 종이 테이프를 주로 사용했지만, 이들은 많은 용량을 기록하기 어려운데다 보관이 불편하다는 단점이 있었다. 그래서 그 대안으로 제시된 것이 자성 물질로 코팅한 플라스틱 테이프를 이용하는 자기 테이프 기록 장치이다. 이는 비교적 대용량이라는 장점이 있었으나 데이터를 읽어 들이는 속도가 너무 느렸다. 용량이 크면서 속도도 빠른 데이터 저장 장치가 절실히 필요한 상황이었다.

1956년 미국에서 개발된 컴퓨터에는 데이터를 기록하는 판인 플래터를 여러 장 쌓아 올린 구조의 새로운 형태의 저장 장치가 달려 있었다. 이 장치는 당시로서는 매우 큰 용량이었던 4.8MB의 데이터를 저장할 수 있었으며, 기존의 저장 장치에 비해 고속으로 데이터를 읽거나 쓸 수 있어 화제를 불러일으켰다. 이것이 바로 세계 최초의 하드 디스크 드라이브(Hard Disk Drive : HDD)이다. 개발 초기의 하드 디스크 드라이브는 가격이 자동차 몇 대 수준에 달할 정도로 비싸 기업이나 국가 기관용 대형 컴퓨터에만 사용되었다. 또한 장치 전체의 크기가 소형 냉장고와 비슷할 정도로 컸다. 그러나 기술이 점점 개발되면서 가격이 낮아져 일반 대중들도 사용할 수 있도록 널리 보급이 되었으며, 컴퓨터가 소형화됨에 따라 플래터 지름이 약 4.5cm 규격의 하드 디스크 드라이브까지 등장하게 되었다. 용량이나 데이터 처리 속도가 같다면 크기가 작은 규격의 하드 디스크 드라이브일수록 가격이 비싸다. 소형 하드 디스크 드라이브는 내부 공간의 한계 때문에 크기가 작으면서 상대적으로 정밀도가 높은 고가의 부품을 쓰는 경우가 많기 때문이다.

〈하드 디스크 드라이브의 내부 구조〉

스핀들 모터
플래터
헤드

하드 디스크 드라이브는 자성 물질로 덮인 플래터를 플래터 중심에 위치한 스핀들 모터가 회전시키면, 그 위에 헤드가 접근하여 플래터 표면의 자기(磁氣) 배열을 변경하는 방식으로 데이터를 읽거나 쓴다. 이 때, 헤드는 플래터와 직접 접촉하지 않고 디스크가 회전하면서 생기는 공기 흐름을 이용해 플래터에 떠 있는 상태가 된다. 플래터 표면과 헤드 사이의 여유 공간은 매우 좁아서 하드 디스크 드라이브가 회전하는 도중에 외부 충격이 가해지면 헤드가 플래터의 표면을 긁어 하드 디스크 드라이브가 고장 나기도 한다. 또 자성 물질로 데이터를 기록하는 플래터의 특성 때문에 하드 디스크 드라이브 주변에 자석 등이 있으면 기록된 데이터가 파괴되기도 한다. 따라서 하드 디스크 드라이브를 내장한 컴퓨터는 되도록 진동이 없는 곳에 설치하는 것이 좋으며, 방자(防磁) 처리가 되어 있지 않은 스피커 등을 주변에 두지 않도록 해야 한다.

하드 디스크 드라이브의 속도를 결정하는 가장 큰 요인은 플래터의 회전 속도이다. 스핀들 모터의 회전 속도가 높을수록 더 빠르게 데이터를 읽고 쓸 수 있는데, rpm(revolution per minute)은 이 플래터가 1분에 회전하는 횟수를 의미한다. 초기 컴퓨터의 플래터 회전 속도는 1,200rpm인 데 비해, 오늘날 일반적으로 사용하는 데스크탑 컴퓨터용 3.5인치 제품에는 7,200rpm, 노트북 컴퓨터용 2.5인치 제품에는 5,400rpm, 1.8인치 제품에는 4,200rpm으로 회전하는 플래터가 탑재된 경우가 많다. 플래터뿐만 아니라, 하드 디스크 드라이브 내에 탑재된 버퍼 메모리의 용량도 하드 디스크 드라이브

의 성능에 많은 영향을 끼친다. 하드 디스크 드라이브는 반도체 기반의 장치인 CPU나 램에 비해 데이터 처리 속도가 훨씬 느린데, 버퍼 메모리는 CPU나 램에서 플래터로 데이터를 전송할 때, 혹은 그 반대의 경우에 그 중간에 위치하여 양쪽 장치의 속도 차이를 줄여주는 역할을 한다. 다만, 버퍼 메모리의 역할은 어디까지나 외부 장치와의 속도 차이를 줄여주는 것이지 하드 디스크 드라이브 자체의 속도를 빠르게 하는 것은 아니다.

■주제 : 데이터 저장 장치의 발전 과정 및 하드 디스크 드라이브의 작동 원리

기술 10   정답   01 ⑤   02 ④   03 ②

1 세부 정보의 파악

문제 분석 | 글에서 다룬 대상의 변화 과정과 각 단계의 특성을 세부적으로 파악하는 문제이다.

정답 풀이 | ❺ 2문단에서 기술이 개발됨에 따라 하드 디스크 드라이브가 점점 소형화되고 있음을 설명하였지만, 장치의 크기와 용량의 직접적인 연관 관계에 대해서는 언급하지 않았다. 또한 4문단에서 하드 디스크 드라이브의 속도를 결정하는 가장 중요한 요인은 플래터의 회전 속도라고 하였다.

오답 풀이 | ① 1문단에서 종이 테이프는 많은 용량을 기록하기 어렵고 보관이 불편하다는 단점이 있었다고 하였다.
② 1문단에서 자기 테이프 기록 장치는 비교적 대용량이라는 장점이 있었으나 데이터를 읽는 속도가 너무 느렸다고 하였다.
③ 1문단에서 자기 테이프 기록 장치는 자성 물질로 코팅한 플라스틱 테이프를 이용한다고 하였다. 그리고 2문단에서 하드 디스크 드라이브는 플래터를 여러 장 쌓아 올린 구조라고 하였고, 3문단에서 플래터는 자성 물질로 덮인 것이라고 하였다.
④ 3문단에서 플래터 표면과 헤드 사이의 여유 공간은 매우 좁아서 하드 디스크 드라이브가 회전하는 도중에 외부 충격이 가해지면 헤드가 플래터의 표면을 긁어 하드 디스크 드라이브가 고장 나기도 한다고 하였다. 그래서 하드 디스크 드라이브를 내장한 컴퓨터는 되도록 진동이 없는 곳에 설치하는 것이 좋다고 하였다.

2 추론의 적절성 파악

문제 분석 | 글의 내용을 바탕으로 직접적으로 제시되지 않은 내용을 추론해 보는 문제이다.

정답 풀이 | ❹ 4문단에서 '버퍼 메모리는 CPU나 램에서 플래터로 데이터를 전송할 때, 혹은 그 반대의 경우에 그 중간에 위치하여 양쪽 장치의 속도 차이를 줄여주는 역할을 한다.'고 하였다. 따라서 데이터가 CPU나 램에서 플래터로 전송될 뿐만 아니라, 플래터에서 CPU나 램으로 전송되기도 한다는 것을 알 수 있다.

오답 풀이 | ① 4문단에서 '하드 디스크 드라이브는 반도체 기반의 장치인 CPU나 램에 비해 데이터 처리 속도가 훨씬 느'리다고 하였으므로, 하드 디스크 드라이브는 반도체 기반 장치가 아님을 알 수 있다.
② 2문단에서 하드 디스크 드라이브 기술이 점점 개발되면서 가격이 낮아져 일반 대중들도 사용할 수 있도록 널리 보급이 되었다고 한 것으로 보아, 하드 디스크 드라이브의 가격이 대중화를 가능하게 한 중요한 요인이라고 볼 수 있다.

③ 3문단에서 '플래터를 플래터 중심에 위치한 스핀들 모터가 회전시키면'이라고 하였다. 이를 통해 스핀들 모터는 플래터 중심에 위치해 있으며, 플래터를 회전시키는 역할을 한다는 것을 알 수 있다.
⑤ 4문단에서 '버퍼 메모리의 역할은 어디까지나 외부 장치와의 속도 차이를 줄여주는 것이지 하드 디스크 드라이브 자체의 속도를 빠르게 하는 것은 아니다.'라고 하였다.

3 구체적 사례에 적용

문제 분석 | 글에서 설명하고 있는 중요 내용을 구체적인 사례에 적용해 보는 문제이다.

정답 풀이 | ❷ 2문단에서 '용량이나 데이터 처리 속도가 같다면 크기가 작은 규격의 하드 디스크 드라이브일수록 가격이 비싸다.'고 하였다. 〈보기2〉에서 A 제품은 2.5인치, B 제품은 3.5인치로 A 제품이 B 제품에 비해 규격이 작다. 그러나 B 제품의 용량은 1,000GB로 A 제품보다 크고, 속도도 7,200rpm으로 A 제품보다 빠르다. 따라서 단순히 A 제품이 B 제품보다 규격이 작다고 해서 더 비싸다고 볼 수 없다.

오답 풀이 | ① B 제품은 규격이 3.5인치이므로 2.5인치인 A 제품에 비해 휴대성이 떨어질 것이다.
③ A 제품과 B 제품은 외장 하드이며, 〈보기 1〉에서 외장 하드는 하드 디스크 드라이브를 휴대용으로 만든 것이라고 하였다. 따라서 A 제품과 B 제품은 헤드가 플래터 위를 움직이면서 데이터를 저장할 것이다.
④ A 제품의 속도는 5,400rpm이고, B 제품의 속도는 7,200rpm이므로 A 제품에 탑재된 스핀들 모터는 B 제품에 탑재된 것보다 느리게 회전할 것이다.
⑤ A 제품은 용량이 500GB이고 B 제품은 용량이 1,000GB이므로, A 제품보다 B 제품에 더 많은 사진을 저장할 수 있을 것이다.

Think Plus⊕   시각 자료를 해석해야 할 때는!

　과학·기술 제재를 구체적 사례에 적용하는 문제에는 〈보기〉에 표나 그래프가 제시되는 경우가 많다. '글의 내용을 얼마나 잘 이해했는가'를 측정하는 것이 목표이기 때문에, 실제 수능에 해석하는 것이 너무 어려운 표나 그래프를 출제하는 경우는 드물다. 표의 경우, 표의 가로 항목과 세로 항목이 어떤 내용을 가리키는지 파악하고, 동일한 항목에 대해 제시된 대상을 비교하면서 살펴보도록 한다. 이 때, 서술형으로 제시된 조건도 함께 고려해야 한다.

에너지 하베스팅 기술

이 글은 압전효과를 중심으로 에너지 하베스팅 기술에 대해 소개하고 있다. 에너지 하베스팅 기술은 자연에 존재하는 에너지를 전기 에너지로 변환하는 것뿐만 아니라, 주변에 버려지는 에너지도 전기 에너지로 변환하여 사용하는 기술로, 현재 가장 활발하게 개발되는 것은 압전효과를 이용하는 것이다. 압전효과란 물질에 기계적인 압력을 가하면 전압이 발생하고, 전압을 가하면 소자가 이동하거나 힘이 발생하는 등 기계적인 변형이 생기는 현상이다. 압전효과는 에너지 간 변환을 필요로 하는 분야에서 활발하게 응용되고 있으며, 에너지 하베스팅 기술은 무공해 재생 에너지이므로 에너지 자원 부족 문제에 대응하기 위한 한 방법이 될 수 있다는 점에서 그 의의가 있다고 하였다.

✔ **지문 분석 노트**

① 에너지 하베스팅 기술의 개념

② 압전효과의 개념

③ 압전효과의 발생 원리

④ 압전효과의 응용 분야와 에너지 하베스팅 기술의 의의

■ **주제 :** 압전효과를 활용하는 에너지 하베스팅 기술의 원리

에너지 하베스팅(Energy Harvesting) 기술이란 이름대로 에너지를 '수확'하여 다시 쓸 수 있게 하는 기술이다. 바람, 물, 진동, 태양 광선 등의 자연 에너지를 전기 에너지로 변환하는 것뿐만 아니라, 실내 조명광, 자동차의 폐열, 방송 전파 등 주변에 버려지는 에너지도 전기 에너지로 변환하여 사용하는 것이다. 원자력 발전이나 수력 발전 등 기존의 에너지 발전 기술이 대규모 전력을 생성하는 발전소로부터 변전소를 ⓐ거쳐 전기 케이블을 통해 가정 및 회사의 사용자들에게 전기를 공급하는 시스템이었다면, 에너지 하베스팅 기술은 주변에서 일상적으로 발생하는 에너지 발생원으로부터 비교적 간단하게 소량의 에너지를 변환하여 사용하는 시스템이다. 이 때문에 에너지 하베스팅 기술은 사물 인터넷 시대에 크게 주목을 받고 있다.

에너지 하베스팅 기술 중 현재 가장 널리 연구 개발 중인 것은 ㉠압전효과(Piezoelectric effect)를 이용하여 주위에 버려지는 운동 에너지를 전기 에너지로 변환하는 것이다. 압전효과란 기계적인 압력을 가하면 전압이 발생하고, 전압을 가하면 소자가 이동하거나 힘이 발생하는 등 기계적인 변형이 생기는 현상이다. 기계적 에너지를 전기 에너지로 변환하는 것을 1차 압전효과라 부르며, 전기 에너지를 기계적 에너지로 변환하는 것을 2차 압전효과 또는 역압전효과라 부른다.

그럼 압전효과는 어떻게 발생하는 것일까? 자연계 대부분의 물질은 전체적으로 양의 전하량과 음의 전하량이 같기 때문에 전기적으로 중성을 나타낸다. 그러나 결정 구조의 단위로 볼 때는 양의 전하와 음의 전하의 위치가 약간 어긋나 있어, 원자나 분자 단위에서 그 주변에 전기장을 형성하는 경우가 있는데 이를 전기쌍극자라고 한다. 「전기쌍극자를 가진 재료에 물리적인 외부 응력을 주면 결정을 구성하는 분자 간 혹은 이온 간 상태 변화가 발생한다. 재료가 힘을 받아 결정 구조가 찌그러지면서 전기쌍극자의 크기에 변화를 일으켜 주변에 전기력을 미치게 되는 것이다.」이와 같은 원리를 통해 압전 소자에 연결된 전기 회로에는 양 또는 음의 전기가 발생하는데, 이것이 1차 압전효과이다. 또한 이와 반대로 「압전 소자 회로에 전압을 가하면 외부의 전기적 인력 혹은 척력에 의해 전기쌍극자가 변화하게 되는데, 이는 궁극적으로 압전 소자의 물리적인 변형을 불러와 역압전효과를 일으키게 된다.」

압전효과는 수정 등의 천연 결정 외에도 로셀 염, 티탄산 지르코늄 등의 인공 결정 및 압전 재료에 나타나며, 에너지 간 변환을 필요로 하는 분야에서 활발하게 응용되고 있다. 압전효과 이외에도 열전효과, 광전효과 등이 에너지 하베스팅 기술에서 활용된다. 자투리 에너지를 모아 전력으로 재활용하는 에너지 하베스팅 기술은 무공해 재생 에너지를 생성한다는 점에서 의의가 있으며, 화석 연료의 고갈 등 에너지 자원 부족 문제에 대응하기 위한 적극적인 에너지 절약의 한 방법이 될 수 있다는 점에서 지속적인 연구가 필요하다.

1 제목의 적절성 파악

문제 분석　글을 읽고 적절한 표제와 부제를 찾아봄으로써 글의 핵심 정보를 파악하는 문제이다.

정답 풀이　❶ 표제는 글 전체의 내용을 포괄할 수 있어야 하고, 부제는 표제보다 좀 더 구체적인 정보를 함의하는 것이어야 한다. 제시문은 에너지 하베스팅 기술을 소개하면서 압전효과를 중심으로 에너지 하베스팅의 원리를 설명하고 있으므로 ①이 표제와 부제로 가장 적절하다.

오답 풀이　② '압전효과의 발생'이라는 표제로는 제시문 전체의 내용을 포괄할 수 없다.
③ 4문단에서 에너지 하베스팅 기술이 에너지 절약의 적극적 방법이라는 점에서 의의가 있다고 하였지만 이는 제시문의 부분적인 내용이다.
④ 에너지 하베스팅 기술을 친환경적 에너지 발생 기술이라고 볼 수 있지만, 친환경적 에너지 발생 기술은 제시문에서 직접적으로 다루고 있는 중심 화제가 아니다. 또한 전기쌍극자 활용은 3문단에서 압전효과를 설명할 때 부분적으로 사용된 개념이다.
⑤ '에너지 변환의 신기술 도입'에는 에너지 하베스팅 기술을 비롯한 신기술들이 포함된다고 볼 수 있지만, 이 글에서 중심으로 다루고 있는 내용과는 동떨어져 있다. 또한 '천연 결정과 인공 결정의 차이점'을 다루고 있는 부분은 제시문에서 찾을 수 없다.

2 추론의 적절성 파악

문제 분석　사실적 정보들을 바탕으로 핵심 개념을 명확하게 파악하고, 글에 표면적으로 드러나지 않은 사실을 추론해 보는 문제이다.

정답 풀이　❺ 3문단에서 전기적으로 중성인 물질은 양의 전하량과 음의 전하량이 같은데, 결정 구조상 원자나 분자 단위에서 그 주변에 전기장을 형성하는 전기쌍극자를 가지는 경우가 있다고 하였다. 그리고 '전기쌍극자를 가진 재료에 물리적인 외부 응력을 주면~결정 구조가 찌그러지면서 전기쌍극자의 크기에 변화를 일으켜 주변에 전기력을 미치게' 된다고 하였다.

오답 풀이　① 2, 3문단에 의하면 압전효과는 전기쌍극자를 가진 재료에 기계적인 힘을 가할 때 전기가 발생하는 1차 압전효과와, 전압을 가하면 전기쌍극자가 변화함으로써 재료에 물리적인 변형이 나타나는 2차 압전효과로 나뉜다. 따라서 전기쌍극자가 없는 재료에는 1차 압전효과나 2차 압전효과가 나타나지 않을 것이다.
② 3문단에서 2차 압전효과는 압전 소자 회로에 전압을 가하면 외부의 전기적 인력 혹은 척력에 의해 전기쌍극자가 변화하는 현상이라고 하였다. 이를 통해 물리적인 외부 응력을 가하지 않고서도 전기 에너지를 통해 전기쌍극자를 변화시킬 수 있음을 알 수 있다.
③ 4문단에서 티탄산 지르코늄은 압전효과가 나타나는 재료라고 하였으므로 전압을 가하여 물리적인 변형을 가져올 수 있을 것이다.
④ 3문단에서 '결정 구조의 단위로 볼 때는 양의 전하와 음의 전하의 위치가 약간 어긋나 있어, 원자나 분자 단위에서 그 주변에 전기장을 형성하는 경우가 있는데 이를 전기쌍극자라고 한다.'고 하였다. 또한

전기쌍극자를 가진 재료에 물리적인 외부 응력을 주면 결정 구조가 찌그러지면서 전기쌍극자의 크기 변화를 일으켜 주변에 전기력을 미치게 된다고 하였다.

3 구체적 사례에 적용

문제 분석　제시문에서 설명하고 있는 핵심 개념이 구체적으로 활용되는 적절한 사례를 파악해 보는 문제이다.

정답 풀이　❹ 사람들이 개찰구의 바닥을 밟고 다닐 때 발생하는 압력을 활용하여 전기를 생산하는 것은 물리적인 외부 응력을 가함으로써 전기쌍극자의 크기 변화를 일으켜 전기 에너지를 발생시키는 1차 압전효과를 활용한 사례로 볼 수 있다.

오답 풀이　① 4문단에서 소개한 광전효과, 즉 금속 등이 고에너지 전자기파를 흡수할 때 전자를 내보내는 현상을 바탕으로 한 에너지 하베스팅 기술의 사례이므로 압전효과를 이용한 것으로 볼 수 없다.
② 전선 주변에 생기는 자투리 전기를 스마트폰 충전기, 리모컨 등 소형 기기의 전력원으로 활용하는 에너지 하베스팅 기술의 사례이지만 압전효과를 이용한 것으로 볼 수는 없다.
③ 무선 통신에서 발생하는 전자기파를 수집하여 전기로 바꾸는 것은 에너지 하베스팅 기술의 사례이지만, 압전효과를 이용한 것으로 볼 수는 없다.
⑤ 4문단에서 소개한 열전효과, 즉 온도가 차이 날 때 전류가 흐르는 현상을 바탕으로 체온과 외부 기온 간 온도 차를 이용하여 전기 에너지를 생산하려는 에너지 하베스팅 기술의 사례이므로 압전효과를 이용한 것으로 볼 수는 없다.

플래시 메모리

이 글은 플래시 메모리의 구조와 작동 원리에 대해 설명하고 있다. 플래시 메모리에서 1개의 셀은 1비트의 정보를 저장하는데, 플로팅 게이트에 전자가 있으면 1, 비어 있으면 0의 정보를 나타낸다. 셀의 구성 요소인 소스와 드레인 사이에 전기가 흐르도록 게이트에 전압을 공급하여 셀의 정보가 1인지 0인지 판독하는 것을 SLC 방식이라고 한다. 그리고 플로팅 게이트에 있는 전자의 양을 조절하여 11, 10, 01, 00의 네 가지 상태로 나타냄으로써 하나의 셀이 2비트의 정보를 저장하는 것을 MLC 방식이라고 한다. MLC 방식은 SLC 방식에 비해 셀 당 용량이 두 배 크지만, 기록 속도가 느리고 터널 절연체의 사용 횟수의 한계도 SLC 방식의 약 10분의 1 수준으로 떨어지는 단점이 있다고 하였다.

☑ **지문 분석 노트**

① 플래시 메모리의 개념과 구조

② 플래시 메모리 스위치의 구조

③ 셀의 정보를 판독하는 원리

④ SLC 방식과 MLC 방식의 차이점

■ **주제** : 플래시 메모리의 구조와 작동 원리

전력이 끊겨도 그 내용이 보존되는 기억 장치의 속성

플래시 메모리는 전원이 끊겨도 저장된 정보가 지워지지 않는 비휘발성 메모리로, 디지털 카메라나
플래시 메모리의 개념
스마트폰 등 휴대용 디지털 기기에 가장 많이 사용되는 기억 장치이다. 플래시 메모리는 1비트의 정보를 기억하는 수많은 스위치들로 구성되며, 각 스위치에 0 또는 1을 저장한다.

셀이라고 불리는 플래시 메모리의 스위치는 〈그림〉과 같은 구조의 트랜지스터 1개로 이루어져 있다. 평상시에는 소스와 드레인이라고 불리는 두 반도체 사이에 전기가 흐르지 않지만 게이트에 전압을 공급하면 소스에서 드레인으로 전기가 흐른다. 이처럼 소스와 드레인 사이에 전기가 흐르도록 게이트에 공급해야 할 최소한의 전압을
문턱 전압의 개념

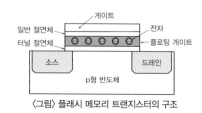

〈그림〉 플래시 메모리 트랜지스터의 구조

'문턱 전압'이라고 한다. 〈그림〉의 터널 절연체는 전류 흐름을 항상 차단하는 일반 절연체와는 다르게 일정 이상의 전압이 가해졌을 때는 전자를 통과시킨다. 그러나 여러 번 사용할수록 점차 성능이 저하되어 사용 횟수에 한계가 있다.
터널 절연체의 한계

플로팅 게이트는 〈그림〉과 같이 절연체를 통과한 전자를 가지고 있을 수도 있고, 전자를 절연체로 다시 내보낼 수도 있다. 이때 플로팅 게이트가 전자를 가지고 있다면 셀의 정보가 '1'이고, 그렇지 않
전자 (○)
다면 셀의 정보가 '0'이다. 플로팅 게이트가 전자를 가지고 있을 때는 문턱 전압이 높고 전자를 가지고
전자 (×)   데이터의 유무에 따른 문턱 전압의 높낮이
있지 않을 때는 문턱 전압이 낮다. 만약 두 문턱 전압 중간의 전압을 게이트에 공급하면, 플로팅 게이트에 전자가 있을 때는 전류가 흐르지 않고 반대의 경우에는 전류가 흐른다. 이것으로 셀의 정보가 '1'인지 '0'인지를 판독할 수 있으므로, 이 전압을 판독 전압이라고도 한다.
= 문턱 전압

최초의 플래시 메모리에는 하나의 셀에 1비트를 저장할 수 있는 SLC 방식만 있었으나, 이후 플로팅 게이트에 있는 전자의 양을 조절하여 하나의 셀 안에 2비트를 저장할 수 있는 MLC 방식이 개발되었다. SLC 방식은 플로팅 게이트 안에 전자를 가득 채운 상태가 '1', 전자를 완전히 비운 상태가 '0'인
SLC 방식의 정보 표시
두 가지 상태로 정의하는 반면, MLC 방식은 플로팅 게이트 안에 전자를 가득 채운 상태가 '11', 2/3
MLC 방식의 정보 표시
채운 상태가 '10', 1/3 채운 상태가 '01', 완전히 비운 상태가 '00'인 네 가지 상태로 정의한다. MLC 방식의 경우 문턱 전압도 플로팅 게이트 안의 전자의 양에 따라 네 가지 단계로 나뉘는데, 각 문턱 전압의 중간 전압인 판독 전압을 차례로 가하면 2비트의 정보를 읽을 수 있다. MLC 방식은 플로팅 게이트 안의 전자의 양을 세밀하게 조절해야 하므로, 데이터를 쓸 때 여러 단계에 걸쳐 기록을 해야 한다. 그렇기 때문에 기록 속도가 상대적으로 느리고 터널 절연체의 사용 횟수의 한계도 SLC 방식의 약 10
MLC 방식의 단점
분의 1 수준으로 떨어지는 단점이 있다.

1 세부 정보의 파악

문제 분석 글에 제시된 세부 정보들을 파악하는 문제이다. 제시된 개념들을 비교하여 공통점과 차이점을 확인하도록 한다.

정답 풀이 ❺ SLC 방식과 MLC 방식은 모두 플래시 메모리에서 셀 안에 정보를 저장하는 방식이다. 1문단에서 플래시 메모리는 전원이 끊겨도 저장된 정보가 지워지지 않는 비휘발성 메모리라고 하였다.

오답 풀이 ① 4문단에서 SLC 방식은 하나의 셀에 1비트를 저장할 수 있고, MLC 방식은 하나의 셀에 2비트를 저장할 수 있다고 하였다. 따라서 MLC 방식이 SLC 방식에 비해 셀 당 저장 용량이 두 배 많다는 것을 알 수 있다.
② 4문단에서 MLC 방식은 '터널 절연체의 사용 횟수의 한계도 SLC 방식의 약 10분의 1 수준으로 떨어지는 단점이 있다.'고 하였다.
③ 2문단에서 '게이트에 전압을 공급하면 소스에서 드레인으로 전기가 흐른다.'고 하였으며, 전류 흐름을 차단하는 것은 절연체라고 하였다. 따라서 소스와 드레인이 플로팅 게이트 안의 전류 흐름을 차단하는 역할을 한다는 이해는 적절하지 않다.
④ 4문단에서 플래시 메모리에는 하나의 셀에 1비트를 저장할 수 있는 SLC 방식과 하나의 셀 안에 2비트를 저장할 수 있는 MLC 방식이 있다고 하였다. 이 두 방식은 각각 1비트 또는 2비트의 정보만을 저장할 수 있으므로, 플로팅 게이트 안에 있는 전자의 양이 많다고 해서 셀 당 정보의 저장 용량이 커진다고 할 수는 없다.

2 구체적 상황에 적용

문제 분석 제시문에서 설명한 핵심 개념을 구체적인 상황에 적용하여 이해하는 문제이다. 각 방식이 나타내는 정보를 확인하도록 한다.

정답 풀이 ❸ 4문단에 의하면 SLC 방식은 플로팅 게이트 안에 전자를 가득 채운 상태를 '1', 전자를 완전히 비운 상태를 '0'으로 정의하므로 ㉠은 '1', ㉡은 '0'의 정보를 나타낸다. MLC 방식은 플로팅 게이트 안에 전자를 가득 채운 상태를 '11', 2/3 채운 상태를 '10', 1/3 채운 상태를 '01', 완전히 비운 상태를 '00'으로 정의하므로 ㉢은 '11', ㉣은 '10', ㉤은 '01', ㉥은 '00'의 정보를 나타낸다. 따라서 ③의 SLC 방식은 '1000'의 정보를, MLC 방식은 '0100'의 정보를 나타내므로 두 방식이 나타내는 정보가 일치하지 않는다.

오답 풀이 ① 두 방식 모두 '1110'의 정보를 나타낸다.
② 두 방식 모두 '1100'의 정보를 나타낸다.
④ 두 방식 모두 '1010'의 정보를 나타낸다.
⑤ 두 방식 모두 '1001'의 정보를 나타낸다.

3 그래프를 통한 내용의 이해와 추론

문제 분석 제시문에서 설명한 원리를 그래프를 통해 이해하고 실제 사례에 적용하여 추론해 보는 문제이다.

정답 풀이 ❺ 3문단에서 '두 문턱 전압 중간의 전압을 게이트에 공급하면, 플로팅 게이트에 전자가 있을 때는 전류가 흐르지 않고 반대의 경우에는 전류가 흐른다. 이것으로 셀의 정보가 '1'인지 '0'인지를 판독할 수 있다'고 하였다. 제시된 그래프에서 A와 B의 문턱 전압 중간의 전압은 ㉡이다. 따라서 ㉡의 전압을 가해야 A와 B의 정보를 판독할 수 있으므로, ㉢의 전압을 가해서는 B의 정보에 대해 알 수 없다.

오답 풀이 ① x축의 ㉠ 이후부터 전류가 흐르면서 y값이 나타나기 시작하므로, ㉠이 A의 문턱 전압임을 알 수 있다.
② 3문단에서 '플로팅 게이트가 전자를 가지고 있을 때는 문턱 전압이 높고 전자를 가지고 있지 않을 때는 문턱 전압이 낮다.'고 하였다. B의 문턱 전압이 A의 문턱 전압보다 높으므로, B는 플로팅 게이트가 전자를 가지고 있는 상태이고 A는 전자를 가지고 있지 않은 상태임을 알 수 있다.
③ 플로팅 게이트가 비어 있다는 것은 플로팅 게이트가 전자를 가지고 있지 않아 문턱 전압이 낮다는 뜻이므로, A에 해당한다. 그래프에서 A의 문턱 전압은 ㉠이므로, 게이트에 ㉡의 전압을 공급하면 문턱 전압 이상의 전압을 공급한 것이므로 당연히 전류가 흐를 것이다.
④ 3문단에 의하면 ㉡은 두 문턱 전압 중간의 전압으로, 셀의 정보가 '1'인지 '0'인지를 판독할 수 있는 판독 전압이다. 따라서 A의 게이트에 ㉡의 전압을 공급했을 때 전류가 흐르고 있으므로, 플로팅 게이트에 전자가 없고 A의 정보는 '0'이라는 것을 판독할 수 있다.

생각줍기···
Cartoon Allegory

살다보면
'스텝' 꼬일 때도 있지.

세상은 그걸 보고
빈정대지 않아...

다시 오르지 않고 주저앉는 것을 '비웃을' 뿐이야...

kimyh@hani.co.kr

MEMO

MEMO

MEMO

MEMO

숨마쿰라우데® [국어 문제집]

독서 강화 [과학·기술]

'제대로' 공부를 해야 공부가 더 쉬워집니다!

"공부하는 사람은 언제나 생각이 명징하고 흐트러짐이 없어야 한다. 그러자면 우선 눈앞에 펼쳐진 어지러운 자료를 하나로 묶어 종합하는 과정이 필요하다. 비슷한 것끼리 갈래를 묶고 교통정리를 하고 나면 정보 간의 우열이 드러난다. 그래서 중요한 것을 가려내고 중요하지 않은 것을 추려 내는데 이 과정이 바로 '종핵(綜核)'이다." 이는 다산 정약용이 주장한 공부법입니다. 제대로 공부하는 과정은 종핵처럼 복잡한 것을 단순하게 만드는 과정입니다. 공부를 쉽게 하는 방법은 복잡한 내용들 사이의 관계를 잘 이해하여 간단히 정리해 나가는 것입니다. 이를 위해서는 무엇보다도 먼저 내용을 정확히 알아야 합니다. 숨마쿰라우데는 전체를 보는 안목을 기르고, 부분을 명쾌하게 파악할 수 있도록 친절하게 설명하였습니다. 좀 더 쉽게 공부하는 길에 숨마쿰라우데가 여러분들과 함께 하겠습니다.

수능 국어 독서, 독해 능력 강화(强化) 고득점 전략서!

POINT 1 __ 자학자습(自學自習)을 통한 독해력 향상 시스템!
• 문단 요지와 주제를 직접 쓰면서 분석 능력을 강화하는 학습 시스템
• '지문 분석 노트'의 활용을 통해 글의 흐름을 한눈에 파악하는 능력 배양

POINT 2 __ 다양한 분야의 읽기 자료를 통해 낯선 제재에 대한 적응력 강화!!
• 〈하루 10분〉 독서 PLUS⁺의 다양한 글 읽기를 통한 배경지식 강화
• 단락 요지 파악 연습을 통한 폭넓은 제재의 독해 능력 향상

POINT 3 __ 제재별 풍부한 구성 요소를 통한 수능 국어 독서 해결 능력 강화!!!
• 제재별 경향 분석 – 오답률 BEST 빈출 유형 파악 – 실전 TEST

학습 교재의 새로운 신화! 이룸이앤비가 만듭니다!

숨마쿰라우데 시리즈

내신·수능 1등급으로 안내하는
숨마쿰라우데만의 **3단계 학습 시스템!!**

〈국어〉	〈영어〉	〈수학〉	〈한국사〉
고전 시가	영어 입문 MANUAL	고등 수학 (상)/(하)	한국사
어휘력 강화	WORD MANUAL	수학I	
독서 강화[인문·사회]	어법 MANUAL	수학II	
독서 강화[과학·기술]	구문 독해 MANUAL	미적분	
신경향 비문학 워크북	독해 MANUAL	확률과 통계	
	수능 2000 WORD MANUAL		

본 시리즈가 최고의 개념 기본서인 이유!

첫째, 완벽한 개념 이해를 통해 흔들리지 않는 실력을 쌓을 수 있게 합니다.
숨마쿰라우데만의 자세하고 완벽한 설명은 어느 교재도 따라올 수 없습니다.

둘째, 교과 연계나 개념 확장 등을 통한 입체 학습으로 생각하는 힘을 갖게 합니다.
내신, 서술형 평가는 물론 수능, 논·구술까지 공부할 수 있도록 교과 연계 심화
학습을 제공합니다.

셋째, 엄선된 문제들로 개념 확인은 물론 응용력, 문제 해결력 등을 기를 수 있게 합니다.
단순한 지식을 묻는 문제가 아닌, 개념을 완벽하게 습득하였는지 점검할 수 있도록
엄선된 문제들로 구성하였습니다.

넷째, 선배들의 노하우나 조언 등을 통해 자신만의 학습법을 찾게 합니다.
선배들이 들려주는 문제 접근법, 주의, 조언 등을 통해 개념이나 문제들을 완벽하게
숙지할 수 있게 합니다.

> **❝상위권 선호도 1위**의 명성은
> 중위권에서 상위권으로
> 성적 향상을 경험한 학생들에 의해
> 만들어진 영예입니다. **❞**

수능을 향한 첫걸음! **수·능·입·문·서**
굿비 시리즈

GOOD BEGIN GOOD BASIC

굿비 시리즈는 이럴 때 좋습니다

첫째, 단기간에 교과 핵심 개념을 파악하고자 할 때 **GOOD~!**
굿비는 가볍지만 알찹니다. 알찬 한 권의 책으로 교과 내용을 정복해 보세요.

둘째, 시험 전에 핵심 문제로 마무리하고 싶을 때 **GOOD~!**
굿비는 학교 시험 필수 문제들로 구성된 책입니다.
다양한 유형의 문제들로 내신을 대비해 보세요.

셋째, 수능에 한 발짝 다가가고 싶을 때 **GOOD~!**
굿비는 수능 입문서입니다.
수록된 기출문제들을 통해 수능에 한 발짝 다가가 보세요.

국어	영어	수학	한국사
독서 입문	영어 듣기	고등 수학 (상)/(하)	한국사
문학 입문	영어 독해	수학I	
		수학II	
		미적분	
		확률과 통계	

중등 교재

◉ 숨마주니어 **중학 국어 어휘력** 시리즈
중학 국어 교과서(9종)에 실린 중학생이 꼭 알아야 할
필수 어휘서
- 1 / 2 / 3 (전 3권)

◉ 숨마주니어 **중학 국어 비문학 독해 연습** 시리즈
모든 공부의 기본! 글 읽기 능력 향상 및 내신·수능까지
준비하는 비문학 독해 워크북
- 1 / 2 / 3 (전 3권)

◉ 숨마주니어 **중학 국어 문법 연습** 시리즈
중학 국어 주요 교과서 종합! 중학생이 꼭 알아야 할 필수
문법서
- 1 기본 / 2 심화 (전 2권)

◉ 숨마주니어 **WORD MANUAL** 시리즈
주요 중학 영어 교과서의 주요 어휘 총 2,200단어 수록
어휘와 독해를 한번에 공부하는 중학 영어휘 기본서
- 1 / 2 / 3 (전 3권)

◉ 숨마주니어 **중학 영문법 MANUAL 119** 시리즈
중학 영어 마스터를 위한 핵심 문법 포인트 119개를 담은
단계별 문법 교재
- 1 / 2 / 3 (전 3권)

◉ 숨마주니어 **중학 영어 문장 해석 연습** 시리즈
문장 단위의 해석 연습으로 중학 영어 독해의 기본기를
완성하는 해석 훈련 워크북
- 1 / 2 / 3 (전 3권)

◉ 숨마주니어 **중학 영어 문법 연습** 시리즈
필수 문법을 쓰면서 마스터하는 문법 훈련 워크북
- 1 / 2 / 3 (전 3권)

◉ 숨마쿰라우데 **중학수학 개념기본서** 시리즈
개념 이해가 쉽도록 묻고 답하는 형식으로 설명한 개념기본서
- 중1 상 / 하
- 중2 상 / 하
- 중3 상 / 하 (전 6권)

◉ 숨마쿰라우데 **중학수학 실전문제집** 시리즈
기출문제로 개념 잡고 내신 대비하는 실전문제집
- 중1 상 / 하
- 중2 상 / 하
- 중3 상 / 하 (전 6권)

◉ 숨마쿰라우데 **스타트업 중학수학** 시리즈
한 개념씩 쉬운 문제로 매일매일 꾸준히 공부하는 연산 문제집
- 중1 상 / 하
- 중2 상 / 하
- 중3 상 / 하 (전 6권)

고등 교재

내신·수능 대비를 위한 국어 고득점 전략서!
◉ 숨마쿰라우데 **국어 기본서·문제집** 시리즈
자기 주도 학습으로 국어 공부가 쉬워진다!
- 고전 시가
- 어휘력 강화
- 독서 강화 [인문·사회]
- 독서 강화 [과학·기술]
- 신경향 비문학 워크북

쉽고 상세하게 설명한 수학 개념기본서의 결정판!
◉ 숨마쿰라우데 **수학 기본서** 시리즈
기본 개념이 튼튼하면 어떠한 시험도 두렵지 않다!
- 고등 수학 (상) / (하) / 수학Ⅰ / 수학Ⅱ / 미적분 / 확률과 통계

한 개념씩 매일매일 공부하는 반복 학습서!
◉ 숨마쿰라우데 **스타트업 고등수학** 시리즈
개념을 쉽게 이해하고 반복 학습으로 수학의 자신감을 갖는다.
- 고등 수학 (상) / (하)

유형으로 수학을 정복하는 수학 문제유형 기본서!
◉ 숨마쿰라우데 **라이트수학** 시리즈
수학의 핵심 개념과 대표문제들을 유형으로 나누어
체계적으로 공부한다.
- 고등 수학 (상) / (하) / 수학Ⅰ / 수학Ⅱ / 미적분 / 확률과 통계
  (적용 교육과정에 따라 계속 출간 예정)

변화된 수능 절대 평가에 맞춘 영어 학습 기본서!
◉ 숨마쿰라우데 **영어 MANUAL** 시리즈
영어의 기초를 알면 1등급이 보인다!
- 수능 2000 WORD MANUAL / WORD MANUAL
- 구문 독해 MANUAL / 어법 MANUAL
- 영어 입문 MANUAL / 독해 MANUAL

쉽고 상세하게 설명한 한국사 개념기본서의 결정판!
◉ 숨마쿰라우데 **한국사**
내신·수능·수행평가(서술형) 대비를 한 권으로!

1등급을 향한 수능 입문서
◉ **굿비** 시리즈
수능을 향한 첫걸음! 고교 새내기를 위한 좋은 시작, 좋은 기초!

국어▶ 독서 입문 / 문학 입문
영어▶ 영어 듣기 / 영어 독해
수학▶ 고등 수학(상) / (하) / 수학Ⅰ / 수학Ⅱ / 미적분 / 확률과 통계
한국사

2021 수능대비 **미래로** 수능 기출 총정리
◉ **HOW to 수능1등급** 시리즈

국어▶ 국어 독서
영어▶ 영어 듣기 / 영어 독해
수학▶ 수학Ⅰ / 수학Ⅱ / 확률과 통계 / 미적분